Michael Gach · Aku-Yoga

MICHAEL GACH
AKU-YOGA

Gesund durch freien Fluß der Lebenskräfte.
Ein praktisches Übungsbuch

KÖSEL

Übersetzung aus dem Amerikanischen: Matthias Dehne, München. Die Originalausgabe erschien unter dem Titel »Acu-Yoga. Self Help Techniques to Relieve Tension« by Japan Publications, Inc., Tokio.

**Das Buch ist allen gewidmet,
die wirksame und natürliche Wege kennenlernen möchten,
etwas für sich und das Wohl aller Menschen zu tun.**

2. Auflage 1991, 7.–9. Tausend
Copyright 1981 by Michael R. Gach
© 1985 für die deutsche Ausgabe by Kösel-Verlag GmbH & Co., München.
Printed in Germany. Alle Rechte vorbehalten.
Gesamtherstellung: Kösel, Kempten.
Umschlag: Günther Oberhauser, München.
ISBN 3-466-34116-7

2 3 4 5 · 94 93 92 91

Inhalt

Vorwort 7

Erster Teil: Einführung 9

1. Der Hintergrund von Aku-Yoga 11

   Das Gesundheitsbild der Ganzheitsmedizin 11
   Die Wurzeln von Aku-Yoga 14
   Die philosophischen Grundlagen von Aku-Yoga 20

2. Die Grundprinzipien des Aku-Yoga 25

   Disziplin 25
   Körperbewußtheit 26
   Die Biegsamkeit der Wirbelsäule 31
   Atemtechniken 32
   Meditation 35
   Meditationsübungen 38
   Meditation zur Erforschung von Krankheitsursachen 43
   Tiefenentspannung 44

Zweiter Teil: Allgemeine Übungen 47

A. Übungsreihen auf der Grundlage klassischer Yoga-Positionen 49

3. Die Wirbelsäule 51

4. Die Chakras 63

B. Übungsreihen auf der Grundlage der Akupressur-Meridiane 79

5. Die acht Sondermeridiane 81

6. Die Organmeridiane 101

Dritter Teil: Übungen zur Überwindung bestimmter Beschwerden 123

    Abwehrkräfte 127
    Augenbeschwerden 129
    Bauchmuskelschwäche 134
    Beckenverspannungen 137
    Bluthochdruck 141
    Depression 144
    Erkältungskrankheiten 150
    Erschöpfungszustände 155
    Frustration 164
    Halsverspannungen 168
    Körperverspannungen 174
    Kopfschmerzen 177
    Krämpfe und Spasmen 185
    Kreislaufbeschwerden 188
    Menstruationsbeschwerden 192
    Nebenhöhlenbeschwerden 196
    Nervenleiden 198
    Potenz 203
    Rückenbeschwerden 208
    Schlafstörungen 215
    Schulterverspannungen 218
    Verdauungsstörungen 227
    Verstopfung 236
    Wirbelsäulenbeschwerden 242

Anhang 247

    Anmerkungen 247
    Worterklärungen 248
    Zur weiterführenden Lektüre 251
    Register 252

Vorwort

In unserer schnellebigen, hektischen Zeit müssen wir mehr als je zuvor Wege finden, unsere Belastung auszugleichen. Aku-Yoga ist dafür ein wirksames und äußerst praktisches Mittel. Wir können es leicht lernen und mit seiner Hilfe Streß und Verspannungen lösen, so daß Gesundheit und Energie an ihre Stelle treten.
Schauen Sie sich um. Wie versuchen wir gewöhnlich, unsere Schwierigkeiten und Probleme zu bewältigen? Zumeist wohl auf die Art, daß wir sie unterdrücken und durch Schlemmen, Rauchen, Trinken, durch rezeptfreie Medikamente oder andere Drogen verdrängen. All dies verschlimmert natürlich nur unsere Schwierigkeiten.
Was wir im Leben wollen, ist eigentlich ganz einfach: Wir möchten uns wohlfühlen, gesund und bei Kräften sein, so daß wir mit Schwung durch den Tag kommen. Aku-Yoga kann uns dazu verhelfen. Es bringt uns mit uns selbst und mit unserem Körper in Kontakt. Es versetzt uns ferner in die Lage, schlechte Gewohnheiten aufzugeben und durch positive zu ersetzen, die Gesundheit und Wohlbefinden fördern.
Verspannungen verursachen oder verschlimmern die meisten unserer körperlichen Beschwerden wie Kopf- oder Rückenschmerzen. Wir können diese »kleinen« Beschwerden umdrehen, so daß sie einen aktiven Beitrag zu unserer Gesundheit leisten. Die Aku-Yoga-Übungen können bei vielen physischen Beschwerden helfen, besonders solchen, die Muskelverspannungen mit sich bringen.
Ich stelle Aku-Yoga hier in einer Form vor, die es vielen Lesern ermöglicht, damit zu arbeiten, Anfängern nicht weniger als Yoga-Lehrern oder Therapeuten. Mir ging es dabei darum, die Verbindungen zwischen dem Yoga und der Akupressur aufzuzeigen.
Viele von Ihnen werden Akupressur und Yoga noch nicht gut kennen. Das ist kein Hindernis. Beide Techniken lassen sich leicht erlernen und anwenden, geht es doch eigentlich nur darum, einen Punkt auf einem verhärteten Muskel zu pressen, zu strecken und zu lockern.
Yogakurse gibt es bereits im Fernsehen. Immer mehr Sportler benutzen Akupressurmethoden. Diese alten Wege der Gesundheitspflege kommen also auch bei uns langsam zu einer breiten Wirkung. Dieses Buch möchte Menschen in allen Lebensbereichen konkret, praktisch und verständlich Wege aufzeigen, wie sie sich selbst helfen können. Der erste Teil befaßt sich mit den Grundlagen: Ursprung und Prinzipien von Aku-Yoga werden aufgezeigt. Der zweite Teil enthält vier geschlossene Übungsreihen zur täglichen Praxis. Der dritte und letzte Teil stellt 24 allgemein verbreitete Beschwerden, ihre Ursachen und mögliche Behandlung vor.
Natürlich kann dieses Buch den Yogalehrer oder Akupressurtherapeuten oder Kurse in diesen Disziplinen nicht ersetzen. Sie haben aber mehr davon, wenn Sie Ihre Yoga- und Akupressurstunden durch eigene Beschäftigung mit der Materie wie auch durch regelmäßiges Üben ergänzen.
Es ist mein Wunsch, daß möglichst viele Menschen diese Techniken probieren, üben und

in ihren Alltag aufnehmen. Aku-Yoga ist ein natürlicher, leichter Weg. Er zeigt Ihnen, wie Sie besser für sich sorgen können, wie Sie Ihr Leben verändern, sich im Alltag wohler fühlen können als bisher. Ich bin sehr dankbar für die Gelegenheit, daß ich mit Ihnen teilen kann, was ich gelernt und weiterentwickelt habe.

Für die Führung und den Schatz an Informationen, die ich von meinen Akupressurlehrern Ron und Iona Teeguarden erhielt, werde ich immer dankbar sein. Sie lehrten mich alles über Jin Shin Akupressur. Ron ermutigte und regte mich an, dieses Buch zu schreiben, Ionas gewissenhafte Forschungen, ihre Beziehungen und ihr Organisationstalent leisteten einen enormen Beitrag. Ich möchte beiden danken, daß ich von ihnen Akupressur und die traditionellen Prinzipien der Gesundheitspflege lernen durfte. Mein Dank geht auch an Gurucharan Singh Fowlis, bei dem ich zum Yogalehrer ausgebildet wurde. Sein Wissen über Yoga-Therapie regte mich dazu an, die grundlegenden Verbindungen zwischen den Systemen ganzheitlicher Gesundheitspflege zu erforschen.
Ganz besonders möchte ich Carolyn Marco danken. Sie hat so viel für die Organisation dieses Buches geleistet, das Manuskript bearbeitet und immer wieder gelesen. Erst ihr Wissen über Akupressur und Yoga, zusammen mit ihren schriftstellerischen Fähigkeiten, haben dieses Buch zu einem abgerundeten Ganzen gemacht. Ich möchte Christel Busch für ihre Illustrationen danken und Andrew Partos und James Lerager für die Fotos. Sylvia Quigley und Neeltje De Haan haben sich beim Üben fotografieren lassen und mich sehr unterstützt. Die grafische Ausgestaltung dieses Buches übernahm Ma Anand Zeno (Diana Coleman). Ich kann es nicht in Worte fassen, wie dankbar ich ihr dafür bin. Josh Barron, Linda Gach Ray, Greg Hastings und Ana Vertel möchte ich dafür danken, daß sie mir mit Rat und Tat zur Seite standen und mich ermutigten.
Ohne die Hilfe all meiner Lehrer und die Unterstützung meiner Familie und meiner Freunde hätte ich dieses Buch nicht schreiben können. Ich danke meiner Tante Mitzi, die mich als erste zum Yoga hinführte. Meiner Mutter und meinem Vater danke ich am allermeisten, für all die Jahre der Liebe und Zuwendung, mit denen sie für mein ganzes Leben ein sicheres Fundament legten.

Michael Reed Gach

Begeben Sie sich bitte in ärztliche Behandlung, wenn Sie eine akute oder chronische Krankheit haben. Aku-Yoga kann zwar in vielen Fällen helfen, aber es kann pathologische Zustände weder diagnostizieren noch behandeln. Sie können Aku-Yoga zusätzlich zu der ärztlichen Behandlung üben, eine solche Behandlung ersetzen kann Aku-Yoga nicht.

Erster Teil:

Einführung

1 Der Hintergrund von Aku-Yoga

Das Gesundheitsbild der Ganzheitsmedizin

Aku-Yoga ist ein Übungssystem, das das Wissen zweier alter Traditionen ganzheitlicher Gesundheitspflege – Akupressur und Yoga – miteinander verschmilzt. Die Verbindung dieser beiden komplementären Wege der Selbstheilung erhöht ihre Wirksamkeit.
Beiden Systemen ist gemeinsam, daß sie Muskelverspannungen lösen und für ein Gleichgewicht der Lebenskräfte sorgen. Yoga erreicht dies durch die Koordination von Körperhaltung und Atem. Akupressur gelangt durch die Manipulation der Körperenergie an bestimmten Punkten und Meridianen zum gleichen Ziel. Meridiane sind Bahnen, durch die die Lebensenergie hindurchfließt, die Punkte jene besonderen Körperstellen, an denen man auf diese Energie unmittelbar Einfluß nehmen kann. Die Akupressurpunkte und -meridiane sind mit denen der Akupunktur identisch.
Im Yoga gebrauchen wir für die Lebenskraft den Begriff des *Prana*. Dieselbe Energie wird in der Akupressur mit dem chinesischen Wort *Chi* (oder seiner japanischen Entsprechung: *Ki*) bezeichnet.
Bilden sich im unmittelbaren Umfeld der Punkte Verspannungen, werden sie den natürlichen Energiefluß blockieren. Die Folge: In einigen Bereichen des Körpers herrscht Energieüberfluß, andere leiden unter Energiemangel.
Die Aku-Yoga-Übungen pressen und strecken ganz natürlich jeweils verschiedene Nerven, Muskeln und Reizpunkte. Sie erfrischen dadurch die Meridiane. Die Verspannungen, die sich um die Punkte gestaut hatten, lösen sich auf. Die Energie kann wieder stockungsfrei kreisen, was den gesamten Körper ausgleicht und zudem die Kräfte der Selbstheilung stimuliert.

Alte Formen der Prävention

Yoga und Akupressur sind ihrer Herkunft und Überlieferung nach hervorragende Beispiele für eine wirkungsvolle Präventivmedizin. Sie befreien den Körper von Verspannungen und beschleunigen die Ausscheidung toxischer Stoffe, was beides ein Gleichgewicht der Körpermechanismen vereitelt.

Die östlichen Traditionen der Gesundheitspflege gehen allesamt von Verspannung und Streß, mit anderen Worten »Unwohlsein«, als den ursprünglichen Krankheitsursachen aus. Bevor die Symptome eines bestimmten Leidens sich überhaupt manifestieren, kommt es an einigen Körperstellen zu Verspannungen, und außerdem ballen sich die unausgeschiedenen Giftstoffe. Wir sollten deswegen zu unserem eigenen Nutzen an den Störungen unseres körperlichen Gleichgewichts arbeiten, solange sie noch in den Anfängen stecken, das heißt, bevor die Gifte und Verspannungen die inneren Organe in Mitleidenschaft ziehen konnten. Aku-Yoga versetzt uns in die Lage, solche Verspannungen bereits im Keim aufzulösen, bevor sie sich als Krankheit ausprägten.

Die großen Weisen des Ostens waren Meister der präventiven Gesundheitspflege. Sie besaßen traditionelle diagnostische Methoden, mit denen sie ein Ungleichgewicht der Körperenergien erkennen konnten, und sie verhinderten so Krankheiten. Sie waren mit Akupressur, bestimmten Atemübungen und Ernährungsvorschriften vertraut, mit denen sie viele spezifische Disharmonien der Körperenergie wieder ausgleichen konnten. Wir werden in diesem Buch manche ihrer Techniken kennenlernen.

Dabei müssen wir allerdings immer bedenken, daß diese Methoden zur Vorbeugung am wirksamsten sind. Wir machen von ihnen den besten Gebrauch, wenn wir sie einsetzen, *bevor* wir erkranken. Bei akuteren und schwerwiegenderen Krankheitsfällen griff man auch früher schon auf Kräuterbehandlung und Akupunktur zurück, und auf Medikamente oder Operationen, wenn alle anderen Möglichkeiten ausgeschöpft waren.

Das Wesen der Krankheit

Krankheit ist mehr als nur eine Ansammlung von Symptomen. Krankheit ist ein Seinszustand. Wir verstärken sie durch unser Verhalten, durch die Art, mit der wir unserem eigenen Leben begegnen. Nach Ansicht der klassischen chinesischen Gesundheitslehre ist sie ein Spiegelbild. Sie zeigt uns, wie wir uns selbst im Verhältnis zu unserer Umwelt behandeln. Ist dieses Verhältnis harmonisch, dann sind wir ein Spiegelbild harmonischer Gesundheit. Befindet sich unser Lebensstil hingegen mit unserem eigentlichen Wesen nicht in harmonischer Übereinstimmung, sind wir ein Abbild dieser Disharmonie, werden wir unter Umständen krank. Harmonie ist das wichtigste Grundgesetz des Körpers. Krankheit ist ein Ausdruck von Disharmonie.

Viele von uns haben gerade in den letzten Jahren unglaubliche Veränderungen an sich erlebt. Auch wenn sich unsere existentielle Grundhaltung, unsere Wertmaßstäbe und unser Lebensstil in gewisser Hinsicht gewandelt haben mögen, schleppen wir doch immer noch den tiefsitzenden emotionalen Ballast der Vergangenheit mit uns herum. Diese unaufgearbeiteten Gefühlserfahrungen treten in Form physischer Blockierungen in Erscheinung. Wir alle leiden in unterschiedlichem Maße unter Verspannungen, ganz besonders in dieser Zeit der schnellen Veränderungen und der Reizüberflutung.

Wir können diese Spannungen jedoch in den Wandlungsprozeß integrieren. Sie sind eigentlich nicht mehr als ein Signal. Indem sie uns auf das bestehende Ungleichgewicht hinweisen, zeigen sie an, was zur Wiederherstellung der körperlichen Harmonie zu tun bleibt. Die Spannung will unsere Aufmerksamkeit auf bestimmte Punkte lenken. Allerdings ist dafür unsere Bewußtheit zumeist nicht genügend geschult. Häufig überhören wir die innere Stimme. Mißachten wir diese Signale jedoch, bilden sich automatisch mehr und mehr Energiestaus.

Körperliche und seelische Gesundheit

Wir müssen unseren Körper tatsächlich fordern, wenn er richtig funktionieren, das heißt gesund bleiben, sich entwickeln und voll entfalten soll. Vielfach haben wir ja praktisch aufgehört, von unserem Körper überhaupt Gebrauch zu machen. Autos, Fernsehapparate, Wasch- und andere Maschinen haben den Lebensstil vieler Menschen verändert. Arbeiten wie Holzhacken und Wäschewaschen, die früher körperliche Ertüchtigung und Anstrengung verlangten, sind Gas und Elektrizität zum Opfer gefallen. Die modernen Annehmlichkeiten machen uns bequem; als Folge davon ist der Körper nicht ausgelastet – ein äußerst ungesunder Zustand. Im Beruf ist es nicht anders. Immer mehr Beschäftigungen verlangen anstatt körperlicher Anstrengung nur Schreibtischarbeit. Die Menschen sitzen mehr und bewegen sich weniger.

In Fitness- und Gesundheits-Zentren, von Ärzten und Körpertherapeuten auf der ganzen Welt wird erkannt, wie wichtig körperliche Übung für die Aufrechterhaltung der Gesundheit ist. Aus der Sicht des Aku-Yoga stellt alle Verspanntheit eine Stagnation der Energieströme im Körper dar: Der Fluß in den Nervenbahnen, Meridianen, Lymph- und Blutgefäßen ist gehemmt. Zu wenig körperliche Bewegung trägt ihren Teil dazu bei. Physische Schwäche, verminderte Abwehrmechanismen, hochgradige Verspanntheit und viele, durch einseitige Ernährung, sowie Alkohol-, Medikamenten- und Drogenkonsum verursachte, unausgeschiedene Giftstoffe tun ein weiteres.

Da sich emotionaler Streß in Form von Verspannungen auch im Körper einnistet, vermehrt jede Gefühlsverdrängung die Krankheitsgefahr. Der Streß, der von vergangenen traumatisierenden Erfahrungen, neurotischen Verhaltensmustern und Alltagsgewohnheiten erzeugt wird, errichtet im Körper richtige Sperren.

Wut, Traurigkeit, Sorgen oder Frustration, die auf persönliche, berufliche, soziale und umweltbedingte Probleme zurückzuführen sind, können das körperliche Gleichgewicht empfindlich stören. Emotionen und Gefühle, die man irgendwann einmal unterdrückt hat, haben dieselbe Wirkung. Diese blockierten Gefühle, ob sie nun bewußt oder unbewußt sind, hemmen die natürlichen Mechanismen, die für ein körperliches Gleichgewicht sorgen.

So können seelische und körperliche Schwierigkeiten unser individuelles Wachstum in vieler Weise zum Stocken bringen. Seelische und körperliche Gesundheit stellt im Gegensatz dazu ein kräftiges Fundament für eine Entwicklung und Entfaltung auf allen Ebenen unseres Seins bereit. Darauf können wir körperlich, seelisch, intellektuell und spirituell gedeihen.

Der Weg zu strahlender Gesundheit

Aku-Yoga setzt die Körperenergie frei, so daß sie durch die Meridiane hindurchströmen und alle inneren Organe und alle Systeme des Körpers kräftigen kann. Diese Energie ist die Quelle allen Lebens, ihr Fließen der Schlüssel zu strahlender Gesundheit. Sie hat die Aufgabe, die Atmungs- und Verdauungsorgane, die Drüsentätigkeit, die Blut- und Lymphgefäße sowie die Harn- und Geschlechtsorgane und das Nervensystem zu regulieren und auszugleichen. Außerdem sorgt sie für seelische Harmonie. Deswegen ist Aku-Yoga auch eine so wirkungsvolle Methode, die Ihnen zu einem allgemein wohligen Lebensgefühl verhelfen kann. Indem Sie die Übungen dieses Buches ausführen und auf diese machtvolle Energie achtgeben, können Sie für Ihre eigene Gesundheit Verantwortung tragen und Ihr Gesamtbefinden in jeder Hinsicht verbessern. Denn wenn diese Energie ungehemmt in uns kreist, fühlen wir uns lebendig, gesund und glücklich, und wir leben mit uns selbst in Frieden und Harmonie.

Die Wurzeln von Aku-Yoga

»Die Wissenschaft des Yoga geht bis in die sogenannten prähistorischen Zeiten zurück, als der Mensch noch ein natürliches Leben führte und nicht unter dem Druck der modernen Zivilisation stand.«[1]

In vielen der alten Kulturen vollzog sich das Leben im Einklang mit den Zyklen der Natur. Man mußte sich nicht mit den Komplikationen unserer modernen Welt abplagen, mit denen wir jetzt Tag für Tag zu tun haben. Es herrschte ein relativ einfacher Lebensstil vor, der die Entwicklung innerer Bewußtheit und unmittelbaren Gewahrseins förderte, aus dem die Heilsysteme der Akupressur und des Yoga Schritt für Schritt erwuchsen.

Der Werdegang der Akupressur

Akupressur wurde auf drei Arten zu der vollendeten Kunst der Wiederbelebung körperlicher Harmonie entwickelt, als die sie uns heute bekannt ist: instinktiv, objektiv und subjektiv.

Die Menschen haben schon von Anbeginn der aufgezeichneten Geschichte an ihre Hand ganz *instinktiv* auf Körperstellen gelegt, an denen Sie eine Blockierung spürten, Schmerzen empfanden oder eine Verletzung erlitten hatten. Jeder führt seine Hand fast augenblicklich zu einer verstauchten, verbrannten oder verletzten Stelle, um das Schmerzgefühl zu dämpfen. Wenn Sie mit Ihrer Hand über die Stirn streichen, um zu gedanklicher Klarheit zu kommen, oder wenn Sie über die Lendenwirbel fahren, nehmen Sie instinktiv an sich eine Akupressurbehandlung vor. Besonders an Kindern kann man das schön beobachten, wenn sie sich verletzt haben. Wir können also ständig unbewußte Formen der Akupressurbehandlung finden.

»Das ursprünglichste medizinische Werkzeug des Menschen ist die Hand, die immer schon auch zur Linderung von Schmerzen gebraucht wurde. Bei Schlag, Stich oder Krampf greift man unwillkürlich zur schmerzenden Stelle, um diese zu schützen, zu reiben, zu kneten, zu massieren... In China hat man offensichtlich bereits sehr früh erkannt, daß eine Massage nicht nur zur Linderung von Schmerzen förderlich ist, sondern daß auch eine Reizung bestimmter Hautbezirke die inneren Organe beeinflussen kann. Die jahrtausendealte Praxis verband die Heilmassage mit den gleichen Körperpunkten und Meridianen...«[2]

Darüber hinaus haben die Menschen in allen Zeitaltern durch Beobachtung die wirksamsten Mittel entdeckt, sich selbst zu helfen. Diese *objektive* Methode folgt dem Schema von Versuch und Irrtum. So sind Magenschmerzen zum Beispiel eine ziemlich verbreitete Unpäßlichkeit. Sie läßt sich mittels Akupressur durch das Pressen und Massieren verschiedener Bauchbereiche beheben, die man nach durch Versuch und Irrtum finden kann. Das folgende Zitat veranschaulicht diesen Gesichtspunkt in der Entwicklungsgeschichte der Akupressur:

»In der Morgendämmerung der Geschichte, als Steine und Steinpfeile noch die einzigen Kriegswerkzeuge waren, berichteten die Soldaten, die in der Schlacht verwundet worden waren, zuweilen, daß jahrelange Krankheitssymptome plötzlich wie verflogen waren. Die Ärzte waren von solchen seltsamen Begebenheiten nicht wenig überrascht, denn sie konnten zwischen dem Trauma und der Wiedererlangung der Gesundheit keine logische Verbindung herstellen. Erst nach jahrelanger sorgfältiger Beobachtung kam man dann zu der Schlußfolgerung, daß sich bestimmte Krankheiten durch eine kräftige Berührung oder das Anstechen gewisser Punkte auf der Körperoberfläche heilen lassen.«[3]

Erprobte Volksweisheiten und -mittel, die ihre Wirksamkeit über Generationen bewiesen haben, stellen ein zusätzliches Reservoir allgemein gebräuchlicher objektiver Erkenntnisse dar. Die Bildung objektiver Begriffe und Theorien half diese Erkenntnisse zu überliefern und weiterzuentwickeln. Dann verband man verschiedene Massagetechniken, die in der Praxis schon mehrere tausend Jahre erfolgreich angewandt worden waren, mit den Prinzipien und Reizpunkten der Akupunktur. Und schließlich zog man auch noch die klassischen Quellenwerke zur Akupunktur und den von Huang Ti und Ch'i Po, zwei chinesischen Ärzten, niedergelegten Rahmen hinzu, um für die Akupressurbehandlung Richtlinien zu erstellen.

»Im China des Altertums, in einer geschichtlich nicht mehr bestimmbaren Zeit, entdeckte man solche Punkte des Körpers, die gestochen oder gebrannt, bestimmte Schmerzzustände günstig beeinflußten. Durch Vergleich und Ausbau der Erfahrungen wurden immer mehr Punkte entdeckt, mit deren Hilfe nicht nur Schmerzen gelindert werden konnten, sondern auch die Funktion bestimmter innerer Organe zu beeinflussen war. In der überkommenen heilkundlichen Literatur wuchs die Zahl solcher Körperpunkte im Laufe der Zeit immer mehr an. Sie wurden nach Punkten ersten, zweiten und dritten Ranges geordnet, und man entdeckte immer neue Zusammenhänge zwischen den verschiedenen Punkten und den inneren Organen. Zum besseren Einprägen erhielten die Punkte Namen.«[4]

Aber die Akupressur ist auch durch die *subjektive* Erfahrung von Meistern gewachsen, die über eine so verfeinerte und sauber gestimmte innere Bewußtheit verfügten, daß sie die Energiepunkte und Meridiane an sich und an anderen Menschen im wahrsten Sinne des Wortes »sehen« und fühlen konnten. Jeder Meister baute aus der Kombination verschiedener Ansätze seine eigene, individuelle Behandlungsmethode auf. So verbanden manche zum Beispiel Atemmeditationen mit *Mudras,* um gewisse Reizpunkte zu stimulieren. Ärzte, die sich auf die Kräuterheilkunde spezialisiert hatten, heilten die Störung im Energiegleichgewicht ihrer Patienten hingegen mit Pflanzen, Kräuteraufgüssen und -mixturen.

Man gab dieses Wissen weiter und verfeinerte es über die Generationen innerhalb der Familie oder Dorfgemeinschaft. Auf diese Art und Weise haben die Chinesen auch die Akupressur seit uralten Zeiten gepflegt und weiterentwickelt, als ein Hausmittel, ihre Lieben glücklich und gesund zu erhalten. Überhaupt ist die ganze Volksmedizin des Ostens historisch so gewachsen.

> »Die westliche Medizin könnte durchaus von einer näheren Prüfung der alten chinesischen Heilmethoden profitieren. In den Vorstellungen, die aus einer sorgfältigen Beobachtung von zahllosen Patienten hervorgegangen sind, und der Weisheit der Jahrtausende mag auch für uns sehr viel nützliche Wahrheit stecken – ganz gleich, ob sie durch mündliche Traditionen oder in der Gestalt fein zisilierter Schriftzeichen überliefert sind.«[5]

Die Entstehung des Yoga

Yoga ist ein Übungssystem, das Körperhaltungen sowie Atemtechniken und Bewegungsabläufe einschließt, seine Entwicklung folgte denselben Kriterien wie die der Akupressur: dem Instinkt, der Beobachtung und der Erfahrung. Die großen »Seher« *(Rishis)* des indischen Altertums bedienten sich bereits vor mehr als sechstausend Jahren spontan Grundformen dieser Yoga-Übungen. Diese Weisen lebten im Einklang mit der Natur wie die Tiere, ihre menschliche Intelligenz und ihr menschliches Bewußtsein befähigten sie jedoch dazu, die Funktions- und Wirkungsmechanismen ihres Körpers *bewußt* zu beobachten. Ihr einfacher und fließender Lebensstil ließ sie unmittelbar jene Energie erfahren, die alle Lebensformen durchpulst. Sie waren sensibel genug, die Nervenbahnen und Meridiane in ihrer ganzen Dynamik zu erfühlen, und konnten deswegen natürliche Methoden entwickeln, diese Energiekanäle zu manipulieren und zu steuern. Ihre Bewegungs- und Atemtechniken sind die eigentlichen Quellen des Yoga.

Es entstanden viele verschiedene Spielarten solcher Bewegungstechniken – in Abhängigkeit von klimatischen, kulturellen und rassischen Besonderheiten, von Lebensstil und Natureinfluß. Manche beinhalteten zum Beispiel Bewegungsfolgen, die uns an wilde Stammesrituale erinnern würden, in der Ekstase überantwortete man seinen Körper ganz den Kräften des Universums. Andere bevorzugten hingegen Bewegungen von der Art eines fließenden Tanzes, wie wir sie vom T'ai Chi her kennen. Und wieder andere bereiteten den Körper darauf vor, die Lebenskraft zu empfangen, indem man sich einer besonderen Tiefenatmung bediente und gleichzeitig in Positionen verharrte, die den Tieren abgeschaut waren.

Yoga entwickelte sich dann später als eine natürliche Volksmedizin weiter. Die erfahrenen Lehrer und Meister erkannten die Heilwirkung bestimmter Yoga-Haltungen *(Asanas)* und führten ihre Patienten in die Kunst des richtigen Atmens ein.

> »Richtig zu atmen, ist die Grundlage aller Übungen, die ein langes Leben gewährleisten und zahlreiche Krankheiten heilen sollen. Dschuang Dsi stellte es bereits im vierten Jahrhundert vor unserer westlichen Zeitrechnung fest: Wer über tiefere Weisheit verfügt, atmet auch tief aus dem Körperinneren und vom Unterleib her. Der gewöhnliche Sterbliche holt hingegen nur mit dem Kehlkopf Luft. Schon damals waren sich die Menschen also des großen Nutzens tiefer Atmung bewußt.
> Wie die indische Yoga-Tradition versucht auch die chinesische Heilgymnastik den Blutkreislauf auf einem gesunden Niveau zu stabilisieren, was zu vermehrtem seelischen Gleichgewicht und Selbstvertrauen führt. Eine solche Stabilität kräftigt das Immunsystem und schenkt ein längeres Leben.«[6]

Spätere Entwicklungstendenzen

Mit dem Erscheinen des Buchdrucks wandelten sich auch die asiatischen Heilkünste. Was früher nur Umsetzung und Anwendung von Erfahrungswissen gewesen war, wurde nun zum Studium und zur Wissenschaft. Wenn man sich vorher bei der Akupressur und Akupunktur hauptsächlich auf seine Intuition verlassen hatte, erfaßte man die Punkte und Meridiane nun tabellarisch. Man fand die Formeln, mit denen man die Kräutermixturen der alten Seher für die Nachwelt festhalten konnte. Auch die Yoga-Übungen wurden systematisiert. Zwar ließ sich das besondere System eines Meisters dadurch leichter erlernen, diese schriftliche Überlieferung hatte jedoch auch ihre Nachteile: »Im siebzehnten Jahrhundert begannen die Gelehrten, Kommentare zur Yoga-Praxis abzufassen, wobei sie sich mehr von der Logik als von der Intuition leiten ließen.«[7]
Und doch hat gerade die schriftliche Niederlegung es ermöglicht, daß sich Yoga und Akupressur weltweit verbreiten konnten, fern von den Kulturkreisen, in denen sie entstanden waren. Die Menschen können nun überall von diesen altbewährten Methoden der Gesundheitspflege profitieren. Ohne die schriftliche Fixierung ihrer Prinzipien wäre dies nicht möglich gewesen. Der Austausch zwischen Ost und West erlebt heute eine Blütezeit. Wir sehen, daß er immer weitere Kreise zieht, immer neue Ausdrucksformen annimmt. Wir haben das Privileg, von der Weisheit der alten Kulturen zu lernen.

Die Verzweigung in verschiedene Schulen

Yoga und Akupressur haben sich im Verlauf ihrer Entwicklung in verschiedene Schulen verzweigt. Wollen Sie Aku-Yoga wirklich verstehen und üben, sollten Sie etwas mehr über die Ansätze und Schwerpunkte dieser Schulen erfahren, so daß Sie sie in ihrer gegenseitigen Bezogenheiten sehen können.

Die verschiedenen Yoga-Wege
Es gibt also verschiedene Arten des Yoga. Sie alle führen zum gleichen Ziel – der

Vereinigung von Körper, Seele und Geist. Auch wenn sie sich teilweise überschneiden, ergänzen und schließlich sogar in einen einzigen Pfad einmünden mögen, unterscheiden sie sich doch durch ihre Schwerpunktsetzung und Übungsmethoden voneinander. Wir wollen sie hier kurz zusammenfassen und nebeneinanderstellen:

Yoga-Weg	Hauptansatzpunkt	Nutzen
Aku-Yoga	Reizpunkte und Meridiane	gesteigertes Kreisen der Lebensenergie
Bhakti-Yoga	Hingabe und Liebe	Höherentwicklung der Gefühle
Hatha-Yoga	Körperhaltungen und -bewegungen	Streckung und Tonisierung des Körpers
Jnana-Yoga	Erkenntnisstreben	intellektuelle Weiterentwicklung
Karma-Yoga	hingebungsvolles Handeln und Dienen	rechter Lebenserwerb
Kundalini-Yoga	die Hauptenergiekanäle entlang der Wirbelsäule und ihre Energiezentren	Kräftigung und Harmonisierung des Nervensystems
Laya-Yoga	Klangschwingungen (Mantras)	Kräftigung und Harmonisierung des endokrinen Systems
Pranayama	grob- und feinstoffliche Atmung	Kräftigung und Harmonisierung des Atmungsapparates
Raja-Yoga	Meditation	geistige Meisterschaft
Sahaja-Yoga	völlige Aufgabe des Ich	spirituelle Einswerdung

Jede Yoga-Form konzentriert sich auf einen besonderen Aspekt, aus dem sie ihre Kraft bezieht. Ferner ist sie ganz natürlich mit jedem anderen Yoga-Weg verbunden. Zwischen den verschiedenen Yoga-Wegen besteht eine ähnliche Wechselbeziehung wie zwischen den einzelnen Körpersystemen, sie bilden ein Ganzes. Verbessern wir den Zustand eines solchen Systems, profitiert davon automatisch der ganze Körper. Kräftigen wir zum Beispiel durch die Atemübungen des Pranayama den Atmungsapparat, geht damit eine Belebung des Kreislaufs einher, die den gesamten Körper stärkt. Obwohl jeder Yoga-Weg seinen Ansatz zur Selbstverwirklichung hervorhebt, eine eigene Identität und typische Übungen besitzt, ist der Übergang zu den anderen Yoga-Wegen stets offen und fließend.

So gehören zum Hatha-Yoga nicht nur die verschiedenen Asanas, sondern auch Atemübungen und Techniken der Tiefenentspannung, die helfen, die jeweilige Stellung zu vervollständigen. Wer regelmäßig Hatha-Yoga übt, wird überdies die Wege des Bhakti- und Karma-Yoga in sein Leben einbeziehen. Wer seinen Körper offen und weit macht, für den ist die Liebe natürlich und der Dienst an der Menschheit eine Selbstverständlichkeit.

Aku-Yoga gewinnt seine besondere Wirksamkeit aus seiner Verschmelzung aller Yoga-Wege. Es verbindet anmutige, fließende Bewegungen, Streckungs- und Atemübungen, Körperhaltungen, Mudras, Klänge, Visualisierungen und Meditation zu einem einzigen Übungsweg, der über die Punkte und Meridiane die Lebensenergie erweckt.

Aku-Yoga verbindet nicht nur die verschiedenen Yoga-Wege miteinander, es bezieht auch unterschiedliche Formen der Akupressur in die Praxis ein.

Die Arten der Akupressur

Zur Zeit sind vier Hauptarten der Akupressur gebräuchlich. Wie die Yoga-Wege stellen sie in sich geschlossene Systeme mit enger Wechselwirkung dar. Gemeinsam ist ihnen, daß man zu ihrer Ausführung mit den Fingerspitzen auf die Energiepunkte drückt, um die Meridiane anzuregen und zu harmonisieren. Alle lassen sich als Selbstbehandlung, aber auch an anderen anwenden.

Shiatsu ist die bekannteste Form der Akupressur. Man drückt dabei (unter Umständen recht kräftig) mit den Fingern jeweils für drei bis fünf Sekunden eine Reihe von Energiepunkten.

Erste-Hilfe Akupressur behandelt mehr die unmittelbaren Symptome. Man drückt bestimmte Reizpunkte, um Schmerzen oder Beschwerden sofort zu lindern.

Do-In ist eine Form der Akupressur, die man an sich selbst ausführt. Es schließt die Selbstmassage von Muskeln und Punkten wie auch Streckungs- und Atemübungen ein.

Jin-Shin macht von anhaltendem Fingerdruck auf Schlüsselpunkte Gebrauch, der die Energie in den Meridianen und Körperfunktionen harmonisiert. Man berührt stets mindestens zwei Punkte gleichzeitig. *Jin-Shin* fördert das emotionale Gleichgewicht und erweckt tiefe Lebensfreude.

Wir haben heutzutage zu vielen Formen geistiger Übungen, Bewußtseinstechniken und zu vielen Lehrern Zugang. Wir müssen deswegen lernen, eine gesunde Mitte zu finden zwischen den Gelegenheiten, die sich uns bieten, wir müssen uns entscheiden, ob wir uns für viele Jahre einem ganz bestimmten Schulungsweg verschreiben oder ob wir eine Reihe von Techniken gleichzeitig erlernen wollen.

In früheren Zeiten sind die Menschen dem Weg ihres Meisters gefolgt, den sie liebten und verehrten. Sie widmeten sich ganz dieser einen Methode, um sie wirklich auszuschöpfen und ganz zu meistern. Es war ihnen strengstens untersagt, an den überkommenen Lehren etwas zu verändern, und aus dieser völligen Hingabe erwuchs ihnen der größte Nutzen ihres Weges. Dieses Vorgehen birgt jedoch die Gefahr, sich gegen andere Strömungen abzuschotten und in blinden Fanatismus zu versinken. Selbst wenn Menschen mit Liebe und Enthusiasmus üben, neigen sie manchmal dazu, als eine Art Selbstschutz krampfhaft an ihren Erkenntnissen festzuhalten – insbesondere, wenn sie sich ganz bewußt für nur eine Methode entschieden haben.

Aku-Yoga, das viele verschiedene Ansätze und Techniken miteinander verschmilzt, birgt andere Gefahren. Wer gleichzeitig Breite und Tiefe will und für viele Wege offen ist, wird manchmal nicht wissen, in welche Richtung er nun eigentlich weitergehen soll. Kennen Sie eine ganze Vielzahl von Übungen mit allen möglichen Variationen, Atemtechniken, Handgesten und Druckpunkten, verzetteln Sie sich vielleicht, indem Sie zu viel auf einmal lernen und machen wollen. Sie müssen die Grenzen klar abstecken, um den vollen Nutzen von Aku-Yoga auszuschöpfen. Arbeiten Sie am besten nur mit einigen Körperhaltungen, Energiepunkten und Atemübungen, bis Sie sie meistern. Sie haben davon mehr, als wenn Sie viele verschiedene Techniken ungenau oder gar fehlerhaft ausführten. Sie können durch die Übungen des Aku-Yoga unglaublich viel Energie freisetzen, wenn Sie in Ihrem Denken und Üben Konzentration und Offenheit im Gleichgewicht halten.

Ein Schritt weiter: Aku-Yoga

Obwohl Akupressur eine chinesische, Yoga eine indische Tradition ist, haben sie beide ihren eigentlichen Ursprung in den Tiefen des menschlichen Bewußtseins. Aus diesen Ursprüngen von Akupressur und Yoga ist auch Aku-Yoga erwachsen. Seine Wurzeln reichen in die Quellen der Schöpfung hinab, zu jenen grenzenlosen Energien, die einmal die Menschheit in harmonischer Übereinstimmung mit den Kräften der Natur bewegt haben.
Wir haben bereits erwähnt, daß Akupressur und Yoga im Laufe ihrer Entwicklung weitgehend systematisiert wurden. Ohne die Weisheit der alten Meister und die Hingabe der unzähligen Schüler und Lehrer, die das Wissen von Generation zu Generation weitergegeben haben, hätten diese beiden wichtigen Selbstheilungssysteme des Fernen Ostens nie miteinander verbunden werden können.
Es liegt jetzt an uns, Aku-Yoga weiterzuentwickeln und die Erfahrungen und Einsichten zu erschließen, die wir uns durch diesen Zweig der Ganzheitsmedizin zum Leben erwecken können.

Die philosophischen Grundlagen von Aku-Yoga

Aku-Yoga reflektiert intuitive und ganzheitliche Philosophien, die dem indischen Yoga und der chinesischen Akupressur zu Grunde liegen. Diese Philosophien stammen von der unmittelbaren Erfahrung ab. Wer sich tief in die Übung des Yoga und der Akupressur hineinbegibt, kommt mit den innersten Mechanismen seines Körpers in Berührung. Seine Anschauungen und Überzeugungen werden sich von der eigenen Erfahrung ableiten, sich auf die innere Gewißheit des Erlebens der Wahrheit berufen. Die westlichen Philosophierichtungen gehen von dem entgegengesetzten Ansatz aus. Sie stützen sich auf logische Theorien, die von beweisbaren Voraussetzungen abgeleitet sind. Die westlichen Philosophen formulieren ihren Standpunkt anhand intellektuell erfaßbarer Vorstellungen. Die östlichen philosophischen und religiösen Denker hingegen sprechen aus ihrer unmittelbaren Bewußtheit oder Erfahrung heraus.

Arten der Bewußtheit

Es gibt drei Hauptarten der Bewußtheit: körperliche, emotionale und geistige Bewußtheit. Die körperliche Bewußtheit setzt sich aus den Sinneswahrnehmungen des Hörens, Sehens, Berührens, Riechens und Schmeckens zusammen. Die Emotionen und Gefühle sind subtilere, innere Faktoren unseres Daseins. Schließlich unser Geist, in dem eine weitere Ebene unseres Bewußtseins reflektiert ist, auf der wir Information intuitiv aufnehmen und durch innere Stimmen, Vorstellungsbilder oder außersinnliche Wahrnehmungen projizieren können. Unser Geist besitzt auch die Fähigkeit, unser Wissen und unsere Erfahrungen analytisch und logisch zu organisieren.

Diese drei Ebenen der Bewußtheit überlappen und beeinflussen sich, wie es in der folgenden Abbildung durch die schraffierten Flächen dargestellt ist. Zum Beispiel machen uns Kopf- oder Magenschmerzen oft depressiv, wir fühlen uns niedergeschlagen. In ähnlicher Weise können körperliche Krankheiten auch unsere geistigen Fähigkeiten und unsere Vorstellungskraft blockieren und uns verleiten, an allem nur das Negative zu sehen. Umgekehrt wohnt aber auch unseren Gedanken eine große Macht inne: Versacken wir in negativem Denken, werden wir uns dadurch physisch und emotional unnötig beschränken, ja sogar schaden!

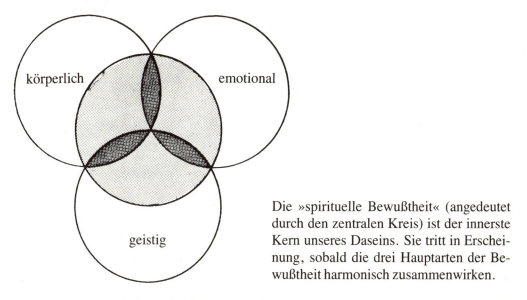

Die »spirituelle Bewußtheit« (angedeutet durch den zentralen Kreis) ist der innerste Kern unseres Daseins. Sie tritt in Erscheinung, sobald die drei Hauptarten der Bewußtheit harmonisch zusammenwirken.

Diese drei Arten der Bewußtheit können jedoch auch positiv zusammenwirken und uns gesünder und ausgeglichener machen. Fühlen wir uns körperlich wohl, dann fällt es uns um so leichter, ausgeglichen und dem Leben gegenüber positiv eingestellt zu sein. Durch Visualisieren können wir unseren Geist zu Hilfe nehmen und so Körper und Emotionen ausgleichen. Und wenn wir uns glücklich und zufrieden fühlen, nützt uns dies auf körperlicher und auf geistiger Ebene. Aku-Yoga verhilft uns zu einer positiven Grundstimmung auf allen drei Ebenen der Bewußtheit, indem es sie in ein gesundes, funktionstüchtiges Ganzes integriert.

Die Philosophie des Einsseins

Unsere Abbildung bringt zum Ausdruck, daß die wichtigste Vorstellung und Erfahrung des Aku-Yoga in der Verwirklichung des letztendlichen Einsseins aller Dinge besteht.
Mit anderen Worten: Alles ist miteinander verbunden und steht in lebendiger Wechselbeziehung zueinander. Wir sind von unserer Umwelt nicht getrennt, sondern Teil einer großen Einheit, die das winzigste subatomare Teilchen nicht weniger umfängt als die größte Milchstraße. Es ist ein wunderbares Gefühl, diese Verbundenheit aller Dinge zu erfassen, eine Erfahrung der Grenzenlosigkeit, der Quelle allen Lebens, aller Energie, Kreativität und Wahrheit.
Aku-Yoga öffnet die Organ- und Sondermeridiane und kann zur Erfahrung dieses Einsseins führen. Es löst die Blockierungen in den Reizpunkten, so daß die Energie alle Meridiane ungehemmt durchströmen und infolgedessen Körper wie Geist reinwaschen kann. Dieser Prozeß gleicht einer Befreiung. Man erfährt tiefen, inneren Frieden. Das ganze Dasein wird vereint. Wenn die Energie durch die Meridiane und Gefäße den gesamten Körper durchpulst, umfaßt die Erfahrung des Einsseins alle Ebenen und Schichten unseres Bewußtseins.

Das Tao: Ein östliches Symbol der Einheit

Die Chinesen bezeichnen das, was wir unter »universalem Bewußtsein« verstehen, als das *Tao,* den Weg der Natur. Das Tao ist das Symbol des Unendlichen. Es ist grenzenlos und schließt sämtliche Interaktionen auf allen Ebenen des Universums ein: die Sterne, das Kreisen der Planeten, die Jahreszeiten, geschichtliche Umwälzungen, den Aufstieg und Fall von Nationen, die Ereignisse im Leben des einzelnen, chemische Reaktionen, anatomische, biologische, geologische, astrologische Wirkungsketten und so weiter – über die Grenzen von Raum und Zeit hinaus.
Im Tao sein heißt, einen bestimmten Bewußtseinszustand erreicht zu haben. Aku-Yoga und Meditation, in denen alles zu einer Einheit verschmilzt, können uns auf dem Weg dahin weiterhelfen. Das ist der Weg allen Lebens. Alle Erscheinungsformen der Materie sind in Bewegung, vibrieren unaufhörlich mit unterschiedlicher Schwingungsgeschwindigkeit. Alles wandelt sich beständig und ist mit allem anderen in einer Kette von Wechselwirkungen eingesponnen. Von den riesigen Galaxien bis herab zu den Molekülen bewegt sich alles in Zyklen, in einen kosmischen Tanz verwoben. »Lila« wird diese Realität in Indien genannt, das kosmische Spiel.
Das Tao schließt alle Phänomene des Universums ein. »Yoga« bedeutet Vereinigung. »Taoistisches Yoga« wäre demnach eine Lebensweise, die alle Daseinsbereiche vereint. Eine taoistische Lebensweise besteht also nicht nur aus einer Anzahl von geistigen Übungen, sondern ist vielmehr ein Weg, in Meditation, Denken und Handeln harmonisch mit dem Leben übereinzustimmen.

Yin und Yang

In der unaufhörlichen Wandlung aller Elemente der Schöpfung kommt das Wechselspiel der beiden Grundpole zum Ausdruck, die die »Innere Heilkunde des Gelben Kaisers«, ein über viertausend Jahre alter Text über die chinesische Medizin, als Yin und Yang vorstellt. Diese beiden Elemente stehen als sich ergänzende Gegensätze in Wechselwirkung miteinander.

Das Yin/Yang-Symbol führt uns in einem Bild die wichtigsten allgemeingültigen Wandlungsgesetze vor Augen. Es zeigt uns, daß es Gegensätze gibt, daß diese Gegensätze ein Ganzes bilden und daß Dinge sich aus dem Verhältnis zu ihrem Gegensatz erklären. Das eine kehrt sich auf seinem Höhepunkt in sein Gegenteil, in das andere. Nacht und Tag, Winter und Sommer, Kälte und Hitze, Empfangendes und Schöpferisches, Weiblichkeit und Männlichkeit sind Beispiele für solche Yin/Yang-Beziehungen.

Die Punkte im Zentrum dieser beiden Elemente zeigen an, daß jedes ein wenig von dem andern enthält. Mit anderen Worten: Nichts ist ausnahmslos Yin oder Yang, schwarz oder weiß. Überall gibt es Grauschattierungen. Jeder Mann hat ein paar weibliche und jede Frau einige männliche Qualitäten.

Wir tendieren dazu, relative Erscheinungen als absolut zu setzen. Unsere Kultur und Erziehung hat uns konditioniert, die Dinge entweder als »gut« oder als »schlecht« einzustufen. Solche Werturteile verhindern, daß wir die Welt, so wie sie ist, im »Hier und Jetzt« erfahren können. Yin und Yang lassen sich allerdings nicht mit Begriffen wie »gut« oder »schlecht« erfassen. Sie stellen das dynamische Prinzip dar, nach dem sich die Dinge wandeln. Sie dienen der Beschreibung, nicht der Beurteilung. Um urteilen zu können, muß man die Dinge fein säuberlich gegeneinander abgrenzen. Das Wechselspiel von Yin und Yang hingegen stellt eine Einheit dar.

Das dynamische und fließende Verwandlungsspiel von Yin und Yang bringt die Lebensenergie zum Schwingen, das Chi, Ki oder Prana. Diese Energie steckt in verdichteter Form in den lebenden Zellen von Pflanzen und Lebewesen, ja sogar in der anorganischen Materie wie etwa Metall – dort allerdings in einem kondensierteren, gefroreneren oder festeren Zustand.

> »Gemäß den Lehren des Yoga gibt es keine leblose Materie, da alles seinem Wesen nach Bewußtsein ist. Wissenschaftler berichten uns, daß in den kleinsten Teilchen der Atome eine unvorstellbare Bewegung herrscht. Wo Bewegung ist, muß es auch eine Art von Energie geben, die sie verursacht; und diese Energie ist der Urgrund allen Lebens.«[8]

Aku-Yoga ist vornehmlich auf diese Energie-Ebene ausgerichtet. Wenn wir es üben, fördern wir in uns die Bewußtheit der Ki-Energie, die uns Reife, Liebe und Kreativität schenkt. Aku-Yoga vereint die Pole von Yin und Yang im menschlichen Körper zu einer harmonischen Schwingung. Diese Vereinigung erweitert das Bewußtsein vom begrenzten zum grenzenlosen Selbst, so daß es sich auf eine Ebene der Energie-Bewußtheit verlagert, die ihrem Wesen nach Harmonie, Gleichgewicht und freier Fluß ist.

Das Gesetz vom Karma

Haben Sie einmal erlebt, was es heißt, »eins« zu sein, werden Sie leicht erkennen, wie eines das andere beeinflußt. Jede Veränderung muß automatisch auf alles übergreifen, wenn alles miteinander verbunden ist. Das ist ein Naturgesetz. Das Gesetz vom Karma will eben dies besagen: Jedes Geschehen beeinflußt auch Sie. Umgekehrt haben alle Ihre Handlungen auf die ganze Welt Rückwirkungen. Ein aufregender Gedanke angesichts der Apathie und Entfremdung, die heutzutage viele Menschen niederdrückt. Das bedeutet: Wir haben die Kraft, die Welt zu verändern, wenn wir uns selbst verändern. Die Entfaltung des Karma ist ein langsamer aber mächtiger Lebensprozeß.

Das Gesetz vom Karma spielt in allen Situationen die Rolle eines Spiegels. Karma heißt Wirkung. Was Sie auch tun, die Wirkung wird nicht ausbleiben. Gehen Sie gewissen Menschen aus dem Weg, werden andere Sie meiden. Wenn Sie selbstsüchtig sind, werden Sie irgendwann in dem engen Schneckenhaus von Selbstgenuß verenden. Sie können in Ihrem Leben den Folgen Ihrer Handlungen nicht entkommen.

Behandeln Sie sich liebe- und respektvoll, so werden auch andere Sie lieben und respektieren. Sehen Sie das Universum als eine vollkommene Einheit, dann wird die Welt Ihnen ihre eigentliche Vollkommenheit offenbaren. Wenn Sie lieben, werden Sie geliebt. Wer gibt, der bekommt auch, alles ist Karma.

Warum sich im Leben unnötig den Kopf zerbrechen? Es ist ein Spiegelbild. Sie können gar nicht betrogen werden. Was Sie auch tun, es fällt auf Sie zurück, denn schließlich ist alles eins. Nicht einmal Tricks, Abkürzungen und Schleichwege werden Ihnen viel nützen, weil jede Handlung ihre ganz spezifischen Konsequenzen hat. Entspannen Sie also und bleiben Sie sich selbst treu. Haben Sie Vertrauen und glauben Sie an die Harmonie und Ausgewogenheit des Lebens.

2 Die Grundprinzipien des Aku-Yoga

Disziplin

Ohne Disziplin läßt sich kein Ziel erreichen. Aku-Yoga will uns bei unserer inneren und äußeren Entwicklung weiterhelfen, und dazu gehört Disziplin. Zu Anfang werden Sie sich bei den Übungen reichlich steif vorkommen und sich nicht weit strecken oder beugen können. Es fällt Ihnen schwer, in den Positionen auszuharren, den Atemfluß zu kontrollieren und den Geist zur Ruhe zu bringen. Deswegen ist Selbstdisziplin am Anfang besonders wichtig. Üben Sie jeden Tag etwas Aku-Yoga, und wenn es nur zehn oder fünfzehn Minuten sind. Nachdem Sie einige Zeit regelmäßig geübt haben, werden Sie vielleicht entdecken, daß das Weitermachen gar nicht mehr so viel Überwindung und Selbstdisziplin kostet, da Ihnen das Üben Freude bereitet.
Vielleicht hilft es Ihnen, Ihren Übungsplan in einen Kalender einzutragen. Nach getaner »Arbeit« können Sie Ihr Pensum abhaken. Dies oder eine ähnliche Methode ist unter Umständen recht nützlich. Sie hilft Ihnen, sich selbst zu überprüfen, und kann manchmal den nötigen Anstoß geben, dabeizubleiben.
Nach zwei, drei Wochen regelmäßigen Übens werden Sie an sich die ersten Veränderungen feststellen. Sie sind geschmeidiger geworden, bewegen sich vielleicht sogar anmutiger. Nach weiterem Üben strafft sich Ihr Muskeltonus. Möglicherweise verlieren Sie an der Taille ein paar Zentimeter. Die Wirbelsäule findet wieder in ihre natürliche Vertikale, und die fühlbar verbesserte Haltung stärkt das Nervensystem. Der Kreislauf wird ebenfalls gekräftigt, so daß der Herzschlag sich verlangsamt und der Blutdruck sich auf ausgeglichenere Werte einpendelt. Vielleicht gewinnen Sie neue Selbsterkenntnisse. In der Tiefenentspannung nach den Übungen können Sie Momente tiefer, innerer Ruhe erfahren. Die Energiekanäle und Meridiane des Körpers beginnen sich zu öffnen. Die Bewegungsübungen, die Tiefenatmung und Stimulierung der Reizpunkte und Meridiane vermehren die Ki-Energie in Ihrem Körper.

Haben Sie die Grundprinzipien des Aku-Yoga einmal verstanden, einschließlich der Bedeutung einer gewissen Selbstdisziplin, werden Sie mehr von Ihrem Üben haben und sich einen sinnvollen Übungsplan zusammenstellen können, der auf Ihre persönlichen Bedürfnisse zugeschnitten ist. Bevor Sie also an die einzelnen Übungen herangehen, sollten Sie sich als erstes mit dem Material vertraut machen, das wir in diesem Kapitel behandeln wollen.

Körperbewußtheit

Sie brauchen eine gewisse Bewußtheit und müssen sich selbst ein bißchen besser kennenlernen, wenn Sie am Leben so voll und ganz wie möglich teilnehmen wollen. Körperbewußtheit ist die Grundlage, auf der die Übungen des Aku-Yoga aufbauen, und deswegen ist sie äußerst wichtig. Ihr Körper sendet in kontinuierlichem Fluß Gedanken und Gefühle aus – Botschaften, die Sie wahrnehmen und nach denen Sie sich richten sollten. Eine Verspannung in den Schultern zum Beispiel ist ein eindeutiges Signal für Sie, etwas dagegen zu tun. Vielleicht sollten Sie bei Ihrer Arbeit eine Pause einlegen, vielleicht die Umgebung wechseln, vielleicht auch nur eine andere Körperhaltung einnehmen oder tief durchatmen. Haben Sie für die inneren Mechanismen und Gesetzmäßigkeiten Ihres Körpers ein gewisses Fingerspitzengefühl bekommen, können Sie Aku-Yoga auf jede Alltagssituation anwenden.
Wir wollen uns deswegen kurz mit den Faktoren beschäftigen, die zu einer solchen verfeinerten Körperbewußtheit gehören:

- Intuition
- Einstellung
- Wahrnehmung körperlicher Vorgänge
- Zentrierende Meditation
- Atembewußtheit
- Aufmerksamkeit im Alltag

Intuition

Lernen Sie, Ihrer inneren Stimme zuzuhören. Im Aku-Yoga haben wir eine treffende Bezeichnung für diese Kommunikation mit dem Selbst. Wir nennen sie den *inneren Lehrer*. Der innere Lehrer ist eine wertvolle Informationsquelle – und eine Quelle der Weisheit –, von der Sie viel über sich selbst erfahren können. Er ist wahrscheinlich der gründlichste und tiefgründigste Lehrer überhaupt, der Ihnen mehr über Sie sagen und Sie besser leiten kann als jeder andere.
Sie sind für jede nur denkbare Situation besser gewappnet, wenn Sie sich selbst in allen Lebensbereichen kennen. Wenn Sie Ihre Motivation in jeder Lage durchschauen, können Sie direkt und wirksam reagieren. Aber Sie brauchen auch ein feineres Gespür für Ihren

Körper. Wenn Sie genau fühlen, wo Sie steif und ungelenkig sind, und wenn Sie Übungen kennen, die den Körper an diesen Stellen beugen und strecken, dann wird das Steifegefühl zu einem Signal, etwas dagegen zu unternehmen. Haben Sie einmal erkannt, welche wertvollen Hinweise Ihnen die innere Stimme gibt, werden Sie Ihr eigener Lehrer sein und auf dem Weg der Selbsterkenntnis erstaunlich schnell vorankommen. Sie müssen nur Ihrer Intuition vertrauen und ihr folgen.
Die Übung von Aku-Yoga hilft Ihnen, sich selbst zu erkennen. Wenn bei den einzelnen Übungen bestimmte Gedanken in Ihnen auftauchen, wollen Ihnen diese Gedanken vielleicht zu Einsicht und Selbsterkenntnis verhelfen. Aku-Yoga ist eine Körpertherapie, die einen konstanten Fluß von Botschaften des inneren Lehrers auslöst. Es aktiviert in Ihnen das Potential zu menschlichem Wachstum und menschlicher Reife, indem es Sie dazu bringt, körperliche Vorgänge und Zeichen bewußter wahrzunehmen. Dann sind Sie selbstverständlich auch in der Lage, Ihren Körper immer mit der größtmöglichen Wirkung einzusetzen.
Sie gewinnen innere Stärke und persönliche Ausstrahlungskraft, wenn Sie beim Üben Ihren Körper so bewußt wie möglich erfahren. Der erste Schritt in diese Richtung ist Selbstvertrauen. Sobald Sie Ihren Gefühlen, Reaktionen, Handlungen, Bedürfnissen und so weiter wirklich vertrauen, schaffen Sie sich eine gesunde Grundlage, auf der Sie Ihre Beziehungen aufbauen können. Je offener und ehrlicher Sie in Ihren Beziehungen sind, desto vertrauensvoller, offener und klarer können Sie auch auftreten und reagieren. Aku-Yoga kann Ihnen ein neues Selbstwertgefühl vermitteln, denn Sie hören dann auf den inneren Lehrer, der Sie leitet und Ihrem Dasein Sinn gibt.

Einstellung

Die Einstellung, mit der Sie an Aku-Yoga – und an jede andere Sache – herangehen, bestimmt wesentlich das Ergebnis. Prüfen Sie also Ihre Einstellung. Eine negative, vorurteilsbeladene Haltung kann Ihre Erfahrung stark einschränken, denn sie filtert all die positiven Aspekte aus, die auf Sie einströmen. Lassen Sie solche Starrheit, Verbohrtheit und Negativität von sich abfallen, dann können Sie auch die Klarheit wiedergewinnen, die Ihnen in jedem Augenblick verfügbar ist. Hier und jetzt können Sie viele interessante Dinge entdecken, insbesondere wenn Sie Aku-Yoga üben und auf die Botschaften Ihres Körpers achten.
Während Sie üben, können Sie die unterschiedlichsten Gefühle haben. Ein Extrem ist die völlige Ablehnung. Die Übung wird zur Tortur, wenn Sie sich steif fühlen und eigentlich gar nicht üben wollen. Aber Sie können auch mit einer positiven Einstellung an die Übungen herangehen. Sie können Ihre Freude daran haben, sich zu bewegen, sich zu strecken, das macht einfach Spaß und fordert Sie heraus, mehr zu geben. Wenn Sie sich positiv begegnen, können Sie sich tiefer erforschen und erfahren. Schließen Sie Ihre Augen, damit Sie nicht abgelenkt werden, und achten Sie genauer auf das, was Sie tatsächlich fühlen.
Der »Wille zum Werden« ist eine wichtige Antriebskraft, er hilft Ihnen auf dem Yoga-Weg weiter und bestärkt Sie darin, die Qualität Ihres Lebens zu verbessern. Dieser Wille läßt Sie mit Ihren echten, innersten Wünschen in Berührung kommen: Sie wollen über die eigenen Grenzen hinaus wachsen; Sie wollen sich weiter beugen, strecken, dehnen;

Sie wollen ein tieferes und erfüllteres Leben führen. Das ist die richtige Einstellung zum Üben. Seien Sie bei allem, was Sie tun, mit ganzem Herzen dabei.

Wahrnehmung körperlicher Vorgänge

Beim Aku-Yoga stimuliert und beeinflußt jede Position andere Systeme des Körpers. Jede Haltung wirkt sich auf verschiedene Drüsen, Nerven, Muskeln, Organe und Meridiane aus. Und selbst wenn Sie kein Aku-Yoga machen, hängt Ihre Körperhaltung mit Ihrem Befinden zusammen und bringt die Bedürfnisse Ihres Körpers zum Ausdruck. Es ist deswegen ein wichtiges Ziel im Aku-Yoga, daß Sie Ihren Körper immer *bewußter wahrnehmen,* nicht etwa nur, weil es Ihr Üben effektiver macht, sondern weil Sie sich mit Hilfe einer solchen bewußten Wahrnehmung in der Welt besser durchsetzen können.

Sie werden mit jeder Übung einen bestimmten Prozeß durchlaufen. Wenn Sie eine neue Übung kennenlernen, ist sie zuerst einmal eine neue Technik, nicht mehr. Dies ist das erste Stadium: Sie müssen die Mechanik des unbekannten Bewegungsablaufs erlernen. Bald verlagert sich Ihre Aufmerksamkeit jedoch, weg von der Technik, hin zur Bewegung selbst, die so leicht und anmutig ist wie ein Tanz. In diesem zweiten Stadium müssen Sie zwar immer noch darauf achten, daß Sie die Bewegung korrekt ausführen, doch vertieft die Dynamik der Übung bereits zusehends Ihre Fähigkeit zu bewußter Wahrnehmung. Wenn Sie die Übung allmählich meistern, entfaltet sich ganz natürlich das dritte Stadium. An diesem Punkt wird die Übung zur Meditation, bei der Sie sich nicht länger auf den Bewegungsablauf konzentrieren müssen, sondern eine feine Energie spüren und die Bewegung in ihrer Totalität erfahren können.

Bevor Sie anfangen, sollten Sie jedes Mal den Körper auf die Übungen einstimmen. Dies können Sie am besten dadurch erreichen, daß Sie Ihre Augen schließen und den Körper bewußt wahrnehmen. Strengen Sie sich beim Üben nicht krampfhaft an. Strecken Sie den Körper nur so weit, wie er sich eben streckt. Vertrauen Sie dem, was er Ihnen sagen will. Es ist wichtig, daß Sie beim Üben nicht gegen Ihre Grenzen ankämpfen, sondern diesen Grenzen vertrauen. Vergessen Sie nicht, daß das Übungstempo immer ein wenig variieren wird, Sie sind schließlich keine Maschine. Passen Sie sich den jeweiligen Umständen an, Sie werden es richtig machen. Es hat keinen Sinn, sich beim Üben an anderen zu messen. Wir sind alle Individuen mit verschiedenen Bedürfnissen und Fähigkeiten. Im Aku-Yoga gibt es keine Wettkämpfe.

Vielmehr ist Aku-Yoga eine Kunst, Verspannungen aufzulösen. Wir fassen mit den Händen instinktiv nach Stellen, an denen wir Schmerzen haben oder eine Verspannung spüren. Durch Handauflegen wollen wir die Spannungsknoten lösen, die sich im Körper gebildet haben. Auf diese Art und Weise können wir die Reizpunkte auch lokalisieren: indem wir den Körper nach empfindlichen Stellen und Verspannungen abtasten. Wir sollten diese Stellen während oder nach einer Übung direkt anfassen, um Sie besser öffnen zu können. Vielleicht müssen wir unser Körpergewicht ein wenig verlagern, damit wir die blockierten Körperregionen während der Übung mit unseren Händen erreichen. Haben Sie eine Verspannung an sich gefunden, sollten Sie sich in bequemer Haltung eine Minute auf sie konzentrieren und sanft ihre Lösung erwirken. So können Sie tiefgreifend und dennoch sanft am Loslassen Ihrer Spannungen arbeiten.

Möglicherweise fühlen Sie sich nach dem Üben leicht schwindelig, oder Sie bemerken, daß Empfindungen in Ihrem Körper wach werden, die Sie nicht kennen – ein Zeichen dafür, daß jene Energien sich lösen und zu fließen beginnen, die vorher um die Akupressurpunkte gestaut waren. Die Energie kreist jetzt frei und ungehemmt durch den gesamten Körper.

Für Sie ist dies ein wichtiger Moment. Sie sollten sich nun tief in diese Energie hinein entspannen, damit sie sich gleichmäßig verteilen kann. Indem Sie sich so von den Schlacken der Verspannung reinwaschen und auf die Akupressurpunkte und Meridiane konzentrieren, vervollkommnen Sie Ihre Körperbewußtheit. Der Weg des Aku-Yoga wird dann immer weitere und tiefere Kreise ziehen.

Zentrierende Meditation

Für die Entwicklung der gewünschten Körperbewußtheit müssen wir noch einen weiteren Aspekt berücksichtigen: Wir müssen den Körper so zentrieren, daß er auch im Alltagstrubel seine Mitte nicht verliert. Dies gelingt uns nur, wenn wir alle Bereiche unseres Daseins miteinander verschmelzen. Zentrieren heißt im Aku-Yoga als erstes, daß wir mit uns eins sind, uns angenehm entspannt und mit allem innig verbunden fühlen. Und es bedeutet, daß wir in jeder Hinsicht einen klaren Überblick haben, mit beiden Beinen fest auf der Erde stehen. Die folgende Meditation kann uns lehren, wie sich Gleichgewicht, Ruhe und Frieden aus unserem Zentrum heraus entfalten.

Die Gebetshaltung

Nehmen Sie eine bequeme Sitzhaltung ein und schließen Sie die Augen. Legen Sie Ihre Handflächen aufeinander und berühren Sie mit den Daumenknöcheln das Zentrum des Brustbeins. Dort befindet sich ein Reizpunkt (GE 17), der zum »Gefäß der Empfängnis« gehört. Er liegt genau auf dem Knochenvorsprung des Brustbeins in der Höhe des Herzens. Wenn Sie ihn berühren, kann im Herzen ein wohliges Wärmegefühl entstehen. Von allen Energiepunkten besitzt er die stärkste zentrierende Wirkung; er wird »Meer des Friedens« genannt. Richten Sie Ihre Aufmerksamkeit darauf, in diesen Punkt hineinzuatmen. Bleiben Sie in Kontakt mit Ihrem Atem, lassen Sie die Augen geschlossen. Atmen Sie einige Minuten durch GE 17 langsam und tief in die Brust.

Atembewußtheit

Wenn Sie sich zu sehr antreiben, wird die Übung irgendwann schmerzhaft. Wir wollen uns nur so weit strecken oder beugen, bis wir die Schmerzgrenze gerade erreichen. Zwar spüren Sie das Zerren, die Belastung, aber als ein belebendes und befreiendes Strömen. Wenn es einfach nur weh tut, gehen Sie zu hart mit sich um. Geben Sie ein wenig nach, daß Sie die Streckung durchaus noch spüren, sie Ihnen jedoch angenehm ist und Sie sich in der Haltung wohlfühlen. Richten Sie Ihre Aufmerksamkeit auf den Atem, sobald es schmerzt. Stellen Sie sich vor, daß der Atem in die schmerzende Streckung hinein- und hindurchgeht. Lange, tiefe Atemzüge lockern die angespannten Nerven und Muskeln.
Der Atem ist ein Schlüssel zur Bewußtheit. Atmen Sie flach, können Sie weder Ihre Emotionen meistern, noch Ihre Persönlichkeit frei entfalten. Sie vertiefen und schärfen Ihre Bewußtheit, wenn Sie das Atemvolumen vergrößern, das heißt lang, tief und sanft atmen. Aber manchmal, wenn etwas in uns sich sperrt, ist es schwer, frei und voll durchzuatmen. Diese Sperren können viele Ursachen haben: vielleicht schnüren schmerzliche Gefühle und Ängste Ihre Brust ein; vielleicht steckt sehr viel mehr Traurigkeit und Kummer in Ihnen, als Sie ahnen; oder Sie klammern sich krampfhaft an eine unerfüllte Sehnsucht; oder Sie leiden unter einer körperlichen Funktionsstörung. Was der Grund auch sein mag, Atemschwierigkeiten haben immer etwas mit inneren Sperren zu tun. Sie wollen sich für Ihren Körper sensibilisieren, um die Sprache zu verstehen, in der er zu Ihnen spricht. Je mehr Sie sich in allen Bereichen Ihres Daseins Ihrer selbst bewußt sind, desto vitaler werden Sie sich fühlen, desto unmittelbarer können Sie die Wunder des Lebens erfahren.
Die indischen Meister erreichten ihre innere Bewußtheit zu einem hohem Maße durch ihre Yoga-Praxis. Sie waren in der Lage, jedes System, jedes Organ, die Energie in jedem Gefäß, Meridian oder Nerv zu fühlen. Einige konnten sogar den Blutkreislauf, den Herzschlag oder andere physische Vorgänge bewußt steuern. Und sie besaßen natürlich auch die Fähigkeit, die Lebensenergie in fortgeschrittenen Meditationen durch die Nervenbahnen und Meridiane zu leiten.
Auch Sie können mit Hilfe von Aku-Yoga Ihren Körper meistern. Der erste Schritt in diese Richtung ist, sich selbst kennenzulernen und herauszubekommen, wo im Körper die Sperren stecken. Nachdem Sie sie aufgespürt haben, lenken Sie Ihren Atem ganz bewußt dorthin. Der Atem wird die Verengungen weiten, so daß Energie und Körperflüssigkeiten (wie Blut und Lymphe) auch diese Körperstellen ungehindert durchströmen können.

Aufmerksamkeit im Alltag

Wenn Sie es im Alltag anwenden, wird sich Aku-Yoga von einer seiner besten Seiten zeigen. Sie müssen Aku-Yoga nicht unbedingt durchorganisieren mit einem genauen Stundenplan, Tabellen und so weiter. Sie können es ganz spontan und unabhängig von der Tages- und Nachtzeit üben, wann immer Sie wollen oder es nötig haben. Vielleicht zeigt Ihnen Ihre neu erweckte Körperbewußtheit, daß Sie sich verspannen, weil Sie zum Beispiel bei der Arbeit eine falsche Haltung einnehmen. Auf ein solches Signal hin können Sie über die Reizpunkte und Streckübungen des Aku-Yoga nicht bloß die alten

Blockierungen auflösen, sondern darüber hinaus eine Haltung entdecken, bei der Sie sich nicht wieder verspannen.

Vor dem Joggen können Sie Aku-Yoga zur Streckung und Lockerung der Beine, beim Laufen zur Harmonisierung des Atems benutzen. Muskel- und Bauchkrämpfe lassen sich mit Hilfe von Aku-Yoga ebenso mühelos lösen, wie andere Arten von Schmerz oder Verspannung.

Doch damit sind die Anwendungsmöglichkeiten noch keinesfalls erschöpft! Üben Sie einfach auch in solchen Situationen Aku-Yoga, in denen man gewöhnlich nicht einmal daran denkt, etwas für seinen Körper zu tun: beim Fernsehen oder im Kino; beim Telefonieren, Lesen oder Schlangestehen. Auch dabei können Sie Tiefatmung üben, Energiepunkte drücken und verspannte, ermüdete Muskeln strecken. Ich wünsche Ihnen viel Spaß dabei, wenn Sie Aku-Yoga auf alle möglichen und »unmöglichen« Weisen in Ihren Alltag einbringen.

Körperbewußtheit ist keine feststehende Größe, sondern ein Prozeß. Er kommt ins Rollen, wenn Sie Ihre Mitte und festen Grund unter den Füßen finden – wenn Sie sich selbst mit liebevoller Achtsamkeit behandeln. Die Aspekte Ihres Lebens haben in Ihrem Körper eine konkrete Form bekommen. Sie müssen lernen, die Sprache Ihres Körpers zu verstehen, damit Sie wissen, was er Ihnen sagt. Lauschen Sie den Körpervorgängen. Achten Sie auf die Botschaften. Atem, Haltung, verschiedene Symptome, Emotionen und Verspannungen – alles sind Botschaften und Lehren, die uns in pausenlosem Fluß vom inneren Lehrer übermittelt werden. Es stellt eine Lebensaufgabe dar, die von Tag zu Tag vervollständigt werden will, Wahrnehmung und Bewußtheit zu vertiefen und verfeinern.

Die Biegsamkeit der Wirbelsäule

Die Stütze des Körpers ist die Wirbelsäule. Von dem Hauptnervenstrang in ihrem Innern verzweigen sich die Nerven zu allen Teilen und Organen unseres Körpers. Ebenfalls entlang der Wirbelsäule liegen Akupressurpunkte, die mit den Organen und ihren Funktionen in Wechselwirkung stehen. Ein ausgerenkter Wirbel schädigt deswegen nicht allein die Nerven und Muskeln seines Umfeldes, sondern auch die inneren Organe, die durch die Nerven und Meridiane mit dieser Körperregion in Verbindung stehen. Außerdem werden sich in der Umgebung eines solchen Ungleichgewichts die Muskeln verspannen, was letztlich unter Umständen zu Rückenschmerzen und ernsthaften Rückenbeschwerden führt. Dagegen können Sie jedoch etwas tun. Sie brauchen die Wirbelsäule nur regelmäßig systematisch in alle Richtungen zu strecken, womit Sie im übrigen auch für ihre gesunde vertikale Ausrichtung sorgen.

Für die Dehnung der Wirbelsäule gelten zwei Hauptprinzipien. Als erstes ist zu beachten, daß sie in alle sechs mögliche Richtungen gestreckt wird: nach vorn und hinten beugen, nach beiden Seiten beugen und in beide Richtungen drehen. Damit erhält die Wirbelsäule Gleichgewicht und Symmetrie. Zweitens müssen Sie die Wirbelsäule immer in beide entgegengesetzte Richtungen strecken. Wenn Sie also eine Übung machen, bei der Sie die Wirbelsäule vornüberbeugen, müssen Sie eine Übung anschließen, die die Wirbelsäule nach hinten wölbt. Mit der Komplementärhaltung stellen Sie das Gleichgewicht wieder her. Ein Beispiel: Beim »Pflug« krümmt sich die Wirbelsäule nach vorn. Zum Ausgleich würden Sie danach die »Kobra« üben, bei der die Wirbelsäule nach hinten gebogen wird. Sie müssen diese Prinzipien unbedingt berücksichtigen, wenn Sie sich einen möglichst ausgeglichenen und vollständigen Übungsplan aufstellen wollen.

Die einzelnen Aku-Yoga-Positionen bearbeiten unterschiedliche Bereiche der Wirbelsäule. Die »Kobra« zum Beispiel setzt bei den Lendenwirbeln an; in einer Variation kann sie jedoch ebenfalls Sperren in den oberen Wirbeln aufheben. Die traditionellen Yoga-Stellungen bearbeiten nacheinander alle Abschnitte der Wirbelsäule, vom Kreuzbein bis hinauf zum obersten Halswirbel.

Bereiten Sie Ihren Körper mit einfachen Streckungsübungen auf die schwierigeren und komplexeren Haltungen vor. Bevor Sie sich an andere Übungen wagen, sollten Sie den Ischiasnerv strecken, der vom Sakrum ausgehend an den Rückseiten der Beine entlangläuft und gelegentlich als »Lebensnerv« bezeichnet wird. Er kann sehr viel Ki- oder Lebensenergie weiterleiten, weil er einer der größten Nervenstränge des Körpers ist. Deswegen ist die Streckung dieses »Lebensnervs« eine Grundübung des Aku-Yoga, deren tägliche Ausführung die Lebenskraft kräftigt und damit das Leben verlängert. Alle Übungen werden leichter, wenn Sie den »Lebensnerv« regelmäßig strecken.

Federnde und schnellende Bewegungen der Wirbelsäule gehören zu einer zweiten Gruppe von Grundübungen. Anders als bei den meisten übrigen Aku-Yoga-Übungen verharrt man dabei nicht in der Streckung, sondern schnellt und dreht die Wirbelsäule federnd nach beiden Seiten.

Die Flexibilität Ihrer Wirbelsäule hat einen enormen Einfluß auf Gesundheit und äußere Erscheinung. Man kann es am ganzen Körper sehen, ob Ihre Wirbelsäule geschmeidig und korrekt ausgerichtet ist oder nicht. Eine jugendliche Erscheinung und eine elastische Wirbelsäule – es gibt das eine nicht ohne das andere. Schönheit ist ein Spiegelbild, in dem innere Harmonie und gepflegte Gesundheit nach außen erstrahlen. Versteifungen und Verhärtungen in der Wirbelsäule sind ein Zeichen des Alterns. Alle Körperteile, die Sie nicht regelmäßig benützen, werden sich mit zunehmendem Alter immer mehr zusammenziehen, ein Versteifungsprozeß, der einer schleichenden Atrophie gleichkommt. Wer jedoch innerlich ausgeglichen ist, für ausreichende körperliche Bewegung sorgt und ein harmonisches Leben führt, wird durch sein inneres Strahlen als leuchtendes Beispiel für natürliche Gesundheit stehen.

Atemtechniken

Der Atem kann den Körper am wirksamsten reinwaschen und mit neuem Leben erfüllen. Da der Atem von so grundlegender Natur ist, reflektiert er Ihre innersten Gefühle und die Verhaltensmuster, mit denen Sie Ihrer Umwelt beggnen. So funktionieren bei flachem Atem die lebenswichtigen Systeme Ihres Körpers nur auf Sparflamme. Langes und tiefes Atmen hingegen sorgt nicht nur für die Funktionstüchtigkeit des Atmungsapparates, sondern in allen Körperzellen für eine angemessene Sauerstoffzufuhr.

Zwischen dem Atem und der Psyche herrscht eine innige Wechselbeziehung. Wie Sie sich körperlich fühlen, so fühlen Sie sich auch psychisch, und so interagieren Sie mit der übrigen Welt. Der Atem eröffnet uns körperliches Wohlbefinden – oder er verschließt es uns. Deswegen setzt er fest, wie wir uns jeden Tag fühlen, oder ist doch zumindest ein wesentlicher mitbestimmender Faktor.

Der traditionelle chinesische Physiologie lehrt, daß das menschliche Potential in den Nieren verschlossen liegt. Sie betrachtet die Nieren als Energietanks des Körpers. Deswegen entwickelten die chinesischen Ärzte besondere Techniken der Tiefenatmung, um die Nieren mit Lebensenergie aufzuladen.

Tiefes Atmen hat eine zweifach heilsame Wirkung. Zum einen vermehrt es den Anteil von sauerstoffreichen roten Blutkörperchen, zum anderen die Ausscheidung von Kohlendioxyd, das sich chemisch in Kohlensäure umwandelt, wenn es durch die Ausatmung nicht wieder nach außen abgeführt werden kann. Sammelt sich die Kohlensäure im Körper, müssen die Nieren sie ausfiltern. Für die Körperenergie, das *Ching Chi,* stellt dies eine große Belastung dar. Da wir die Lebensenergie mit Hilfe des Atems kräftigen können und sie von Generation zu Generation weitergegeben wird, stellt sie außerdem eine Chance dar, die Evolution der Menschheit weiterzuführen.

Wir wollen an dieser Stelle nun die fünf Atemübungen kennenlernen, die wir beim Aku-Yoga benutzen.

Langes, tiefes Atmen bildet die Grundlage. Es harmonisiert die Meridiane, das endokrine System und die Emotionen. Atmen Sie dazu tief in den Bauch, das Zwerchfell und schließlich die Brust. Halten Sie den Atem für ein paar Sekunden an. Dann atmen Sie aus, ebenfalls langsam und fließend. Atmen Sie bewußt, in ebenmäßigen, allmählich anschwellenden, tiefen Zügen. Achten Sie darauf, daß Sie jeden Atemzyklus zu Ende führen, atmen Sie vollständig ein und wieder aus.

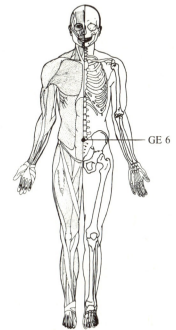

Hara-Atmung kräftigt die inneren Organe und schenkt dem Körper Vitalität und Ausdauer. Der *Hara* ist ein vitales Energiezentrum, er befindet sich drei Finger breit unter dem Nabel und fällt mit einem Reizpunkt des »Gefäßes der Empfängnis« (GE 6) zusammen. Konzentrieren Sie sich auf diesen Punkt, während Sie tief in den Unterleib hineinatmen. Sie spüren, wie sich die Bauchdecke wölbt und der Atem die Tiefen Ihres Bauches weitet. Beim Ausatmen wird der Bauch zu einem Tal und die Energie verbreitet sich durch den ganzen Körper.

Wenn Sie den Atem so durch den »Ozean der Energie« – wie der Hara auch genannt wird – leiten, wird Ihr Allgemeinzustand sich beträchtlich verbessern.

Visualisierung der Atem-Energie: Sie konzentrieren sich auf bestimmte Körperbereiche und visualisieren den Atem als eine heilkräftige Energie, mit der Sie verspannte und dumpfe Körperstellen lockern und aufhellen. Die Visualisierung der Atem-Energie nutzt die Macht der Vorstellungskraft und beseitigt so körperliche Sperren, fördert Bewußtheit, Lebensbejahung und eine bessere Zirkulierung der Ki-Energie.

Der Inhalt und das Ziel einer solchen Visualisierung hängen davon ab, wie man sich gerade fühlt und welche besonderen Störungen des körperlichen Gleichgewichts man zu beseitigen wünscht. Sie können die verschiedensten Hilfsmittel in verschiedenster Weise kombinieren, um die Atem-Energie in die gewünschte Bahn und an den gewünschten Ort zu lenken: Farben, Klänge, Meditationen, Affirmationen und so weiter. Wir wollen hier nur ein einfaches Beispiel für eine Visualisierung geben, die Ihnen hilft, »Spannungen wegzuatmen«:

▶ Schließen Sie die Augen und konzentrieren Sie sich auf die Körperbereiche, die Ihrer Aufmerksamkeit bedürfen. Stellen Sie sich den Atem als eine wahrnehmbare Energie vor, die diese Region durchströmt. Fühlen Sie, daß Sie in die körperlichen Sperren hinein- und hindurchatmen. Spüren Sie zum Beispiel eine Verspannung im Hals, atmen Sie tief in die gesamte Halsmuskulatur hinein. Nachdem Sie voll und tief eingeatmet haben, halten Sie den Atem für ein paar Sekunden an. Wenn Sie dann ausatmen, lassen Sie einfach alle Verspannung los. Der Atem ist für Sie ein Werkzeug, mit dem Sie sich von Streß befreien können. Mit dem Einatmen lenken Sie die Lebensenergie in die verspannte Körperregion. Mit dem Ausatmen lassen Sie die Ki-Energie den ganzen Körper durchkreisen und erfrischen.

Atem des Feuers: Die ist eine äußerst wirkungsvolle Yoga-Atmung, die man in Verbindung mit bestimmten Haltungen benutzt. Sie stärkt das Nervensystem, reinigt das Blut und erweitert das elektromagnetische Feld des Körpers. Beim Atem des Feuers konzentriert man sich darauf, den Atem durch Kontraktion des Unterbauches in kurzen schnellen Stößen (etwa ein Atemzug pro Sekunde) durch die Nase *heraus*zupumpen. Diese Technik kräftigt darüber hinaus die Nerven der Nasenhöhlen und lädt den Körper unverzüglich mit frischer Energie auf.

Anhalten des Atems: Wenn Sie bei bestimmten Aku-Yoga-Übungen den Atem anhalten, massieren Sie innerlich die Organe. Der Blutdruck steigt, wenn Sie den Atem anhalten. Beim Ausatmen fällt er. Da diese Übung viel inneren Streß abbaut, pendelt der Blutdruck sich nun auf einem gesünderen Niveau ein. Deshalb fördert das Anhalten des Atems auch eine tiefe Entspannung.

Meditation

Die Meditation will die gewöhnlichen Begrenzungen des menschlichen Bewußtseins transzendieren und seine Fähigkeit zu unmittelbarem Gewahrsein verfeinern. Sie erreicht dies durch die Sammlung des Geistes. Wenn Sie sich einer solchen inneren Sammlung anvertrauen, können Sie sich von dem dauernden inneren Geschwätz lösen. Sie erweitern Ihren »geistigen Horizont«, vertrauen sich einer Weite an, die sich nicht beschreiben, nur erfahren läßt. Da die Sprache auf die begriffliche Eingrenzung berührbarer Phänomene ausgerichtet ist, kann sie nicht ausdrücken, wo der Himmel endet oder welches Gefühl auftaucht, wenn man sich alle Sandkörner aller Strände und Wüsten der Erde vorstellt. Die Ganzheit der Schöpfung läßt sich nur durch Meditation erfahren.
Die meisten Menschen leben und handeln in einer Nußschale von äußerst begrenztem Fassungsvermögen. Sie identifizieren sich total mit dem Ich und der Persönlichkeit, die von der Oberfläche dieser Nußschale beschützt und definiert wird. Sie können sich nicht als ein Wesen fühlen, das über die Grenzen ihrer Persönlichkeit hinausweist und den göttlichen Funken grenzloser Bewußtheit verkörpert. Verschließen wir uns solchermaßen dem ungeheuren Potential des Geistes, machen wir ihn ebenso steif und unbeugsam wie den Körper, den wir nicht ausreichend fordern und benutzen – was wiederum Rückwirkungen auf den Geist hat. Wenn sich der Körper verspannt zusammenzieht, setzen sich im Geist dicke Widerstandsschichten ab, die zu den Begrenzungen des menschlichen Bewußtseins werden.
Als ein Werkzeug der Bewußtseinsschulung weckt die Meditation die Fähigkeit, über diese Begrenzungen hinauszugehen. Wie bei allem, was die Mühe lohnt, ist aber auch hier vor den Erfolg Anstrengung und Disziplin gesetzt. Unsere Bemühungen um persönliche Weiterentwicklung und spirituelles Wachstum zeitigen jedoch viele segensreiche Wirkungen. Sie sind deswegen eine Freude, keine stupide Pflichterfüllung. Alle unsere Anstrengungen kommen als Gewinn auf uns zurück, und zwar um ein Vielfaches höher als unser ursprünglicher Einsatz. Das Leben wird weiter und freundlicher. Es öffnet sich in Richtungen, die wir uns früher nicht einmal vorstellen konnten. Die Meditation setzt diesen Prozeß der Selbst-Erfüllung in Gang.
In der Stille der Meditation wird der Stoffwechsel verlangsamt. Es ergibt sich eine tiefe Ruhe, die eine große Heilkraft besitzt. Sie verjüngt und erfrischt den ganzen Körper, insbesondere das Nervensystem.
Einige Meditationen arbeiten mit dem Atem, andere mit Tonschwingungen, den *Mantras,* und wiederum andere richten die Aufmerksamkeit auf ein Licht oder eine Energie, die den Körper durchkreist. Mantrameditationen, bei denen man eine Silbe, ein Wort oder einen kurzen Satz zum Schwingen bringt, regen in der Schilddrüse wie auch in den Nebenschilddrüsen Vibrationen an, die ihre Sekretion stimulieren. Ferner aktivieren sie die Hirnanhangdrüse, die das endokrine System harmonisiert.
Beim Meditieren müssen Sie sich zwar konzentrieren, aber dies sollte ganz zwang- und mühelos geschehen. Anstatt gegen den reißenden Strom der Gedanken anzukämpfen, bleiben Sie einfach achtsam und bewußt bei der Meditation. Wenn Gedanken an die Oberfläche Ihres Bewußtseins gespült werden, lassen Sie sie einfach kommen und gehen, ohne zu versuchen, sie zu kontrollieren. Beobachten Sie einfach Ihren Gedanken-

fluß, wie die Gedanken kommen, und lassen Sie sie dann wieder los. Wenn Sie feststellen, daß ein Gedanke Ihre Aufmerksamkeit fesselt, lassen Sie ihn ziehen wie eine Welle, die stromabwärts schwimmt. Führen Sie Ihre Bewußtheit ganz sanft zur Meditation zurück. Dieses kontinuierliche Loslassen hat eine sehr heilsame Wirkung auf das Gehirn.

Die drei Verschließungen

Zu den Meditationen und Übungen des Aku-Yoga gehören drei besondere Kontraktionen, die sogenannten »Verschließungen«: die Wurzel-, Zwerchfell- und Halsverschließung. Wenden wir alle drei Verschließungen gleichzeitig an, so ist dies die »Hauptverschließung«. Man sollte diese drei Verschließungen unter Anleitung eines erfahrenen Yoga-Lehrers lernen und vorsichtig üben.
Die Verschließungen lenken die Lebensenergie in bestimmte Bahnen. Sie konzentrieren sie auf die Energiezentren des Körpers (Chakras) und verhindern so, daß sie sich verflüchtigt. Die Wurzel- und Zwerchfellverschließungen bearbeiten insbesondere die Akupressurpunkte im Unterleib. Die Halsverschließung stimuliert die Reizpunkte in der Kehl- und Halsgegend.
Yoga lehrt, daß die Verschließungen den Blutkreislauf kräftigen und das endokrine Drüsensystem und das energetische Gleichgewicht der Fortpflanzungsorgane harmonisieren. Bei regelmäßigem Üben stärken sie die Harn- und Geschlechtsorgane. Frauen leiden dann weniger an Menstruationsbeschwerden, Männer weniger unter nächtlichem Samenerguß.
Hauptsächlich bringen wir die Verschließungen in unsere Meditationspraxis ein, um die Energie durch die Meridiane zu lenken, so daß sie den Prozeß der Selbstheilung anregen und unterstützen kann.

Wurzelverschließung *(Mula-Bandha)*
Man kontrahiert das Rektum, die Sexualorgane und den Nabel. Deswegen stimuliert die Wurzelverschließung insbesondere die unteren zwei Energiezentren des Körpers. Sie atmen tief ein und ziehen beim Ausatmen (1) die Schließmuskeln zusammen, als wollten Sie eine Darmentleerung verhindern. Ferner kontrahieren Sie (2) die Harnröhre und ziehen (3) den Unterleib so weit es geht an die Lendenwirbel zurück.
Kundalini-Yoga setzt die Wurzelverschließung ein, um die Energie, die an der Wirbelsäulenbasis als latente Kraft schlummert, zu den höheren Chakras zu leiten. Diese Energie läßt sich erst nach ihrer Erweckung und ihrem Aufstieg dem Bewußtsein integrieren und kreativ nutzbar machen. Im Aku-Yoga benutzen wir diese kraftvolle Kontraktion, um die Yin- und Yangmeridiane miteinander zu vereinigen.

Zwerchfellverschließung *(Uddiyana-Bandha)*
Diese Verschließung befreit das dritte Chakra von der physischen Einschnürung, da wir das Zwerchfell nach oben und nach hinten einziehen. Atmen Sie als erstes tief ein. Nach dem Ausatmen ziehen Sie den Oberbauch nach oben und hinten ein, indem Sie ihn kräftig kontrahieren. Die eingeschnürte Energie des dritten Chakras kann sich nun mit dem großen zentralen Kanal der Wirbelsäule verbinden, den wir in der Akupressur als »Gefäß

des Herrschers« bezeichnen. Außerdem massiert die Zwerchfellverschließung die Muskeln des Zwerchfells und des Herzens, bearbeitet den mittleren Abschnitt des »Dreifachen Erwärmers« und stimuliert neben dem dritten das vierte Chakra, die zusammen die Herzgefäße und den Atmungsapparat steuern.

Halsverschließung *(Jaladhara-Bandha)*

Diese Verschließung schickt Energie in die oberen Zentren und ist deswegen für die Meditation sehr wichtig. Sie verlängert die Halswirbelsäule. Infolgedessen verstärkt sie den Zustrom von Gehirn- und Rückenmarksflüssigkeit zum Gehirn. Überdies macht sie die Nerven und Meridiane geschmeidig, daß diese die Lebensenergie kräftig und fließend weiterleiten können, wie es beim Meditieren geschehen soll. Die Halsverschließung stimuliert insbesondere das Kehlchakra und die Drüsen, die mit ihm verbunden sind.
Zur Halsverschließung sitzen Sie aufrecht, den Kopf gerade. Stellen Sie sich einen Draht vor, der das Kinn mit der Einbuchtung zwischen den Schlüsselbeinen verbindet. Sie heben die Brust und bewegen das Kinn entlang dieses imaginären Drahtes. Das Kinn zeigt auf den Einschnitt an der Halsbasis. Dadurch bilden die Nackenwirbel eine Gerade. Lassen Sie den Kopf nicht vornüber fallen und bewegen Sie den Hals *unter gar keinen Umständen*. Lassen Sie den Kopf einfach nur in der eben beschriebenen Weise nach vorn geneigt, so daß sich der Hals streckt und in dieser Position gewissermaßen »einrastet«.

Hauptverschließung

Bei der Hauptverschließung führt man die Wurzel-, Zwerchfell- und Halsverschließungen gleichzeitig durch. Diese Übung bewirkt, daß die Kundalini-Energie entlang der Wirbelsäule aufsteigt. Sie steigert die Vitalität des zentralen Nervensystems. Sie harmonisiert die Tätigkeit des zentralen Nervenstrangs (Sushumna-Nadi) und den zentralen Wirbelsäulenmeridian, das »Gefäß des Herrschers«.

> »Der Rücken wird genannt, weil im Rücken alle Nervenstränge sich befinden, die die Bewegung vermitteln. Wenn man die Bewegung dieser Rückenmarksnerven zum Stillstand bringt, so verschwindet sozusagen das Ich in seiner Unruhe. Wenn nun der Mensch innerlich so ruhig geworden ist, dann mag er sich der Außenwelt zuwenden. Er sieht in ihr nicht mehr den Kampf und das Gewühl der Einzelwesen und hat deshalb die wahre Ruhe, wie sie nötig ist, um die großen Gesetze des Weltgeschehens zu verstehen und dementsprechend zu handeln. Wer aus dieser Tiefenlage heraus handelt, der macht keinen Fehler.«[9]

Meditationsübungen

Sitzen Sie bei diesen ersten vier Übungen in bequemer Haltung, die Wirbelsäule vertikal ausgerichtet, aber nicht steif, entweder auf einem Stuhl, der Ihnen im Rücken Halt gibt, oder im Lotussitz auf dem Boden.

Lotussitz

Der Lotussitz ist die klassische Meditationshaltung. Beim Lotussitz kreuzen sich die Beine an Schlüsselpunkten der Akupressur (Milz 6, Gallenblase 39 und 40, Leber 10 und 11). Deswegen regt er das tief im Körperinnern schlummernde Ki an, nach oben zu steigen, das Gehirn zu durchströmen und die Meditation zu verfeinern.

1. Sitzen Sie auf dem Boden und strecken Sie die Beine vor sich aus.
2. Spreizen Sie die Beine.
3. Beugen Sie das rechte Bein. Legen Sie den rechten Fuß mit dem Rist ganz oben auf den linken Oberschenkel auf.
3. Beugen Sie das linke Bein und führen Sie den Rist des linken Fußes ganz oben auf den rechten Oberschenkel.

Innere Sättigung

1. Sitzen Sie bequem mit geschlossenen Augen, die Wirbelsäule aufrecht.
2. Führen Sie die Halsverschließung durch. Dazu heben Sie die Brust, so daß das Kinn leicht an den Einschnitt zwischen den Schlüsselbeinen herangeführt wird.
3. Sie legen die Hände mit dem Handrücken auf Ihre Knie. Die Kuppen von Daumen und Zeigefinger berühren sich.
4. Atmen Sie tief ein. Beim Ausatmen führen Sie ein paar Sekunden lang die Wurzel- und Zwerchfellverschließungen durch: Sie kontrahieren das Rektum, die Sexualorgane, den Unterleib und das Zwerchfell.
5. Nach einer Minute lösen Sie die Wurzel- und Zwerchfellverschließungen. Konzentrieren Sie sich jetzt ganz sanft auf die *Hara*-Atmung.
6. Atmen Sie etwa zwei Minuten lang locker durch den Unterleib ein und aus. Achten Sie darauf, daß die Wirbelsäule während der gesamten Übung gerade bleibt.

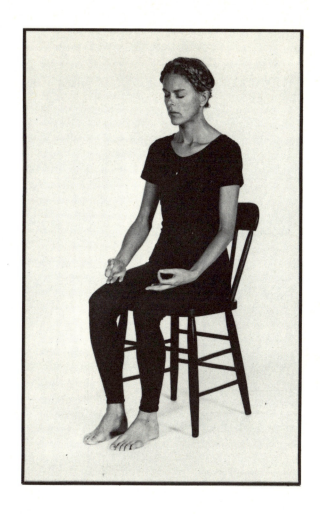

Richten Sie Ihre Aufmerksamkeit auf den Atem, Sie atmen ganz sanft, die Ein- und Ausatmung wird wie von selbst mit jedem Atemzug länger und tiefer.
Atmen Sie alle Verspannungen aus sich heraus, die Ihre Lunge daran hindern, sich voll und natürlich auszudehnen. Sie fühlen, daß Ihr Geist mit jedem Atemzug klarer wird.
Achten Sie auf die Widerstände, die sich im Geist vor Ihnen auftürmen, die Schranken des Urteilens und inneren Zerredens, an denen sich der Geist zermürbt. Atmen Sie einige Male tief durch, so daß alle diese Schranken wegfallen. Atmen Sie tief und sanft, als würden Sie Liebe in sich einsaugen.
Am Ende der Einatmung können Sie den Atem kurz anhalten, um seine Fülle zu fühlen. Während Sie gleichmäßig fließend ausatmen, spüren Sie, wie gut es tut, wenn die Atemenergie Ihren Körper durchströmt.
Diese Atemmeditation wird Ihr Leben um so reicher und wirkungsvoller machen, je häufiger Sie sie üben. Dies können Sie zu jeder Tages- und Nachtzeit tun, selbst wenn Sie völlig von Ihrer momentanen Tätigkeit in Anspruch genommen werden. Achten Sie einige Augenblicke auf Ihren Atem und nehmen Sie die segensreichen Wirkungen wahr, die diese Achtsamkeit Ihnen bringt.

Akupressurpunkte	Traditionelle Assoziationen
Milz 6 (»Drei-Yin-Treff« von Milz-, Leber- und Nierenmeridian)	Menstruationsbeschwerden; Geschlechtsorgane
Gallenblase 40	Harmonisierung des Gallenblasenmeridians
Leber 10, 11	Behebung unregelmäßiger Menstruation

Einladung an die heilenden Energien

1. Sitzen Sie bequem, die Wirbelsäule gerade. Legen Sie Ihre Handflächen in der Gebetshaltung aufeinander, die Daumenknöchel pressen in der Herzgegend leicht gegen das Brustbein. Schließen Sie die Augen und lassen Sie die Atmung eine Minute lang immer tiefer werden.

2. Als nächstes heben und öffnen Sie beim Einatmen langsam die Arme über den Kopf. Lassen Sie den Kopf ein wenig nach hinten fallen. So öffnen Sie sich ganz dem Universum.

3. Summen Sie beim Ausatmen die Mantra-Silbe »SU«. Dabei gleiten die Arme langsam zur Gebetshaltung vor der Brustmitte zurück, und der Kopf bildet mit den Schultern wieder eine Linie.

4. Die Hände liegen in Ihrem Schoß. Sie sitzen aufrecht mit geschlossenen Augen und lauschen dem Mantra »SU«, das in Ihnen nachhallt. Bleiben Sie eine Weile still sitzen, damit Sie die Wirkung der Übung voll in sich aufnehmen können.

Der Wasserfall

1. Sitzen Sie in bequemer Haltung, die Wirbelsäule gerade, die Augen geschlossen.
2. Legen Sie die Handflächen über die Ohren, so daß die Zeige- und Mittelfinger auf der Schädelbasis (unter dem Hinterhauptsbein auf Gallenblasenpunkt 20) aufliegen. Die Daumen pressen sanft die Muskeln an den Halsseiten, wo die »Himmelsfenster« (vgl. S. 173) liegen.
3. Atmen Sie lang und tief. Lauschen Sie den Klängen des Atems und stellen Sie sich ihn als einen gigantischen Wasserfall vor.
4. Beim Einatmen strömt das Wasser (ein Symbol für das Ki, die Lebensenergie) zum Kopf. Beim Ausatmen braust es durch Hals, Schultern und Brust in den Bauch, die Beine, Arme und Hände herab.
5. Atmen Sie tief durch die Nase, während Sie sich weiterhin den Wasserfall vorstellen. Ihre Hände ruhen im Schoß. Bleiben Sie ein paar Minuten still sitzen.

Die Pyramide

1. Nehmen Sie eine bequeme, aufrechte Sitzhaltung ein.
2. Legen Sie die Daumenballen auf den Schnittpunkt von oberer Augenhöhle und Nasenbein (Blasenpunkt 2) und die Fingerkuppen aufeinander.
3. Winkeln Sie die Ellbogen leicht nach außen, so daß die Unterarme ein gleichschenkliges Dreieck bilden. Schließen Sie die Augen. Stellen Sie sich nun die Pyramide oder das Dreieck vor. Sie atmen voll und tief, während sich die Pyramide in Ihrer Visualisierung zu unendlichen Proportionen ausdehnt.
4. Sie sitzen ganz ruhig da und fühlen die Intensität, die Ihre Meditation nach und nach gewinnt. Die »Pyramide« kann ungeheure Energiemengen auf Sie vereinigen – grenzenlose Kraft. Lassen Sie alle begrifflichen Vorstellungen los, machen Sie sich ganz leer, und lassen Sie diese innere Erfahrung immer größer werden.
5. Nach ein paar Minuten sinken die Hände wie von selbst in den Schoß. Bleiben Sie ruhig sitzen, und entdecken Sie die Wohltaten dieser Übung.

Meditation zur Erforschung von Krankheitsursachen

Kürzlich arbeitete ich mit einer Frau, die unter Beschwerden am Ischiasnerv und starken Rückenschmerzen litt. Ich legte meine Akupressurbehandlung darauf an, die Blockierungen im unteren Rückenbereich zu lösen. Nach der Behandlung schwang sie die Hüften ein wenig hin und her und behauptete, ihr Zustand hätte sich bereits »gebessert«, und außerdem wisse sie ja, »daß solche Beschwerden nicht auf einen Schlag zu verschwinden pflegen«. Ich selbst war mit dem Ergebnis der Behandlung nicht zufrieden. Irgendwie war es mir nicht gelungen, die eigentliche Ursache Ihrer Rückenschmerzen aufzudecken. Natürlich hatte ich die richtigen Punkte gefunden, in denen die Sperren spürbar waren. Und natürlich hatte meine Klientin große Schmerzen empfunden, als ich darauf preßte. Trotzdem hatte ich mit der Behandlung nicht mehr erreicht, als die Oberfläche ein wenig anzukratzen. Da kam mir die Idee, meine Klientin durch die folgende Meditation zu führen:

Körperhaltung: Legen oder setzen Sie sich ganz bequem hin. (Meine Klientin lag auf dem Rücken, die Beine angewinkelt und leicht gespreizt, die Füße auf dem Boden.)
Handhaltung: Legen Sie die Hände auf die schmerzende Stelle. (Meine Klientin legte daraufhin ganz spontan die Hände mit den Handflächen nach unten übereinander und schob sie unter das Kreuzbein.)
Atem: Beginnen Sie mit geschlossenen Augen, lang und tief zu atmen. Führen Sie den Atem an die Schmerzstelle oder Blockierung heran. Nehmen Sie beim Atmen den ganzen Körper bewußt wahr.
Geist: Lassen Sie Ihre geistigen Fixierungen los. Urteile, Sorgen und Ängste fallen von Ihnen ab. Das fest verworrene Gedankenknäuel im Gehirn löst sich. Der Kopf fühlt sich leichter und transparenter an, Begrenzungen in Ihrem Geist gibt es nicht mehr.

Meditation: Stellen Sie sich die folgenden Fragen und warten Sie auf eine spontane Antwort: Was ist die Ursache meiner Krankheit? Was hat meine Krankheit ausgelöst? – Wie kann ich die Selbstheilung meines Körpers unterstützen?
Der Körper ist still und ruhig, die Augen sind geschlossen. Der Atem strömt tief und gleichmäßig. Der Geist ist offen und leer. Die Fragen manifestieren sich ganz spontan in Ihnen, und so werden sich auch die Antworten einstellen, wenn Sie die Ursachen und möglichen Behandlungsmethoden tatsächlich erfahren wollen.

Nach dieser Meditation waren die Augen meiner Klientin plötzlich ganz klar und leuchteten. In ihr Gesicht war ein dickes, zufriedenes Lächeln gezeichnet: »Nun weiß ich endlich, wo in meinem Körper ich meine Mutter festhalte. Mir ist klar, daß ich alle die Schmerzen und Verletzungen, die sie mir zugefügt hat, verinnerlicht und in der Hüft- und Lendengegend gespeichert habe. Wissen Sie«, fuhr sie immer noch lächelnd fort, »meine Mutter war eine schreckliche Nervensäge, und häufig habe ich ihre ewige Nörgelei und Kritik wie einen Tritt in den Hintern empfunden.«

Tiefenentspannung

Das Öffnen der acht Sondermeridiane

Die Tiefenentspannung will die acht Sondermeridiane öffnen, die das energetische Gleichgewicht des Körpers bewahren. Durch die Aku-Yoga-Übungen beeinflussen wir direkt die Punkte aller zwölf Organmeridiane. Wir lösen die Verspannungen, die infolge von Energiestaus entstanden waren. Dies ist aber nur der halbe Weg zu der erstrebten Selbstheilung. Die zweite Hälfte besteht darin, daß Sie sich nach der Lockerung der Sperren tief entspannen. Die Tiefenentspannung aktiviert die acht Sondermeridiane, die eine Speicherfunktion haben und die Energieströme in den Organmeridianen ausgleichen. Sie lenken das überschüssige Ki überall hin, wo die Lebensenergie unterrepräsentiert ist. Diese Selbstregulierung ist vielleicht der wichtigste Faktor für die Selbstheilung. Deswegen müssen Sie sich nach den Aku-Yoga-Übungen unbedingt ganz tief entspannen, oder auch nach einer Akupressurbehandlung oder jeder anderen Form der Körpertherapie oder -arbeit.

Strengen Sie sich bei der letzten Körperhaltung, die Sie üben, besonders an, damit der Blutdruck steigt, die Muskeln gefordert und die Nerven und Meridiane kräftig angeregt werden. Dann können Sie sich auch um so tiefer entspannen. Dazu legen Sie sich nach dem Üben grundsätzlich zehn bis zwanzig Minuten auf den Rücken und schließen die Augen. Atmen Sie tief und lang in den Hara (drei Querfinger unter dem Nabel) hinein. Sie lassen allen Streß aus Körper und Geist vollkommen los.

Die Tiefenentspannung verändert das Bewußtsein. Muskuläre und geistige Blockierungen gibt es nicht mehr. Der Geist kann auf seinen Reisen durch das Bewußtsein in entfernte Räume gleiten und bleibt doch gleichzeitig voll bewußt und »geistesgegenwärtig«. Wir nennen diesen Zustand den »Yogi-Schlaf«. Ein paar Minuten davon haben bereits eine unvorstellbar heilsame Wirkung. Der »Yogi-Schlaf« erfrischt den Geist und belebt den Körper.

Aku-Yoga bringt keine Gefahren mit sich, wenn Sie Ihren Verstand gebrauchen und die Gesetze der Entspannung beherzigen. Je mehr Sie sich beim Üben fordern, desto länger müssen Sie danach entspannen. Komplikationen treten auf, wenn Sie sich nicht die Zeit nehmen, nach dem Üben auszuruhen. In den Übungen steckt sehr viel Kraft. Die Entspannung danach ist zum Ausgleich deswegen nicht weniger wichtig als die Übung selbst. Lassen Sie sich nach dem Üben unbedingt genug Zeit, die segensreichen Wirkungen in sich aufzunehmen, die die heilkräftige Tiefenentspannung Ihnen bringen kann.

Anleitung zur Tiefenentspannung

▶ Legen Sie sich auf den Rücken, die Arme an Ihren Seiten, die Handflächen nach oben gekehrt. Schließen Sie die Augen. Der Körper sinkt in die Entspannung. Bewegen Sie die Zehen hin und her und lassen Sie sie los. Drehen Sie die Füße im Fußgelenk, Füße und Fußgelenke sind ganz entspannt. Rollen Sie die Beine ein wenig: Waden, Knie und Oberschenkel entspannen sich vollständig. Spannen Sie die Gesäßmuskeln an und lassen Sie los. Die Geschlechtsorgane und das Becken sind ganz entspannt. Atmen Sie einige Male tief in den Bauch hinein, so daß er sich entspannt. Locker und gelöst sind Sie, vollständig entspannt. Wenn der Geist bei einem Gedanken, einem Bild einrastet, lassen Sie los. Der Rücken ist entspannt, die Arme, jeder einzelne Finger. Ermutigen Sie den Hals und die Schultern, bis Sie auch dort das wohlige Licht der Entspannung fühlen. Sie halten mit der Stirn, mit den Augenbrauen nichts fest. Die Stirn und die Augenhöhlen sind ganz entspannt. Lassen Sie die Schläfen und Ohren los, die Lippen, Zähne, die Zunge. Schieben Sie das Kinn ein wenig nach rechts und links, so daß es ganz locker und entspannt wird. Entspannen Sie die Nase, die Kehle, die Augen. Sie fühlen Ihren ganzen Körper, gelöst und entspannt.

Um zu einer solchen tiefen Entspannung zu gelangen, müssen Sie Ihre Fixierung auf geistige Inhalte loslassen. Lassen Sie alle Begrenzungen und Sperren wegfallen, die den Geist normalerweise beschränken. Geben Sie alle Gedanken und Meinungen auf, die nur neue Trennlinien ziehen, neue Mauern errichten. Geben Sie sich der Situation hin, lassen Sie Urteile und Erwartungen abgleiten.

Auf der anderen Seite der Konflikte und Grenzwälle geistiger Vorstellungen erzittert, schwingt und lebt das lebendige Universum. Sie machen Ihren wichtigsten Schritt zu spiritueller Reife, wenn Sie sich Ihrer Erfahrung dieses Einsseins anvertrauen.

Zweiter Teil:
Allgemeine Übungen

A Übungsreihen auf der Grundlage klassischer Yoga-Positionen

Zur Übung von Aku-Yoga

Tägliches Üben ist das A und O einer vorbeugenden Medizin. Ein festes, tägliches Übungsprogramm, bei dem der gesamte Körper bewegt und gestärkt wird, verbessert das allgemeine Wohlbefinden. Viele Menschen jedoch praktizieren einen entgegengesetzten Lebensstil. Sie pflegen zerstörerische Gewohnheiten, die das körperliche Gleichgewicht nachhaltig aus dem Lot bringen und damit vielen Krankheiten Vorschub leisten. Sie rauchen, trinken oder essen viel zuviel und versuchen damit den Belastungen und Herausforderungen ihres Lebens zu entfliehen. Diese Gewohnheiten erzeugen jedoch weitere Spannungen im Körper und schwächen seine Ausgleichsmechanismen. Wir können die schlechten Gewohnheiten aber aufgeben und uns statt dessen positive angewöhnen, wie zum Beispiel eine »Sucht« auf regelmäßiges Üben oder gesunde Kost. Auf diese Weise schaffen wir uns die Grundlage für eine strahlende Gesundheit.
Wir wollen in diesem Teil des Buches vier geschlossene Übungsreihen vorstellen, die jeweils einen anderen Schwerpunkt setzen und von einem anderen Ansatz ausgehen. Gemeinsam ist ihnen ihre Wirkung auf den *ganzen* Körper. Die Übungen in jeder Reihe bauen aufeinander auf und behandeln jeweils verschiedene Körperregionen. Die ersten beiden Übungsreihen (»Die Wirbelsäule« und »Die Chakras«) enthalten hauptsächlich Elemente aus dem Yoga. Die letzten beiden Übungsreihen (»Die Sondermeridiane« und »Die Organmeridiane«) haben mehr mit chinesischer Heilgymnastik und Akupressur zu tun.
Ferner gibt es im Aku-Yoga einige Schlüsselstellungen, die mehr als nur eine Funktion oder Anwendungsmöglichkeit besitzen. Sie erscheinen deswegen nicht bloß in einer, sondern in verschiedenen Übungsreihen des Buches.
Am besten, Sie entdecken durch eigene Erfahrung, welche Übungsreihe für Sie besonders geeignet ist. Dazu müssen Sie sie natürlich kennenlernen. Fangen Sie einfach mit irgendeiner Reihe an und üben Sie sie eine Woche lang. Danach gehen Sie zur nächsten über und so weiter, bis Sie alle vier Übungsreihen durchprobiert haben. Achten Sie darauf, welche besonderen Reaktionen jede Gruppe von Übungen in Ihnen auslöst. Merken Sie sich Ihre Beobachtungen, machen Sie sich ein paar Notizen. Am Ende des Monats werden Sie dann wissen, welche Übungsreihe ihren momentanen Bedürfnissen am meisten entspricht.
Lassen Sie Aku-Yoga zur Gewohnheit werden. Üben Sie jeden Morgen und jeden Abend eine halbe Stunde. Wenn Sie alle Widerstände hinter sich gelassen und Freude am Üben haben, ist Aku-Yoga aus Ihrem Alltag nicht mehr wegzudenken. Es schenkt Ihnen Kraft und Wohlbefinden.

3 Die Wirbelsäule

Die Wirbelsäule ist ein Schlüssel zu unserer Gesundheit. Ihre 33 Wirbel umschließen die Rückenmarksnerven, die vom Gehirn ausgehen und dann als einzelne Nervenstränge von den Wirbeln zu *allen* Organen und Regionen des Körpers abzweigen.
Außerdem hat die Wirbelsäule eine tragende Funktion. Sie trägt die Hauptlast des Körpergewichts. Solange sie gesund und geschmeidig ist, kann sie ihre Aufgaben leicht erfüllen. Haltungsfehler und Bewegungsmangel machen sie jedoch unflexibel und schwach. Verspannungen zerren und schieben sie aus ihrer natürlichen, vertikalen Ausrichtung. Die Folge sind Dauerschäden und unaufhaltsamer Verfall. Diesen Verfall können wir durch Aku-Yoga-Übungen verhindern. Regelmäßiges Üben kräftigt die Wirbelsäule, macht sie biegsam und gibt ihr das natürliche Gleichgewicht zurück (vgl. auch S. 31).
Yogapraxis schenkt uns eine prachtvolle Wirbelsäule. Man kann das ganz deutlich fühlen, wenn man einen Klienten massiert, der Yoga übt. Die Wirbel sind voll ausgeprägt und liegen in der natürlichen Vertikalen übereinander. Der ungeübte Klient vermittelt einen anderen Eindruck. An Stelle der einzelnen Wirbel spürt man nur die chronischen Rückenverspannungen, den Muskelpanzer. Aku-Yoga wird in diesem Fall die Rückenmuskulatur entspannen *und* kräftigen. Es gibt der Wirbelsäule ihr Gleichgewicht zurück.
Die erste Übungsreihe führt fast allen 31 Rückennervspaaren, die von der Wirbelsäule zu den einzelnen Organen abzweigen, neue Energie zu. Sie bearbeitet die Wirbelsäule von unten nach oben, von den Lenden- zu den Halswirbeln, macht sie biegsamer und geschmeidiger. Mit diesen Übungen tun Sie nicht nur etwas für ihre physische Gesundheit. Sie erschließen sich vielmehr ein ganz neues Lebensgefühl und eine bisher ungeahnte Vitalität.
Sie können die Wirkung der Übungen noch steigern, wenn Sie sich mit dem Atemfluß bewegen. Sie gewöhnen sich damit einen Bewegungsrhythmus an, der es den Muskeln und Nerven erlaubt, sich zu entspannen. Strecken Sie sich im Rhythmus des Atems, so daß die Heilkraft des Atems die Heilwirkung der Übung vermehren kann.

Atemmeditation

1. Nehmen Sie eine bequeme, aufrechte Sitzhaltung ein und führen Sie die Hände in der Gebetsgeste zur Brust.
2. Schließen Sie die Augen, so daß Sie sich ganz auf Ihre innere Bewußtheit konzentrieren können. Finden Sie Ihre Mitte, indem Sie den Atem beobachten, der allmählich immer tiefer und länger wird.
3. Nach etwa zwei Minuten atmen Sie einmal tief durch und gehen zur nächsten Übung weiter.

Drehstreckung

1. Stehen Sie aufrecht, die Beine gespreizt, die Füße etwa sechzig bis neunzig Zentimeter auseinander.
2. Halten Sie die Arme waagerecht zum Boden ausgestreckt und atmen Sie ein.
3. Atmen Sie aus und führen Sie die rechte Hand zum linken Knie, zum linken Schienbein, zum Fußgelenk oder gar bis zum Fuß – so weit, wie Sie sich ohne übermäßige Anstrengung strecken können. Den linken Arm halten Sie senkrecht nach oben und schauen auf die linke Hand, die in den Himmel zeigt. Die Beine bleiben gestreckt.
4. Beim Einatmen kehren Sie in die Ausgangsposition zurück.
5. Diesmal führen Sie, während Sie ausatmen, die linke Hand vor dem rechten Bein nach unten und halten den rechten Arm vertikal nach oben. Sie schauen auf Ihre rechte Hand und strecken sich.
6. Üben Sie etwa eine Minute lang diese Drehstreckung abwechselnd nach rechts und links.

Das Wasserrad

1. Stehen Sie locker und aufrecht, die Füße etwa dreißig Zentimeter auseinander. Legen Sie Ihre Handflächen über die Taille, so daß der Ringfinger und der kleine Finger die Wirbelsäule berühren.
2. Sie atmen ein und wölben den Rücken sanft nach hinten, wobei Sie mit den Händen die Lendengegend abstützen.
3. Während Sie ausatmen, lassen Sie den Oberkörper aus der Hüfte nach vorn kippen. Der Oberkörper hängt nun lose herab. Die Schultern sind ganz locker und baumeln schlaff ohne jede Muskelanspannung.
4. Üben Sie dies etwa eine Minute lang, Ihrem eigenen Rhythmus entsprechend. Beim Einatmen heben Sie den Oberkörper und wölben ihn nach hinten. Beim Ausatmen kippen Sie ihn nach vorn und lassen ihn baumeln. Fühlen Sie deutlich, wie sich die Wirbelsäule in beide Richtungen krümmt, und das Körpergewicht sich nach vorn und hinten verlagert.

Man hat diese Übungen früher auch zur Erhaltung der sexuellen Potenz empfohlen. Sie wirken aufbauend und spannungslösend auf die Lenden und das Becken. Sobald Sie Ihren Rhythmus gefunden haben, schließen Sie die Augen. Sie achten ganz bewußt auf die Drehung des Beckens. Sie atmen durch die Nase ein und aus. Sie gehen ganz mit der Bewegung mit, im natürlichen Rhythmus des Atems. Allmählich werden Sie bemerken, daß Sie immer schneller atmen. Beschleunigen Sie in Übereinstimmung dazu auch die Bewegung.

Der Katzenbuckel

1. Kauern Sie auf Händen und Knien auf dem Boden. Heben Sie den Kopf möglichst weit zurück, während Sie einatmen. Die Wirbelsäule ist nach unten gekrümmt.
2. Beim Ausatmen fällt der Kopf in einer anmutigen bogenförmigen Bewegung nach vorn. Synchron dazu wölbt sich der Rücken wie ein Katzenbuckel nach oben. Kopf und Hals sind völlig entspannt.
3. Üben Sie dies etwa eine Minute lang, und fühlen Sie dabei, wie Ihre Wirbelsäule sich in beide Richtungen biegt.

Der Kamelritt

Diese Übung kräftigt die Wirbelsäule und hilft, daß Sie auch für längere Meditationsperioden mühelos geradesitzen können. Außerdem sorgt der »Kamelritt« dafür, daß zusätzliche Lebensenergie im Körper gespeichert wird.

1. Sitzen Sie mit überkreuzten Beinen und greifen Sie die Schienbeine in der Nähe des Fußgelenks.
2. Heben Sie beim Einatmen die Brust.

3. Beim Ausatmen sinkt der Oberkörper nach vorn und Sie fühlen, wie das gesamte Körpergewicht auf dem Steißbein ruht.
4. Üben Sie dies etwa eine Minute lang. Sie atmen durch die Nase. Beim Einatmen wölbt sich der Oberkörper nach hinten, beim Ausatmen sackt er nach vorn. Während sich die Wirbelsäule in beide Richtungen biegt, bleibt der Kopf relativ ruhig. Achten Sie darauf, daß Ihre Bewegungen nicht ruckartig sind, sondern anmutig fließen.
5. Zum Abschluß der Übung atmen Sie ein und halten den Atem an. Finden Sie Ihre Mitte. Die Augen sind geschlossen, die Wirbelsäule ist locker aufgerichtet. Schließlich atmen Sie ebenmäßig fließend aus und bleiben eine Minute still sitzen.

Streckung des Lebensnervs I

1. Sitzen Sie auf dem Boden, die Beine weit gespreizt.
2. Halten Sie Ihre Schienbeine fest, so daß Sie die Streckung in Waden, Oberschenkeln und im Gesäß fühlen. Während der gesamten Übung liegen die Kniekehlen auf dem Boden auf.
3. Sie atmen ein und richten den Oberkörper auf, so daß die Wirbelsäule gerade ist. Sie atmen tief in den Bauch und in die Brust, die sich hebt.
4. Während Sie ausatmen führt der Kopf den Oberkörper auf das linke Knie zu (siehe Abbildung auf S. 56 oben).
5. Beim Einatmen kehren Sie in die lockere und trotzdem vollkommen aufrechte Haltung zurück.
6. Nun führen Sie den Kopf zum rechten Knie, während Sie erneut ausatmen.
7. Setzen Sie diese Übung etwa eine Minute lang fort, mit Anmut, aber trotzdem beherzt.

Rückgratsbeugen

Das schnellende und federnde Beugen des Rückgrats wirkt hauptsächlich auf die Brustwirbel im Mittelabschnitt der Wirbelsäule. Es ist segensreich für Leber, Milz, Magen, Gallenblase und Bauchspeicheldrüse.

1. Sie hocken auf den Fersen und legen die Hände auf die Knie.
2. Die Brust hebt sich, während Sie einatmen, und die Schultern wölben sich ein wenig nach hinten.
3. Beim Ausatmen lassen Sie die Wirbelsäule in die entgegengesetzte Richtung zusammensinken.
4. Üben Sie etwa eine Minute so weiter, wobei Sie das Tempo allmählich steigern. Diese Bewegung wird Ihre Atemkapazität vergrößern.

Rückgratsdrehungen

1. Knien Sie nieder und spreizen Sie die Beine ein wenig. Das Gesäß ruht entweder auf den Fersen oder schwebt zwischen den Füßen locker über dem Boden.
2. Legen Sie die Hände auf die Schultern, die Finger nach vorn, die Daumen im Rücken. Die Ellbogen sind abgewinkelt und waagerecht zum Boden.
3. Sie atmen ein und drehen den Oberkörper nach links. Beim Ausatmen lassen Sie ihn nach rechts schnellen.
4. Üben Sie dies etwa eine Minute lang. Der Kopf folgt dabei der Drehung des Rumpfes. Nehmen Sie die Drehung der Wirbelsäule in beide Richtungen deutlich wahr.
5. Zum Abschluß legen Sie die Handflächen vor dem Brustbein aufeinander und atmen tief.

Yogamudra I

Diese Haltung hilft Ihnen, Ihre Mitte zu finden, und damit, sich selbst zu lieben. Sie müssen dazu einen Atemrhythmus entdecken, der ein wohliges Körpergefühl erweckt. Dann bringt der Atem in Ihnen heilende Schwingungen zum Klingen, die durch den ganzen Körper hallen.

»Für das Heilen ist der Atem der wichtigste und wesentlichste Faktor. Gewiß, es gibt die unterschiedlichsten Arten des Heilens – ein Heilen durch Stille; ein Heilen durch den Blick, den man wie in einem Brennpunkt sammelt und berührt. Hinter all diesen verschiedenen Arten des Heilens steht jedoch nur eine Kraft: der Atem. Diese Kraft läßt sich durch Körperübungen, rhythmisches Atmen, einen reinen Lebenswandel und meditative Sammlung noch weiterentwickeln und verfeinern.«[10]

1. Knien Sie nieder. Beugen Sie den Oberkörper nach vorn, so daß die Stirn auf dem Boden aufliegt.
2. Strecken Sie die Arme vor sich aus, legen Sie die Handflächen aufeinander und lassen Sie die Unterarme auf dem Boden ruhen.
3. Lassen Sie zu, daß sich der Körper in dieser Haltung für einige Minuten vollkommen entspannen kann und spüren Sie dabei das Fließen des Atems.

Streckung des Lebensnervs II

1. Sie sitzen auf dem Boden und strecken die Beine vor sich aus. Sie lockern die Füße, schütteln sie ein wenig und drehen sie im Fußgelenk. Entspannen Sie dann Fußgelenke und Knie. Lassen Sie schließlich den Oberkörper vornüber kippen, den Kopf hängen und locker hin- und herbaumeln. Kopf und Hals sind völlig entspannt.
2. Fassen Sie sich an Schienbein oder Fußgelenk, ohne die Knie vom Boden abzuheben oder die Beine zu spreizen.
3. Nehmen Sie den Atem wahr. Das Kör-

pergewicht zieht den Oberkörper ganz von selbst nach unten. Sie atmen lang und tief. Beim Einatmen hebt sich der Rumpf ein wenig, beim Ausatmen sinkt er nur immer tiefer. Sie entspannen, lassen sich vollkommen fallen, so daß sich der Oberkörper bei jedem Ausatmen mehr vornüberbeugt. Sie brauchen gar nichts zu tun. Die Schwerkraft leistet die Arbeit für Sie.

4. Beobachten Sie Ihren Körper. Achten Sie darauf, daß Schultern, Hals und Kopf vollkommen entspannt sind. Nach etwa einer Minute richten Sie sich zur Sitzhaltung auf und atmen dabei ein.

Schulterbeugen

Die letzten Übungen dieser Reihe bearbeiten hauptsächlich die Hals- und oberen Brustwirbel.

1. Sitzen Sie wie beim »Kamelritt« mit gekreuzten Beinen. Diesmal fassen Sie jedoch die Knie an; die Arme sind gestreckt.
2. Sie atmen ein und heben die Brust, so daß sie sich weit nach vorn wölbt.
3. Beim Ausatmen knickt die Brust in die entgegengesetzte Richtung.
4. Üben Sie dies eine Minute lang. Ihre Wirbelsäule biegt sich in beide Richtungen.
5. Zum Abschluß atmen Sie einmal besonders tief ein und aus. Danach sitzen Sie locker aufgerichtet und entspannen sich eine Minute lang mit geschlossenen Augen.

Der Propeller

1. Sie sitzen mit gekreuzten Beinen. Machen Sie die Hände hohl und haken Sie die Finger ineinander. Führen Sie sie vor die Brustmitte.
2. Während Sie einatmen heben Sie den rechten Ellenbogen möglichst weit. Achten Sie bitte darauf, daß die Hände nicht aus ihrer Position vor der Brust verrutschen.
3. Beim Ausatmen drehen Sie die Arme wie einen Propeller in die andere Richtung; nun ist der linke Ellenbogen oben.
4. Üben Sie dies eine Minute.
5. Schließlich atmen Sie ein und führen die Hände über den Kopf. Sie halten den Atem an, während Sie die Hände gegen die Verschränkung kräftig nach außen ziehen. Sie spüren die Spannung in Armen und Händen.
6. Beim Ausatmen lassen Sie die Hände entspannt herabgleiten. Schütteln Sie die Schultern sanft. Konzentrieren Sie sich in der anschließenden kurzen Meditation auf das Kreisen der Energie in Ihrem Körper.

Flügelschultern

Die letzte Übung soll Schulterverspannungen lösen. Es macht nichts, wenn Sie sich danach ein wenig schwindelig fühlen, oder wenn es an verschiedenen Körperstellen prickelt. Dies zeigt nur, daß nun mehr Sauerstoff und Nährstoffe zum Gehirn aufsteigen.

1. Kreuzen Sie die Beine. Sitzen Sie in bequemer, aufrechter Haltung. Legen Sie die Hände auf die Knie.
2. Drücken Sie die Schultern in Richtung der Ohren nach oben, atmen Sie dabei ein.
3. Mit dem Ausatmen fallen die Schultern schlapp und entspannt herab.
4. Schließen Sie die Augen und gehen Sie mit Ihrer Bewußtheit ganz in das Atmen hinein, üben Sie etwa eine Minute synchron zur Atmung diese Schulterbewegung.

Tiefenentspannung

Nun müssen Sie sich für mindestens zehn Minuten auf dem Rücken liegend entspannen. Legen Sie die Hände neben sich sanft auf den Boden. Bewegen Sie das Becken ein wenig hin und her. Kontrahieren und entspannen Sie die Gesäßmuskeln. Nehmen Sie die Füße bewußt wahr. Wackeln Sie mit den Zehen und lassen Sie sie dann wieder locker. Drehen Sie die Füße im Fußgelenk und entspannen Sie sie. Fühlen Sie, wie sich Beine und Hüften entspannen. Entspannen Sie den Rücken. Atmen Sie tief in den Bauch und spüren Sie die Entspannung, die sich in Bauch und Brust ausbreitet. Lockern Sie alle Finger. Arme und Schultern sind gelöst. Der Kopf rollt mühelos nach beiden Seiten, so daß der Hals sich entspannt. Sie fühlen, wie die Atemenergie den Kopf durchströmt, das Gesicht und den ganzen Kopf entspannt. Geben Sie sich der Entspannung hin.

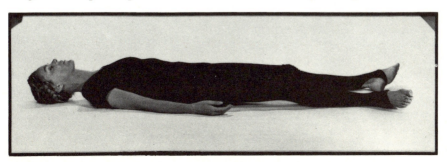

4 Die Chakras

Die sieben Chakras sind Kraftzentren im Körper – Energiewirbel, die unser physisches, emotionales, mentales und spirituelles Wohlbefinden wesentlich mitgestalten. Diese Funktion macht sie für uns bedeutsam. Wir können Ausstrahlungskraft und Durchsetzungsvermögen gewinnen, wenn die Chakras ungehindert pulsieren. Alle Akupressur-Meridiane laufen durch die Chakras. Auch stehen die meisten Reizpunkte mit einem dieser Zentren direkt in Verbindung. So verwundert es nicht, daß viele Reizpunkte Charakteristika aufweisen, die dem nächstliegenden Chakra entsprechen. Wer diese Verbindungen bewußt wahrnimmt, wird die Dynamiken des Aku-Yoga um so besser verstehen.
Wir können uns die Chakras neurophysiologisch als Nervengeflecht vorstellen. Sie gehen von der Wirbelsäule aus und haben mit den endokrinen Drüsen zu tun.
Das erste Chakra liegt an der Wirbelsäulenbasis. Es ist mit dem Sakralnervengeflecht, dem Rektum, der Vorsteherdrüse und den männlichen Geschlechtsorganen gekoppelt. Das zweite Chakra, unterhalb des Nabels, steht in Verbindung mit dem Prostataplexus, den Adrenalindrüsen, den weiblichen Geschlechtsorganen und den Nieren. Mit dem dritten Chakra assoziieren wir: Solarplexus, Milz, Bauchspeicheldrüse, Leber und Gallenblase. Die Verbindungen des vierten Chakra gehen schon aus seinem Namen hervor. Das Herzchakra ist mit dem Plexus cardiacus (Nervengeflecht, das zum Herzen gehört), der Thymusdrüse und dem Herzbeutel verknüpft. Das fünfte Chakra steht mit der Schilddrüse in Beziehung, die den Grundumsatz, den Energiehaushalt des Körpers im Ruhezustand, reguliert. Es ist mit dem Vagus und dem Zervikalnervenknoten verbunden. Mit dem sechsten Chakra wird die Hypophyse, mit dem siebenten die Zirbeldrüse assoziiert.
Aku-Yoga setzt die Kraft des Atems ein, um die Chakras ins Gleichgewicht zu bringen. Dies läßt sich sogar schon in fünf Minuten erreichen, indem man nämlich pro Minute nur noch vier Mal ein- und ausatmet.
Die sieben Chakras sind sehr wichtig für die Übung von Aku-Yoga. Da in den einzelnen Positionen jeweils andere Körperpartien gebeugt, gestreckt und angeregt werden, stimulieren sie auch jeweils verschiedene Chakras. Die anschließende Übungsreihe beginnt beim ersten und arbeitet sich zum siebenten Chakra vor. Sie können mit ihr also systematisch das energetische Gleichgewicht in allen Zentren wiederherstellen.

Chakra	Reizpunkte	Sitz (assoziiert mit)	Organ/Nerv Entsprechungen	positive Eigenschaften	psychische Störungen	physische Beschwerden
1	GH 1, GE 1 GH 2, GE 2 GH 3, GE 3 MI 12, 13 M 29, 30 LE 12	Wirbelsäulenbasis (Stabilität)	Sakralplexus, Dickdarm, Rektum, männliche Geschlechtsorgane, Prostata	Sicherheit, Stabilität, Selbstvertrauen, Standfestigkeit	Selbstbezogenheit, Selbstmitleid, Unsicherheit, Wankelmut, Kummer, Niedergeschlagenheit, Depressionen	Hämorrhoiden, Verstopfung, Ischias, Prostatabeschwerden
2	N 11, 12, 13 GE 3–7 GH 3–5 B 23, 24, 46, 47 GB 25	zwischen Schambein und Nabel (Sexualität, Kreativität und Energiespeicherung)	Plexus Hypogastricus, Nieren, Blase, weibliche Geschlechtsorgane, Adrenalindrüsen	Geduld, Ausdauer, Selbstvertrauen, Wohlbefinden	Kraftlosigkeit, Anhänglichkeit aus Schwäche, Angst, Furcht, nervöse Unsicherheit	Impotenz, Frigidität, Diabetes, übermäßige Sexualität, Nieren- und Blasenleiden
3	N 17–19 GE 10–13	zwischen Unterrand des Brustbeins und Nabel (persönliche Macht und Ausstrahlungskraft)	Solarplexus, Leber, Gallenblase, Milz, Magen, Dünndarm	Charisma, Entscheidungsfähigkeit, Eigenwille, Selbstwertgefühl	Machtlosigkeit, Gier, Zweifel, Wut, Schuldgefühle	Magengeschwüre, Gelbsucht, Hepatitis, Gallensteine, niedriger Blutzucker
4	GE 17, 18 GH 10–12	in der Herzmitte (öffnet das Herz)	Plexus Cardiacus, Herz, Herzbeutel, Lunge, Thymusdrüse	Mitgefühl, Liebe, Zufriedenheit, Entgegenkommen	Unempfindlichkeit, Verschlossenheit, Passivität, Traurigkeit	Herzgefäßbeschwerden, Arthritis, Atembeschwerden, Schlaganfälle, übermäßige Verspannung
5	M 9 B 10 GE 22, 23	Kehle (vokaler Ausdruck)	Plexus Cervicus, Halswirbel, Schilddrüse	Kommunikationsvermögen, Ausdruckskraft, Kreativität, Inspiration, Interaktion	Trägheit, Besessenheit, Ausdrucksschwäche	Halsbeschwerden, Erkrankung der Stimmbänder, Schilddrüsenerkrankungen, Grippe- und Erkältungskrankheiten
6	DE 4 GH 17–19, 24, 25 B 2	Drittes Auge (Visualisierung)	Medulla Oblongata, Dreifacher Erwärmer, Gallenblase, Gehirn, Hirnanhangdrüse	Geistige Mobilität, übersinnliche Wahrnehmung, bildliche Vorstellungskraft, Phantasie, planmäßiges Handeln, verfeinerte Sinneswahrnehmung	Konzentrations- und Ziellosigkeit, Schizophrenie, geistige Stagnation, Gleichgültigkeit	Kopfschmerzen, verworrenes Denken
7	GH 16–21	Schädelkrone (Befreiung)	Leber, Blase, Gefäß des Herrschers, Gallenblase, Zirbeldrüse	Kosmisches Bewußtsein, universale Energie, kosmische Liebe, »Satori«, Erleuchtung	Depression, Engstirnigkeit, Beschränktheit, Wahnsinn, psychotische Zustände, Sorgen	Gehirntumor, Druckgefühl im Kopf

Erstes Chakra

Das erste Chakra hat etwas mit dem Überleben zu tun, mit dem Willen, als Individuum fortzubestehen. Wir werden selbstsicher, wenn wir das erste Chakra kräftigen. Ist die Funktion des ersten Chakra jedoch gehemmt, ergeht es uns dementsprechend schlechter. Aufgrund unserer inneren Haltlosigkeit klammern wir uns an alle möglichen Objekte, die uns die ersehnte Sicherheit geben sollen, wie z. B. eine Liebesbeziehung, den Beruf, religiöse Heilslehren und so weiter. Wer im ersten Chakra gestört ist, kann keine souveräne Persönlichkeit entwickeln. Sein Leben hat weder Sinn noch Ziel. Hat sich das Gleichgewicht des ersten Chakra zu sehr zugunsten des Yin verschoben, fehlt der Person wahrscheinlich jegliche Charakterstärke. Dominiert hingegen das Yang, wird man besitzergreifend, selbstsüchtig und kümmert sich nur um die Befriedigung seiner unmittelbaren Bedürfnisse.
Die folgenden zwei Übungen arbeiten an diesem Energiezentrum. Sie helfen, Stabilität, Sicherheit und Gleichgewicht zu entwickeln.

Beckenfedern

Diese Übung stimuliert den ersten Reizpunkt vom »Gefäß des Herrschers« (GH 1), der an der Wirbelsäulenbasis liegt.

1. Sitzen Sie auf dem Boden, die Beine vor sich ausgestreckt.
2. Lehnen Sie den Oberkörper etwas zurück und stützen Sie sich mit den Händen am Boden ab.
3. Heben Sie das Gesäß vom Boden ab und lassen Sie es sanft herabfallen.
4. Wiederholen Sie Schritt 3 acht Mal.

Streckung des Lebensnervs III

Diese Übung wurde traditionell insbesondere bei Hämorrhoiden, Impotenz und Verstopfung empfohlen. Sie stimuliert die Ausscheidungsenergie. Außerdem streckt sie den Ischiasnerv, der maßgeblich an der Entwicklung von zusätzlichen Energiereserven beteiligt ist. Führen Sie die Streckung nach beiden Seiten durch, betonen Sie jedoch die Seite, auf der Sie den größeren Widerstand spüren (vgl. auch S. 55 und 58).

1. Sitzen Sie auf dem Boden, die Beine vor sich ausgestreckt. Beugen Sie das rechte Knie. Sie führen die rechte Ferse unter das Gesäß, zwischen Rektum und den Genitalien. Dies übt auf das »Gefäß der Empfängnis« (GE 1) Druck aus.

2. Sie haben das linke Bein immer noch vor sich ausgestreckt. Fassen Sie das linke Schienbein oder Fußgelenk mit beiden Händen. Atmen Sie ein und richten Sie den Rücken gerade auf. Führen Sie die Stirn beim Ausatmen auf das linke Knie zu, indem Sie den Oberkörper mit den Armen nach unten ziehen.

3. Wiederholen Sie die Übungen auf beiden Körperseiten jeweils eine halbe Minute lang.

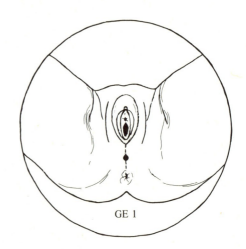

GE 1

Zweites Chakra

Das zweite Chakra steuert die schöpferischen und sexuellen Impulse. Zuviel Yin in diesem Chakra bringt Potenzschwäche oder ähnliche sexuelle Probleme mit sich. Zuviel Yang hingegen bedeutet, daß das ganze Leben nur noch um die Sexualität kreist. Sexuelle Phantasien, Gedanken und Ängste werden dann geradezu zwanghaft.

Das zweite Chakra hat über die Sexualität hinaus einen großen Einflußbereich. Yin-Dominanz führt noch zu anderen Beschwerden, wie zum Beispiel eine schlaffe, schwächliche Bauchdecke, Nieren- und Blasenkrankheiten, sowie Erkrankungen der Harnwege. Yang-Dominanz verhärtet die Bauchmuskulatur, so daß sich infolgedessen um die Lendenwirbel Verspannungen stauen müssen.

Die folgenden beiden Übungen führen durch Streckung und Kräftigung einen Energieausgleich im zweiten Chakra herbei.

Der Katzenbuckel

Diese Übung stimuliert alle Reizpunkte entlang der Wirbelsäule, zu denen auch die »Tore des Lebens« (GH 3–5, vgl. Abb. auf S. 245) zählen. Der »Katzenbuckel« harmonisiert das zweite Chakra. Er kräftigt den unteren Rücken und die Bauchdecke.

1. Kauern Sie auf Händen und Knien auf dem Boden.
2. Während Sie einatmen, drücken Sie den Mittelteil des Rückens nach unten und neigen den Kopf möglichst weit zurück. Schultern und Gesäß heben sich dadurch automatisch.
3. Beim Ausatmen runden Sie den Rücken in die entgegengesetzte Richtung. Der Kopf senkt sich und hängt locker herab. Die Mitte des Rückens ist wie ein Katzenbuckel nach oben gewölbt.
4. Heben und senken Sie in dieser Weise eine Minute lang Kopf und Rumpf im Rhythmus Ihres Atems.

Die Heuschrecke

Diese Haltung eignet sich ganz ausgezeichnet bei Menstruationsbeschwerden, denn sie stimuliert die Punkte MI 12, 13 und M 29, 30 (siehe Abb. auf S. 140).
1. Liegen Sie auf dem Bauch.
2. Ballen Sie die Hände zur Faust. Schieben Sie sie unter die Leistengegend. Das Gesicht liegt mit Stirn oder Kinn auf dem Boden auf.
3. Die Füße berühren sich. Sie heben beim Einatmen die Beine. Verharren Sie etwa eine Minute in dieser Haltung, atmen Sie dabei tief ein und aus.
4. Lassen Sie die Beine herab. Legen Sie den Kopf zur Seite und die Arme neben sich. Sie schließen die Augen und entspannen sich völlig. Nehmen Sie die Wohltat, die Ihnen diese Übung bereitet, bewußt wahr.

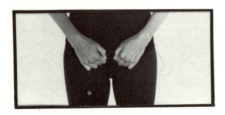

Drittes Chakra

Das dritte Zentrum ist das Hauptzentrum der körperlichen Energien. Wenn Ihnen im dritten Chakra wegen zuviel Yin die Kraft fehlt, fühlen Sie sich automatisch saft- und kraftlos, und stets übergangen. Absolute Yang-Dominanz bekommt dem dritten Chakra allerdings ebensowenig. Sie würde uns penetrant, aggressiv und gierig machen. Das dritte Chakra steht mit der Leber, der Gallenblase, dem Magen und der Milz in Beziehung. Diese Organe bestimmen, inwieweit wir mit unseren geistigen Fähigkeiten harmonisieren und uns selbst motivieren können. Gute, gesunde Kost (zu der viel Grün und frisches Gemüse gehört) und tägliches Üben (wie Joggen oder Schwimmen) helfen dem dritten Chakra auf die Sprünge.

Hände in der Grube

In dieser Haltung werden alle inneren Organe massiert, die mit dem dritten Chakra assoziiert sind. Deswegen ist sie geeignet, uns zu einem ausgewogenen Selbstwertgefühl zu verhelfen. Beim Ausatmen werden folgende Punkte gepreßt: M 22–24; N 17–19 und GE 10–13. Die »Hände in der Grube«-Übung löst Verspannungen im ganzen Körper.

1. Liegen Sie auf dem Bauch. Schieben Sie die Fäuste unter die Magengrube. Sollte dies zu viel Druck erzeugen, legen Sie die Hände statt dessen flach aufeinander. Beginnen Sie, langsam und tief zu atmen.
2. Pressen Sie den Nabel gegen den Boden, damit der Atem den Bauch von innen massieren kann.
3. Nach einer Minute entspannen Sie sich, die Arme legen Sie neben sich auf den Boden.

Rückgratsbeugen

Diese Übung macht die Wirbelsäule nach beiden Richtungen geschmeidig. Sie beeinflußt neben dem dritten auch noch das vierte Chakra und eignet sich deswegen hervorragend, das emotionale Gleichgewicht wiederherzustellen.

1. Sitzen Sie auf den Fersen, die Hände auf den Knien. Sacken Sie in sich zusammen, so daß Brust- und Halswirbel nach vorn gekrümmt sind.
2. Beim Einatmen bewegen Sie sich in die entgegengesetzte Richtung. Die Schultern sind leicht nach hinten gewölbt, die Brust ist gestreckt.
3. Beim Ausatmen sacken Sie erneut in sich zusammen und so weiter. Üben Sie dies etwa eine Minute lang.

Viertes Chakra

Unsere Fähigkeit zu lieben, ist vom Zustand des vierten Chakras abhängig, weil dieses Zentrum bestimmt, wie weit wir uns öffnen und hingeben können. Zuviel Yang im vierten Chakra macht uns gefühllos, zuviel Yin überempfindlich. Wir erscheinen kalt und gehemmt, wenn das vierte Chakra blockiert ist, und wahrscheinlich sind wir dann auch passiv und gleichgültig. Das vierte Chakra ist die Schaltstelle der Emotionen. Sein Gleichgewicht schenkt uns Freude.
Die folgenden Übungen beeinflussen es positiv.

Flügelschlagen

Diese Übung hilft bei Beklemmung der Brust, Atembeschwerden, Herzproblemen und wirkt außerdem blutdrucksenkend. Sie stimuliert hauptsächlich die Reizpunkte zwischen den Schulterblättern, die zum Blasenmeridian gehören: B 13–16 und 38–40 (siehe Abb. auf S. 200). Sie werden im allgemeinen bei Erkrankungen der Herzgefäße stimuliert.[11]

1. Stehen Sie locker und aufrecht. Heben Sie die Arme mit den Handflächen nach vorn, bis sie parallel zum Boden ausgestreckt sind.
2. Ziehen Sie sie so weit wie möglich nach hinten. Sie spüren den Druck in den Schulterblättern. Aber Sie treiben die Streckung noch weiter. Sie versuchen nun, die Hände nach hinten zu klappen, so weit es geht. Dabei entsteht eine starke Spannung in den Handgelenken, die Sie als ein belebendes Zerren wahrnehmen.
3. Während Sie ausatmen, lassen Sie die Arme in gleicher Höhe nach vorn schnellen, bis die Handflächen aufeinanderliegen. Entsprechend dem Fluß der Bewegung wölben Sie Hals und Schultern nach vorn.
4. Üben Sie dies etwa eine Minute lang. Beim Einatmen strecken Sie Arme und Hände nach hinten, beim Ausatmen treffen sie sich ausgestreckt vor Ihrer Brust.

Herzbrücke I

Diese Haltung verbindet die ersten Punkte des Herzmeridians miteinander. Sie werden Ihr Herz ganz deutlich schlagen fühlen, sobald Sie sie einnehmen.

1. Sitzen Sie mit gekreuzten Beinen und aufrechter Wirbelsäule.
2. Klemmen Sie die rechte Hand unter die linke Achselhöhle und die linke Hand unter die rechte Achselhöhle (siehe Abbildung S. 72 oben).
3. Schließen Sie die Augen und fühlen Sie deutlich und bewußt Ihren Körper. Meditieren Sie etwa eine Minute, wobei Sie Ihre Bewußtheit ganz locker und gelöst auf die Herzgrube konzentrieren.

Anrufung des Herzens

1. Legen Sie sich auf den Rücken.
2. Schließen Sie die Augen und lassen Sie den ganzen Körper in wohlige Entspannung sinken.
3. Atmen Sie tief ein.
4. Beim Ausatmen seufzen Sie laut: »Jaahmmm.«
5. Sie rufen, seufzen, hauchen »Jaahmmm« und fühlen, wie sich das Herz dadurch öffnet.

Fünftes Chakra

Das fünfte Chakra steuert die Tonbildung. Leises Sprechen kann anzeigen, daß Yin-Einfluß das Kehlchakra dominiert. Eine laute, schallende Stimme hingegen ist eindeutig eine Yang-Eigenschaft. Zum Einflußbereich des fünften Chakra gehören Überzeugungskraft und Ausdrucksfähigkeit. Ausdrucksschwierigkeiten zeigen, daß das fünfte Chakra gestört, wenn nicht gar blockiert ist.
Sie müssen klar und deutlich sagen, was Sie wollen. Nur dann sind Sie Meister Ihres Lebens – fähig, es bewußt zu gestalten. Unklarer Ausdruck zeigt und verstärkt eine dauernde persönliche Verunsicherung. Sie werden sich klar ausdrücken können, sobald Sie das fünfte Chakra geöffnet haben.
Die nächsten zwei Übungen öffnen die Reizpunkte auf dem Hals. Darüber hinaus regen sie die Tätigkeit der Schilddrüse an, die den Energieverbrauch des ruhenden Körpers steuert, das endokrine System abstimmt und dadurch alle Organe beeinflußt. So erreichen Sie eine Harmonisierung des ganzen Körpers.

Kopfdrehung

1. Liegen Sie entspannt auf dem Rücken und atmen Sie tief ein.
2. Beim Ausatmen lassen Sie den Kopf langsam nach links rollen.
3. Beim erneuten Einatmen rollt er wie von selbst in die Mittellage zurück.
4. Schließlich atmen Sie wiederum aus, aber nun, indem Sie den Kopf nach rechts drehen.
5. Üben Sie eine Minute diese Bewegungsfolge, wobei Sie den Hals sanft nach beiden Seiten strecken.

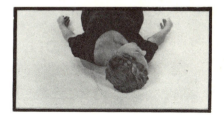

Die Brücke

1. Liegen Sie entspannt auf dem Rücken, die Beine angewinkelt, die Fußsohlen auf dem Boden und die Hände neben sich.
2. Während Sie einatmen, heben Sie die Hände über den Kopf, bis sie hinter dem Kopf auf dem Boden aufliegen. Heben Sie schließlich das Becken vom Boden ab, daß es sich leicht nach oben wölbt.
3. Beim Ausatmen führen Sie Rumpf und Becken in die Ausgangsposition zurück.
4. Üben Sie dies eine Minute lang.
5. Entspannen Sie sich, auf dem Rücken liegend. Halten Sie die Augen geschlossen, damit Sie die segensreichen Wirkungen der Übung für sich entdecken können.

a
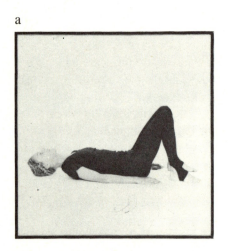

b
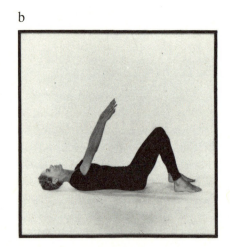

c

d

Die Kerze

Halsentzündungen, Sprachhemmungen, Verspannung der Halsmuskulatur, alle haben sie etwas mit dem Kehlchakra zu tun. Der Schulterstand lockert darüber hinaus Schulterverspannungen. Die Hände stützen den Rücken und kräftigen damit die Nieren. Kräftige Nieren aber bedeuten Mut, Entschlußkraft und einen klaren Ausdruck.

1. Liegen Sie auf dem Rücken. Atmen Sie ein und schwingen Sie die Knie über die Brust, wobei Sie sich mit den Händen abstützen.
2. Beim Ausatmen geben Sie den Beinen einen weiteren Schwung nach hinten, daß sich die Hüften vom Boden abheben. Stützen Sie mit den Händen den Rücken in der Lendengegend. Die Beine sind über Ihrem Kopf angewinkelt.
3. Lassen Sie Ihre Hände so weit wie möglich am Rücken herabgleiten. Strecken Sie Beine und Rücken nach oben.
4. Nun atmen Sie lang und tief. In der Kerze belebt tiefes Atmen das Kehlzentrum.
5. Verharren Sie etwa eine Minute in dieser Position. Senken Sie die Beine und ruhen Sie sich anschließend etwas aus, am besten in der Rückenlage der Tiefenentspannung.

Sechstes Chakra

Das sechste Chakra fördert die Verstandestätigkeit. Eine Blockierung dieses Energiezentrums führt häufig zu Kopfschmerzen und Konzentrationsschwäche. Diese Störungen können auch von Blockierungen im Verdauungssystem verursacht werden, was sich wiederum negativ auf das sechste Chakra auswirken kann.
Die anschließende Atemmeditation schenkt einen klaren Geist und kräftigt das sechste Chakra.

Klarer Geist

Diese Meditation regt die Hirnanhangdrüse und damit das gesamte endokrine System an. Sie belebt die Vorstellungskraft, die Fähigkeit zu visualisieren und sinnvoll zu planen. Sie stimuliert hauptsächlich Reizpunkte, die zum »Gefäß des Herrschers« zählen: GH 17–19 und 24, 25.

1. Sitzen Sie gerade und aufrecht, aber nicht steif oder gezwungen. Legen Sie die Handflächen etwa fünfzehn Zentimeter hinter sich auf den Boden. Die Fingerspitzen zeigen nach hinten, so daß Sie im Handgelenk (insbesondere auf DE 4) eine deutliche Spannung fühlen.
2. Neigen Sie den Kopf etwas zurück, bis er mit der Wirbelsäule wieder eine Gerade bildet. Richten Sie Ihre Aufmerksamkeit auf den Atem und das »Dritte Auge« (einen sehr reizempfindlichen Punkt zwischen den Augen etwas oberhalb der Augenbrauen). Atmen Sie tief durch das »Dritte Auge« ein und aus.
3. Stellen Sie sich den Atem vor, der durch das »Dritte Auge« ein- und austritt. Damit stimulieren Sie die Hirnanhangdrüse, die hinter der Nasenwurzel etwas oberhalb der Augen liegt.
4. Üben Sie etwa eine Minute lang diese Atemmeditation. Sitzen Sie danach einige Augenblicke ruhig und entspannt.

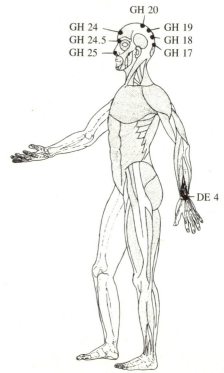

Siebentes Chakra

Das siebente Chakra ist der Schlüssel zum universalen Bewußtsein. Mit seiner Öffnung fallen alle Begrenzungen von Raum und Zeit von uns ab. Die Zirbeldrüse ist der Kern dieses Energiezentrums. Sie liegt in der Hirnmitte.

Meditation über den »Tausendblättrigen Lotus«

Es handelt sich um eine Atemmeditation zur Anregung der Zirbeldrüse, die unsere Fähigkeit steigert, die Energie des Universums in uns aufzunehmen. Die indische Tradition bezeichnet den höchsten Punkt des Kopfes (GH 20, vgl. Abb. S. 76) als den »Tausendblättrigen Lotus«, die chinesische als den »Treff der Einhundert« (weil in ihm einhundert Energien zusammenfließen).
Bei der anschließenden Atemmeditation geht es darum, daß Sie unmittelbar den Atem fühlen und wahrnehmen, der durch den »tausendblättrigen Lotus« in Sie einströmt und sich wie ein Strudel von flüssigem Gold durch den ganzen Körper ausbreitet.

1. Sitzen Sie aufrecht, aber locker und entspannt. Legen Sie die Hände auf die Knie, so daß sich die Kuppen von Daumen und Zeigefinger berühren. Öffnen Sie die Augen einen Spalt und schauen Sie auf Ihre Nasenspitze.
2. Nun atmen Sie durch die Nase, und zwar folgendermaßen: atmen Sie in vier kurzen, ruckartigen Zügen ein. Zählen Sie mit: 1,.. 2,.. 3,.. 4. Diese Meditation wirkt besänftigend und ausgleichend auf das Verhältnis zwischen Hirnanhang- und Zirbeldrüse.
3. Stoßen Sie die Luft langsam und ebenmäßig aus und atmen Sie daraufhin tief, sanft und ruhig weiter. Strecken Sie die Wirbelsäule ein wenig, daß sie wirklich gerade aufgerichtet in sich ruht. Visualisieren Sie die universale Energie, die als Licht durch Ihren Körper pulsiert.
4. Sie schließen die Augen und verdrehen sie unter den Lidern schräg nach oben und hinten, bis sie direkt auf GH 20 gerichtet sind. Sie stellen sich vor, an Ihrer Schädelkrone öffnet sich ein Fenster, durch das Sie ruhig und sanft ein- und ausatmen.
5. Legen Sie sich nach einigen Minuten auf den Rücken, um sich zu entspannen und die Energien mit dem ganzen Körper in sich aufzusaugen.

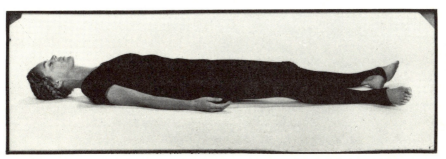

B Übungsreihen auf der Grundlage der Akupressur-Meridiane

5 Die acht Sondermeridiane

Die acht Sondermeridiane sind der wichtigste homöostatische, das heißt ausgleichende Mechanismus im Körper. Sie harmonisieren die Funktionen und inneren Organe des Körpers. Nach Auffassung der traditionellen chinesischen Medizin verhindern die acht Sondermeridiane, daß sich Energien ungleich im Körper verteilen. Sie lösen die Energie, wo sie sich zusammenballt (Yang oder Überfunktion) und lenken sie dorthin, wo Mangelstellen auftreten (Yin oder Unterfunktion).
»Schon im dritten bis zweiten Jahrhundert vor unserer Zeitrechnung erwähnt das ›Buch der Leiden‹ (Nan Ching) das Vorhandensein und die Bedeutung der acht Sondermeridiane.«[12] Die Sondermeridiane sind die Grundlage der therapeutischen Wirkung von Aku-Yoga, weil jede Übung automatisch diese »wunderbaren« Meridiane anregt. Besonders aktiv werden die Sondermeridiane während der Tiefenentspannung, wenn sie nach den Übungen den gesamten Organismus abstimmen und ausgleichen.
Veranschaulichen wir uns die Funktion der Meridiane in einem Bild. Wir sehen die zwölf Organmeridiane als Flüsse, die die Energie durch den gesamten Körper transportieren; die acht Sondermeridiane hingegen sind Seen oder Energiereservoire, die die Aufgabe haben, den Energiepegel in den einzelnen Flüssen (Organmeridianen) auf gleicher Höhe zu halten. Wie das Wasser in den Flüssen, ist auch die Energie in den Organmeridianen beständig in Fluß. Ganz anders die Sondermeridiane: sie sind Stauseen, die nur dann fließen, wenn im Körper überschüssige oder nicht vorhandene Energien ausgeglichen werden müssen.
Beim Aku-Yoga pressen und strecken wir viele jener Schlüsselpunkte der Organmeridiane, die auch noch auf einem Sondermeridian liegen. Als Schnittpunkte von Organ- und Sondermeridiane sind sie besonders heilkräftig.
Die Bewegungsrichtung der Sondermeridiane ist im allgemeinen durch ihre Lage am Körper festgelegt. Die Energien steigen hinten am Körper nach oben und fließen an der Vorderseite des Körpers herab. Sobald Sie den Bewegungsablauf einer Aku-Yoga-Übung sicher beherrschen, können Sie dieses Prinzip in eine Visualisierung umsetzen.

Sie »sehen« die Energien kreisen, ganz wie es in den taoistischen Meditationsbüchern geschildert wird. Wie das Wasser folgt die Energie ihrem natürlichen Lauf. Wie das Wasser denkt sie nicht darüber nach, wie sie fließen soll. Sie fließt einfach.

»Das Wasser gibt das Beispiel für das rechte Verhalten ... Es fließt immer weiter und füllt alle Stellen, durch die es fließt, eben nur aus, es scheut vor keiner gefährlichen Stelle, vor keinem Sturz zurück und verliert durch nichts seine wesentliche eigene Art. Es bleibt sich in allen Verhältnissen selber treu.«[13]

Das anschließende zweite Zitat aus dem »Buch der Wandlungen« verdeutlicht die Ähnlichkeit zwischen Wasser und Lebensenergie. Es zeigt die Naturgesetzlichkeit der Spannungsursachen. Die Klammern wurden hinzugefügt, um zu verdeutlichen, wie diese Gesetze im menschlichen Energiesystem wirken.

»Wenn das Wasser [die Ki-Energie] im Kessel [dem Körper] über dem Feuer hängt [persönliche und soziale Motivierung/Anspannung], so stehen beide Elemente in Beziehung, und es wird dadurch Kraft erzeugt. Allein, die dadurch entstehende Spannung gebietet Vorsicht. Läuft das Wasser über [krankheitsverursachende Sperren in den Meridianen] so wird das Feuer [Motivierung/Anspannung] ausgelöscht, und seine Kraftwirkung geht verloren. Ist die Hitze [Arbeit/Anstrengung] zu groß, verdampft das Wasser [Ki] und geht in die Luft. Die Elemente, die hier in Beziehung zueinander stehen und so Kraft wirken, sind an sich einander feindlich. Nur die äußerste Vorsicht kann Schaden verhüten.«[14]

Zu große Spannung beschädigt unsere Lebensenergie – egal ob sie innere oder äußere, persönliche oder gesellschaftliche Ursachen hat. Das heißt nicht, daß wir gänzlich erschlaffen sollen. Wir brauchen Schwung, also persönliche Spannkraft, damit unser Leben eine runde Sache wird. Lebenswichtig für uns ist allerdings, daß ein Gleichgewicht besteht zwischen Anstrengung und Ruhe, Anspannung und Entspannung. Für viele von uns ist diese natürliche Spannung jedoch zu einem allesdurchdringenden inneren und äußeren Druck geworden, den sie nicht mehr auszugleichen wissen. Wir wissen nicht, wie wir die Lebensenergie zurückgewinnen, sie steuern und kreisen lassen können, und wie wir sie dann – ganz im Fluß – anderen Menschen wieder zum Geschenk machen können. Wenn dadurch unsere Energie erschöpft wird, sind auch wir erschöpft. Wir müssen deswegen Methoden der Selbstheilung erlernen, die nicht nur den streßbedingten Energieverlust wettmachen, sondern uns darüber hinaus zu einer kräftigen und strahlenden Gesundheit verhelfen.
Energie-Bewußtheit ist ein wichtiger Schritt zu solcher Gesundheit. Energie-Bewußtheit heißt wahrzunehmen, wie die Energie fließt – im eigenen Körper und in allen Dingen. Die alten Chinesen lebten im Einklang mit der Natur und erkannten die wechselseitigen Beziehungen allen Seins. Deswegen trennten sie auch nicht die Prozesse im menschlichen Körper von den Naturerscheinungen. Vielmehr beobachteten sie, wie die Zyklen der Natur mit den Funktionen des menschlichen Körpers korrespondieren und sie beeinflussen. Sie beobachteten zum Beispiel die Wechselwirkung zwischen Mondphasen und Menstruationszyklus, oder der zwischen Tag und Nacht einerseits und Tätigkeit und Ruhe andererseits.

Jahreszeitlich bedingte Veränderungen

Der Wechsel der Jahreszeiten beeinflußt unsere Verfassung und unsere Bedürfnisse. Zwar mag es einfacher für uns sein, die jahreszeitlichen Veränderungen außen an Pflanzen und Tieren anstatt in uns selbst wahrzunehmen, aber wir werden ihre Intensität und Konsequenzen auch in uns feststellen, sobald wir nur einmal bewußt darauf achten.

Die Jahreszeiten halten Wachstum und Verfall, Tätigkeit und Ruhe im Gleichgewicht. Wir sehen dies an den Pflanzen. Im Frühling tritt der winzige Keimling aus der Erde, im Sommer erreicht die Pflanze ihre volle Reife. Sie blüht auf dem Höhepunkt ihrer Kraft und transformiert diese Kraft in Samen, die sie im Herbst mit den Blättern abstößt. Die Samen dringen dann in den Boden ein, während die Blätter zu Kompost vermodern und den Boden anreichern. Die Winterkälte überdauern die Samen in Ruhelage. Sie warten den Beginn des neuen Zyklus ab, um im Frühling erneut als Keimlinge aus der Erde zu schießen.

Auch das menschliche Leben folgt dem Zyklus der Jahreszeiten. Frühling ist Wiedergeburt. Wir öffnen uns den neuen Energien, die mit längeren und wärmeren Tagen an Intensität zunehmen. Sommer ist Tätigkeit und Wachstum, Herbst die Zeit, in der wir unsere Tätigkeiten ausklingen lassen und verarbeiten. Es ist die Zeit der Ernte. Wir sammeln unser Ki, damit wir es in der Ruhe und verminderten Aktivität der Wintermonate in uns tragen und festigen können. Im Frühling expandieren die Energien erneut und setzen den Zyklus fort. Indem wir uns auf Körper, Atem und Energieströme einstimmen, können wir unser Sein als sich vertiefende und offene Einheit spüren und uns mit den natürlichen Zyklen, mit dem jahreszeitlichen Wechsel und überhaupt mit allem Leben verwachsen fühlen.

Inneres Ausgleichen

Wir sehen also, in der Natur herrscht Ausgleich. Nicht anders ist es im Körper, auch dort läuft eigentlich alles auf ein inneres Gleichgewicht zu. Der Hypothalamus (Boden des Zwischenhirns) reguliert die Körpertemperatur, die Schilddrüse den Stoffwechsel in Ruhelage, die Hypophyse das endokrine System und – nach Ansicht der chinesischen Medizin – steuern die acht Sondermeridiane *alle* Funktionen für die Selbstregulierung eines gesunden Körpers.[15]

Mit Aku-Yoga ist uns das geeignete Werkzeug gegeben, die Energie anzuregen, die durch die Sondermeridiane fließt. Wir müssen zu diesem Zweck als erstes lernen, uns harmonisch zu bewegen und entsprechend zu atmen. Der Gleichklang von Bewegung und Atem tankt uns mit der Energie auf, die uns ein Leben in Gleichgewicht schenkt. Wie wir bereits erwähnten, können wir die Energie noch zusätzlich zu fließen anregen, wenn wir sie – durch die Sondermeridiane kreisend – geistig visualisieren.

Die acht Sondermeridiane lassen sich zu folgenden Paaren zusammenfassen:

- Das Gefäß des Yin/Yang-Bewahrers (Yin/Yang wei mo)
- Das Gefäß des Herrschers/der Empfängnis (Tu mo und Jen mo)
- Das Gefäß des Yin/Yang Erregers (Yin/Yang Chiao mo)
- Das Gefäß des Enthemmers (Chang mo) und das Gürtelgefäß (Tai mo)

Das Gefäß des Yin/Yang-Bewahrers ist für die Harmonisierung aller Körperfunktionen zuständig. Da es das Verhältnis zwischen Yin- und Yang-Organmeridianen (»Yin« verweist hier auf den Teil eines Meridians, der an der Körperfront herabfließt, »Yang« auf den Abschnitt, der an der Rückseite aufsteigt) steuert, wirkt es positiv auf die Abwehrkräfte des Körpers, zum Beispiel gegen Grippe- und Erkältungskrankheiten. Wie alle übrigen Meridiane hat auch das Gefäß des Yin/Yang-Bewahrers auf unser emotionales Befinden Einfluß. Traditionell werden folgende Symptome mit ihm assoziiert: Herzschmerzen, Nervosität, Schüchternheit, Angst, Kummer, Depression und Alpträume.[16]

Das Gefäß des Yin/Yang-Bewahrers fließt von den Außenseiten der Stirn zu den Schläfen, und von dort durch den Kiefer. Die beiden Zweige treffen sich in der Kehlgegend, trennen sich allerdings erneut an den Schlüsselbeinen. Sie fließen durch die

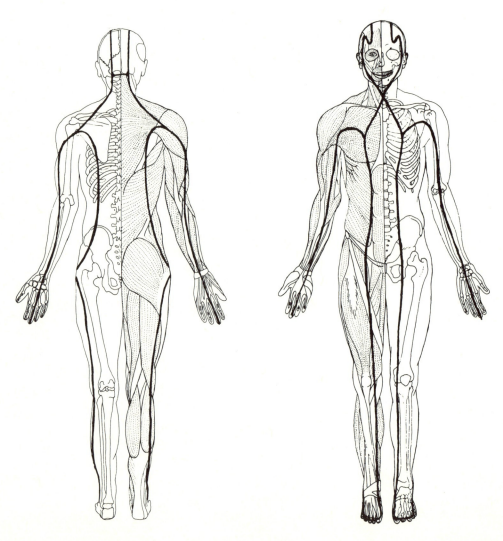

Brustwarzen parallel nach unten, durch Rippen, Bauch, Leisten und entlang der Innenseite der Beine, zu den Fußgelenken. Von dort gelangen sie durch die Zehen zur Außenseite des Fußes, steigen an der Außenseite der Beine nach oben, durch Hüften und Rücken bis zur Höhe der Achselhöhle. Sie zweigen in die Arme ab, verlaufen entlang der Außenseite der Arme zur Kuppe des Mittelfingers, über die Innenseite zur Brust zurück, wo sie wieder mit dem Hauptkanal zusammentreffen. Eine weitere Verzweigung geht durch die Schultern, den Hals, und über den Kopf, zur Stirn.

Das Gefäß des Herrschers/der Empfängnis ist als einziger Sondermeridian stets im Fluß. (Alle anderen werden ja erst tätig, wenn es gilt, das energetische Gleichgewicht der Organmeridiane wiederherzustellen.) Aber dieses Gefäß nimmt noch aus einem anderen Grund eine Sonderstellung ein: es ist das »Urgefäß«. Viele taoistische Meditationen

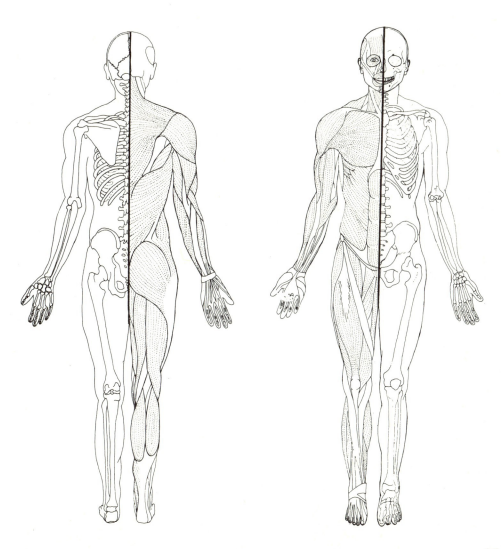

stellen mit seiner Hilfe die Einheit von Körper und Geist wieder her. Die segensreichen Wirkungen dieses Sondermeridians sind Harmonisierung des Zentralnervensystems, Kräftigung der Wirbelsäule und Besänftigung innerer Unruhe.

Das Gefäß des Herrschers/der Empfängnis bildet gewissermaßen die Mittelachse des Körpers. Das Gefäß des Herrschers beginnt im Perineum (zwischen den Geschlechtsteilen und dem After) und verläuft entlang der Wirbelsäule über den Kopf zur Oberlippe. Das Gefäß der Empfängnis fließt vom Gaumen durch Hals, Brust, Bauch, Schambein zum Perineum herab.

Das Gefäß des Yin/Yang Erregers verteilt die Energiereserven des Körpers. Diese Energie, das »Ching Chi«, ist in den Nieren gespeichert. Der Yin/Yang-Erreger soll hauptsächlich das Gefälle zwischen den schwächlichen, energielosen (Yin) und den bis zur Verhärtung mit Energie aufgeladenen (Yang) Körperregionen ausgleichen. Traditionell werden mit ihm Verspannung, Müdigkeit und Beschwerden im unteren Rücken assoziiert.

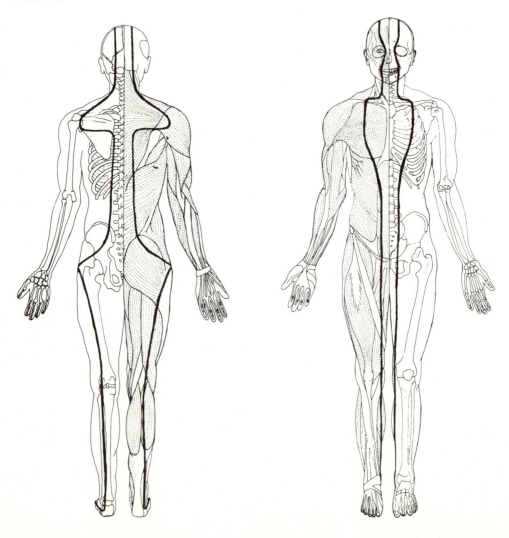

Er beginnt auf der Stirn über den Augen, verläuft an der Nase entlang und neben den Mundwinkeln, und von dort am Kehlkopf vorbei durch den Hals. In Höhe der Schlüsselbeine strebt er ein wenig nach außen, fließt durch die Brustwarzen herab, kommt bei der Magengrube näher zur Körpermitte und verläuft schließlich durch das Schambein an der Innenseite der Beine bis zu den Fußgelenken. Er setzt sich über die Fußsohlen zur Außenseite der kleinen Zeh fort, entlang dem Außenrist der Füße, durch Wade und Oberschenkel aufsteigend. In einer Ausbuchtung schweift er bis zum Großen Rollhügel ab, verläuft dann aber von den Nieren unmittelbar neben der Wirbelsäule aufwärts. Bei den Schulterblättern biegt er nach außen zur Pfanne des Schultergelenks, dann weiter am oberen Rand des Schulterblatts zum Nacken und über den Kopf zur Stirn.

Das Gefäß des Enthemmers sorgt für das energetische Gleichgewicht in den Chakras. Es fördert die Fähigkeit des Körpers, »Ching Chi« (die Chinesen nennen sie »wesentliche« Energie) zu speichern.

Beim Orgasmus strömt durch Bauch und Brust ein wärmendes, alldurchdringendes

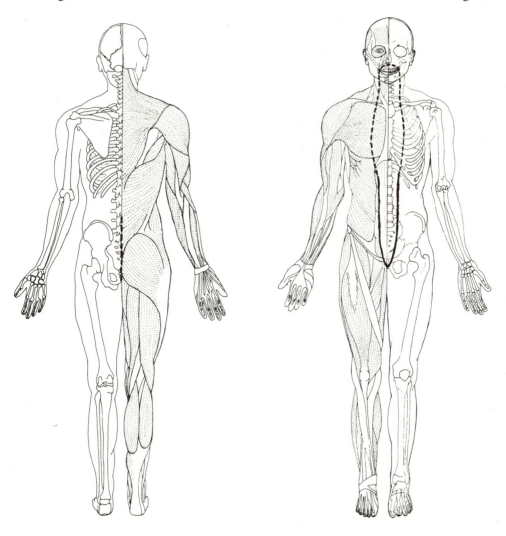

Gefühl nach oben, von den Geschlechtsorganen bis zum Gaumen. Zu diesem Zeitpunkt kreist die Energie besonders intensiv durch das Gefäß des Enthemmers.
Dieser Sondermeridian beginnt im Bereich der Lendenwirbel, verläuft im Körperinnern durch die Geschlechtsorgane, bis er etwa in der Mitte des Rippenbogens nach außen tritt und bis zur Oberlippe aufsteigt.

Das Gürtelgefäß umschließt die Taille wie ein Gürtel, der im Rücken höher liegt als am Bauch. Es verbindet die Organe der Bauchhöhle miteinander und hat deswegen einen starken Einfluß auf die Verdauung. Außerdem besteht ein Zusammenhang zwischen dem Bauch und unserem Durchsetzungsvermögen

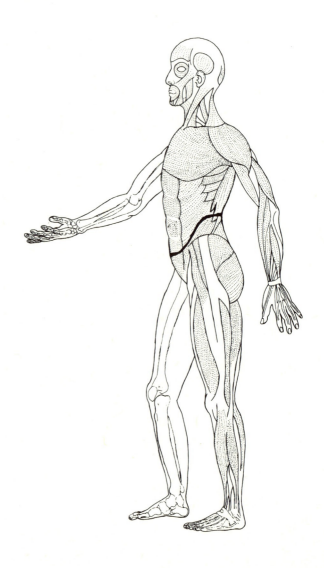

Eine Übungsreihe

Gebetshaltung (Gefäß des Herrschers/der Empfängnis)

Eine Meditation, die sich der ausgleichenden Wirkung dieses Sondermeridians bedient und uns unsere Mitte finden läßt.

1. Nehmen Sie eine bequeme Sitzhaltung ein. Legen Sie die Handflächen aufeinander und drücken Sie mit den Daumenknöcheln in der Höhe des Herzens fest auf das Brustbein, auf den Reizpunkt (GE 17), in dem sich alle Yin-Meridiane des Körpers treffen.
2. Sie schließen die Augen, halten die Wirbelsäule locker aufrecht und atmen tief in diesen Punkt hinein. Sie beruhigen damit nicht nur das Nervensystem, sondern erschließen sich im Atem einen »Ozean der Energie«.
3. Atmen Sie lang und tief. Beim Einatmen spüren Sie die Energie in sich einströmen. Während Sie ausatmen, lassen Sie diese Energie durch Körper und Geist kreisen. Meditieren Sie etwa eine Minute lang über die Tiefe Ihres Atems.

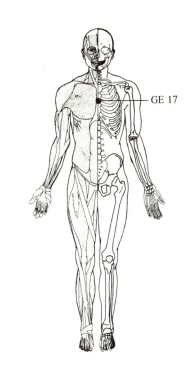

Innerer Hausputz (Gefäß des Yin/Yang-Bewahrers)

1. Sitzen Sie auf einem Kissen auf dem Boden, die Beine gekreuzt.
2. Nun senken Sie langsam den Kopf. Sie stützen ihn auf die Finger, die dabei auf GB 14 pressen. Eine leichte Berührung der Stirn kräftigt die emotionalen Zentren im Gehirn.[17] Drücken Sie dabei die Daumen zusätzlich in die Kiefermuskeln auf M 6.
3. Die Ellbogen legen Sie unterhalb des Knies auf eine besonders schmerzempfindliche Stelle der Wade. Dieser Reizpunkt (MI 9) hilft gegen Krämpfe und Schwellungen, insbesondere in Lenden und Knien.[18]
4. Entspannen Sie sich in dieser vornübergebeugten Haltung und atmen Sie für etwa eine Minute durch den Hara ein und aus.

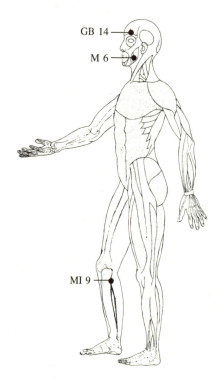

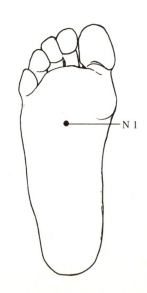

Der Hürdenläufer (Gefäß des Yin/Yang-Erregers)

1. Sitzen Sie auf dem Boden. Winkeln Sie das linke Bein an und ziehen Sie das linke Knie zur Brust. Greifen Sie mit den Fingern auf die Fußsohle, so daß sie auf den ersten Reizpunkt des Nierenmeridians

(N 1) pressen. Wie sein Name – »Frühlingsquell« – andeutet, stimuliert dieser Punkt die regenerativen Kräfte.

2. Atmen Sie nun ein und strecken Sie das Bein vor sich in die Höhe, so daß es etwa einen 45°-Winkel zum Boden bildet. Sie senken das Bein beim Ausatmen.

3. Nach einer Minute wechseln Sie das Bein. Sie strecken nun Ihr rechtes Bein aus. Sie sollten intensiver an dem Bein arbeiten, das sich schwerer strecken läßt. So können Sie für eine gleichmäßige Lockerung sorgen.

Der Schmetterling (Gefäß des Enthemmers und Gürtelgefäß)

1. Sie sitzen auf dem Boden. Führen Sie die Fersen so nah wie möglich an die Geschlechtsregion heran und legen Sie die Fußsohlen aufeinander.
2. Drücken Sie mit den Daumen auf MI 4 in der Wölbung der Fußsohle und mit dem Mittelfinger auf GB 41 zwischen dem vierten und fünften Mittelfußknochen.
3. Beim Einatmen richten Sie die Wirbelsäule auf. Die Brust hebt und streckt sich.
4. Beim Ausatmen beugen Sie sich nach vorne und führen den Kopf in Richtung der großen Zehen.
5. Bewegen Sie den Oberkörper etwa eine Minute lang in dieser Weise auf und nieder.
6. Sitzen Sie eine Weile aufrecht und locker und atmen Sie tief und gleichmäßig.

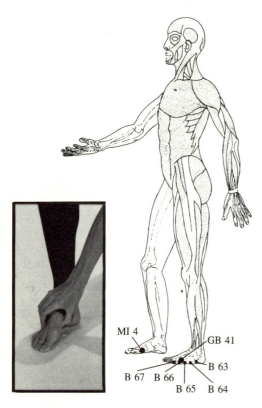

Herzbrücke II (Gefäß des Yin/Yang-Bewahrers)

1. Hocken Sie auf den Fersen.
2. Kreuzen Sie die Arme vor der Herzmitte und umfassen Sie mit den Fingern die Oberarme. Pressen Sie mit dem Mittelfinger auf einen Reizpunkt des Dickdarmmeridians (DI 14), der gerade unterhalb des Deltamuskels liegt.
3. Sie atmen ein und richten die Wirbelsäule auf.
4. Beim Ausatmen führen Sie die Stirn in einem Bogen zum Boden, wobei Sie den Atem regelrecht aus Bauch und Brust herauspressen. – Diese Position drückt unter anderem auf DE 5 und MH 6 (einige Zentimeter über dem Handgelenk), die Hauptpunkte des Yin/Yang-Bewahrers.
5. Verharren Sie etwa eine Minute in dieser Haltung. Sie visualisieren eine leuchtende und belebende Energie, die beim Einatmen über den Rücken aufsteigt, während sie beim Ausatmen an der Brust herabströmt.
6. Kehren Sie schließlich behutsam in die Senkrechte zurück.

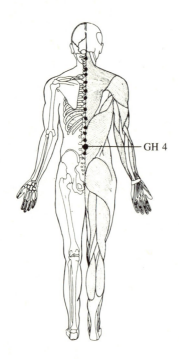

GH 4

Die Kobra (Gefäß des Herrschers/der Empfängnis)

1. Sie liegen auf dem Bauch, das Kinn auf den Boden aufgestützt, und führen die Hände mit den Handflächen über den Boden gleitend unter die Schultern.

2. Sie wölben den Kopf beim Einatmen in den Nacken. In einer weiteren Aufwärtsbewegung heben Sie den Oberkörper langsam vom Boden ab, lassen das Becken jedoch weiterhin unten.

3. Beginnen Sie mit der Hara-Atmung. Das Becken berührt den Boden, der Nakken ist zurückgewölbt, die Arme sind durchgedrückt und stützen den Oberkörper.

4. In dieser Haltung verharren Sie nun ein bis zwei Minuten. Schließlich atmen Sie restlos aus, kontrahieren die Gesäßmuskeln, biegen den Oberkörper so weit wie möglich zurück und pressen den Nabel fest auf den Boden. Dieser erhöhte Druck stimuliert GH 4, das »Tor des Lebens«.

5. Danach atmen Sie tief ein. Beim Ausatmen senken Sie ganz langsam den Oberkörper und lassen dabei die Arme abknikken. Sie spüren den Druck, der von den Lenden an aufwärts Wirbel um Wirbel nach oben wandert, während Sie sich zum Boden herablassen. Zuletzt berührt auch der Kopf wieder die Erde.

6. Legen Sie die Hände neben sich, den Kopf auf die Seite. Sie sind locker und entspannt und fühlen, wie das Blut durch den ganzen Körper zirkuliert.

Der Bogen (alle Sondermeridiane)

1. Sie liegen auf dem Bauch, die Stirn berührt den Boden. Sie führen die Beine nach hinten zum Gesäß.
2. Sie atmen ein und umfassen die Füße von außen am Spann. Pressen Sie mit dem Mittelfinger fest auf MI 4, während die Handballen den Außenrist der Füße umgreifen.
3. Der Rücken ist nun wie ein Bogen gewölbt. Sie beginnen, auf dem Bauch zu schaukeln. Beim Einatmen nach hinten, beim Ausatmen nach vorn. Schaukeln Sie etwa fünfzehn Sekunden hin und her und atmen Sie dabei durch die Nase.
4. Nachdem Sie sich behutsam aus dieser Position gelöst haben, liegen Sie flach auf dem Boden. Entspannen Sie mindestens drei Minuten lang. Sie atmen durch die Nase und nehmen den Atem wahr, der beim Einatmen in den Hara strömt und ihn beim Ausatmen wieder verläßt.

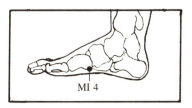

Die Heuschrecke (alle Sondermeridiane)

1. Sie liegen auf dem Bauch, die Arme neben sich auf dem Boden. Ballen Sie die Hände zur Faust und schieben Sie sie unter die Leisten.
2. Die Fußknöchel berühren sich innen. Das Kinn liegt auf dem Boden auf, so daß das Gewicht des Kopfes GE 24 zwischen Kinn und Unterlippe stimuliert.
3. Beim Einatmen heben Sie die Beine vom Boden ab. Sie beginnen mit der *Hara*-Atmung und halten die Beine etwa eine halbe bis eine ganze Minute in der Luft.
4. Senken Sie die Beine und entspannen Sie sich. Die Arme liegen wieder neben Ihnen.

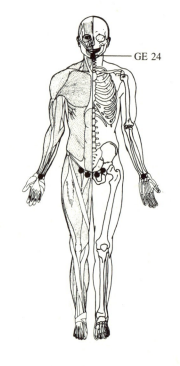

Der Pflug (Gefäß des Yin/Yang-Bewahrers)

Diese Übung massiert Ihre inneren Organe, streckt die Muskeln entlang der Wirbelsäule und harmonisiert die Schilddrüsenfunktion.

1. Sie liegen auf dem Rücken, die Füße aneinander und die Hände neben sich.
2. Atmen Sie tief ein und heben Sie die Beine gen Himmel.
3. Während Sie ausatmen führen Sie die Füße noch weiter nach hinten, bis sie hinter Ihrem Kopf den Boden berühren.
4. Beugen Sie die Knie und führen Sie die Hände zu den Füßen. Verschränken Sie Zehen und Finger miteinander, um das Gefäß des Yin/Yang-Bewahrers zu stimulieren, das durch die Zehen, die Schultern, den Hals und die Kehle verläuft.
5. Verharren Sie etwa eine halbe Minute in dieser Haltung und atmen Sie tief ein und aus.
6. Lösen Sie sich behutsam aus dieser Position. Wenn Sie die Beine langsam über den Kopf zum Boden zurückführen, spüren Sie den Druck, der von Wirbel zu Wirbel weiterwandert.
7. Üben Sie nun unmittelbar die nächste Position. Sie streckt die Wirbelsäule in die entgegengesetzte Richtung und verhindert deswegen eine einseitige Belastung.

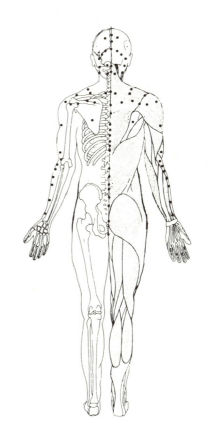

Die Brücke (Gefäß des Yin/Yang-Erregers)

1. Drehen Sie sich auf den Rücken. Winkeln Sie die Knie an und führen Sie die Fußsohlen am Boden so nahe wie möglich an das Gesäß heran.
2. Umfassen Sie die Ferse, indem Sie mit dem Daumen innen N 3 und mit dem Mittelfinger außen B 62 pressen. Dies sind die Hauptverbindungspunkte des Yin/Yang-Erregers. Sie werden stimuliert, um den Rücken, die Geschlechts- und die Harnausscheidungsorgane zu kräftigen.[19]
3. Sie atmen ein und wölben das Becken so weit wie möglich nach oben. Verharren Sie etwa eine halbe Minute in dieser Stellung. Atmen Sie lang und tief in den Druck, den Sie in den Schultern spüren, hinein.
4. Lösen Sie sich in aller Ruhe aus dieser Position und legen Sie sich für einige Minuten mit geschlossenen Augen auf den Rücken. Visualisieren Sie die Energie, die Sie in sich kreisen fühlen.

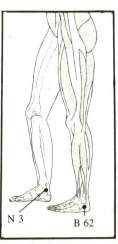

Tiefenentspannung

Die Tiefenentspannung verstärkt die segensreiche Wirkung der Übungen. Entspannen Sie sich mindestens zehn Minuten auf dem Rücken liegend (vgl. S. 44 für eine ausführliche Anleitung zur Tiefenentspannung).

6 Die Organmeridiane

Die Organmeridiane lenken die Ki-Energie durch den ganzen Körper. Wir können sie uns als ein Kommunikationsnetz der universalen Lebensenergie vorstellen, welches die zwölf Organe mit der Sinneswahrnehmung, dem Gefühlsleben und den physiologischen Aspekten des menschlichen Körpers verbindet. Die Chinesen haben in den letzten fünftausend Jahren hunderte von Punkten entdeckt, die verschiedenen Organmeridianen zugeordnet sind und über diese Meridiane mit den Organen in Verbindung stehen. Die zwölf Organmeridiane sind: Lungen-, Dickdarm-, Magen-, Milz-, Herz-, Dünndarm-, Blasen-, Nieren-, Meister-des-Herzens-, Dreifacher-Erwärmer-, Gallenblasen- und Lebermeridian.

> »Von den alten Weisen wird erzählt, daß sie ihre Ansichten vom Menschenkörper bindend darlegten. Sie führten jedes innere Organ auf und jedes Eingeweide. Sie sprachen vom Ursprung der Blutgefäße und über das Gefäßsystem und sagten, daß es sechs Verbindungspunkte gibt, wo die Blutgefäße und die Arterien zusammentreffen. Die wichtigen Punkte befinden sich auf diesen Arterienbahnen... Jeder Punkt ist örtlich festgelegt und hat einen Namen... und ist durch Abschnitte (Meridiane) von den übrigen Punkten getrennt.«[20]

Die Meridiane sind für die Chinesen das Netzwerk des Lebens. Sie entdeckten, daß die Lebensenergie ununterbrochen durch die Meridiane – die »Flüsse der Gesundheit« – zirkuliert und alle Systeme des Körpers nährt.

Der Höhepunkt der Energie verlagert sich den ganzen Tag über von einem Meridian zum nächsten, so daß das Ki jeden Tag, in einem vollen Zyklus alle Organe durchläuft. Der Sonnenstand bestimmt den Höchstwert der Lebensenergie in den verschiedenen Meridianen. Dadurch kommt es im Energiehaushalt des Körpers zu einem regelmäßig sich wiederholenden Tagesrhythmus. Damit kehren aber auch bestimmte Symptome jeden Tag zu einer bestimmten Zeit wieder. Der Tagesrhythmus sieht bei jedem Menschen anders aus, was zum Beispiel zur Folge hat, daß sich einige Menschen morgens nach dem Aufwachen besonders schlapp oder gereizt fühlen. Um diese Zeit befindet sich das Ki im

Magen- oder Milzmeridian gerade im Zenith. Übungen, die die Punkte dieser Meridiane pressen und strecken, könnten in diesem Fall vielleicht Abhilfe schaffen.

Die Körperuhr veranschaulicht die Beziehung zwischen den Meridianen und den zugehörigen Organen einerseits und dem Zeitraum ihrer höchsten Aktivität andererseits. Ein Beispiel: viele Menschen fühlen sich am Spätnachmittag wie niedergeschlagen. Die westliche Medizin erklärt dies zum Teil mit dem niedrigen Blutzuckerspiegel. Das ist sicher nicht falsch, dann zwischen drei und fünf haben wir wahrscheinlich noch nicht zu Abend gegessen. Aku-Yoga macht uns aber noch auf einen anderen Faktor aufmerksam: zwischen drei und fünf Uhr nachmittags steht das Ki im Blasenmeridian im Zenith, der in mehreren Strängen über den Rücken verläuft. Nun sind aber chronische Rückenverspannungen und -schmerzen so verbreitet, wie das Kräftetief zu jener Tageszeit. Das heißt also, daß die Muskelverspannungen entlang des Blasenmeridians den natürlichen Energiefluß hemmen oder gar blockieren, und wir uns deswegen schlapp und energielos fühlen.

Die Organuhr

von Innen nach Außen zu lesen:
1. Tageszeit 2. Meridian 3. Kurzbeschreibung seines Verlaufs 4. Assoziationen bezüglich Wahrnehmungssinn, Körperflüssigkeit, Körperteil, Geschmacksempfindung 5. Jahreszeit, Temperatur, Emotion, Farbe

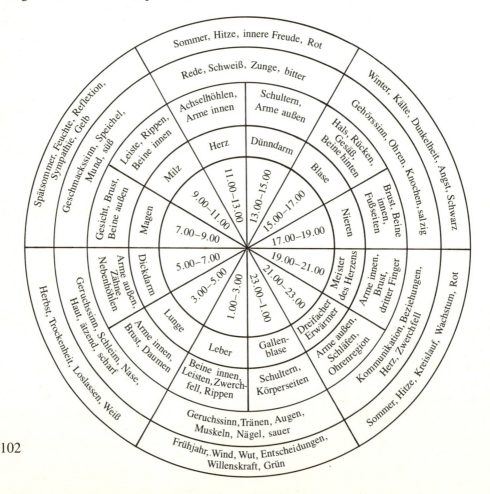

Die chinesische Organuhr macht die Beziehung sichtbar, die zwischen der Müdigkeit am Spätnachmittag, dem Rücken und dem Blasenmeridian besteht. Eine Hebung des Blutzuckerspiegels allein wird deswegen kaum ausreichen, das Nachmittagstief zu überwinden. Wir müssen wahrscheinlich auch etwas gegen die Rückenverspannungen tun.

Schauen Sie sich die Organuhr einmal genau an. Sie wird Ihnen erklären, warum Sie sich zu einer bestimmten Tageszeit schlapp, aufgeregt oder gereizt fühlen, in welchen Meridianen das Ki wahrscheinlich ungleichmäßig fließt, und welche Aku-Yoga-Übungen für Ihren Zustand hilfreich sein könnten.

Die Erkenntnis dieser Zusammenhänge und die entsprechenden praktischen Schlüsse bilden die Grundlage der chinesischen Medizin. Sie sind auch die Grundlage von Aku-Yoga.

Aku-Yoga löst die Blockierungen in den zwölf Organmeridianen und sorgt für ein gleichmäßig fließendes Ki, weil jede Übung die Sperren in den Meridianen direkt bearbeitet.

Wir wollen in diesem Kapitel Übungen vorstellen, die alle zwölf Organmeridiane aktivieren und zwar in der Reihenfolge ihres Fließens, die in der Organuhr festgelegt ist.

Lungenmeridian

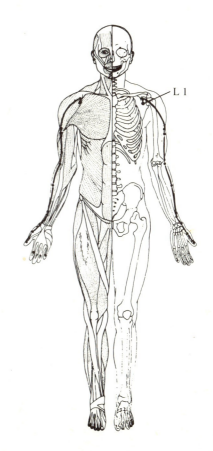

Meridianverlauf
Der Lungenmeridian beginnt an den Außenseiten der Brust, unterhalb des großen Brustmuskels (Pectoralis Major). Von dort steigt er an den Innenseiten der Arme zur Hand herab und endet außen an der Wurzel des Daumennagels.

Traditionelle Assoziationen
Die Lungen sind an der Regulierung der Körperenergie beteiligt, weil sie die Tiefe der Atmung festsetzen, was wiederum bestimmt, wieviel Sauerstoff und Ki aus der Luft absorbiert werden kann. Ferner regelt der Lungenmeridian die Anpassungsfähigkeit der Hautporen auf Veränderungen, die durch Außentemperatur und Körpertätigkeit hervorgerufen werden. Nach Ansicht der chinesischen Medizin kann ein ausgeglichener Lungenmeridian den Körper vor Grippe- und Erkältungskrankheiten schützen. Darüber hinaus kräftigt er ganz allgemein das Immunsystem.

Übung zur Harmonisierung des Lungenmeridians

1. Sitzen Sie bequem. Kreuzen Sie die Arme vor der Brustmitte. Die Hände legen Sie unter die Achselhöhlen und drücken mit den Daumen auf L 1 unterhalb des großen Brustmuskels. Damit stellen Sie zwischen Anfang und Ende des Lungenmeridians eine direkte Verbindung her.
2. Schließen Sie die Augen und beginnen Sie, lang und tief zu atmen. Atmen Sie als erstes in den Bauch. Das Zwerchfell öffnet und die Rippen weiten sich. Schließlich ist auch der Brustkorb gefüllt.
3. Nachdem Sie vollständig eingeatmet haben, halten Sie den Atem für ein paar Sekunden an. Dann atmen Sie langsam, sanft und gleichmäßig aus. Üben Sie dies etwa eine Minute lang.

4. Stellen Sie sich einen Strom- oder Energiekreis vor, der Körper wie Geist durchfließt, während Sie atmen. Obgleich es sich hierbei nur um eine Atemübung handelt, gehört doch viel Konzentration und Aufmerksamkeit dazu.

Dickdarmmeridian

Meridianverlauf
Der Dickdarmmeridian beginnt auf der äußeren Seite des Zeigefinger-Endgliedes, nahe der Nagelwurzel. Er verläuft von dort über die Außenseite des Arms zum Schlüsselbein. Er berührt die oberen Halswirbel, kehrt dort um und gelangt in der Nähe des Brustbeines zum Schlüsselbein zurück. Er verläuft dann über Unterkiefer und Mundwinkel zu seinem Endpunkt neben der Nase.

Traditionelle Assoziationen
Der Dickdarm hat die Aufgabe, aus den festen Abfallstoffen das Wasser herauszuziehen und sie auszuscheiden. Er ist in vieler Hinsicht für das Reinigen und Entgiften zuständig: auf der physischen Ebene für die Stuhlausscheidung, auf der mentalen für die Ausfilterung destruktiver Gedanken und Einstellungen (was man vielleicht als »geistige Verstopfung« umschreiben könnte) und auf der emotionalen und spirituellen schließlich für die Fähigkeit »loszulassen«. Verstopfung oder Festhalten haben also immer etwas mit dem Dickdarm zu tun, ganz gleich ob es sich bei dem festgehaltenen Objekt um eine Liebesbeziehung, ein Besitzstück, einen Gedanken, eine Idee – oder eben um Kot handelt.

Übung zur Harmonisierung des Dickdarmmeridians – Bogenspannen

1. Sie stehen aufrecht und locker. Die Arme kreuzen sich an den Handgelenken. Die Handflächen liegen sanft auf der Brust.
2. Beim Einatmen strecken Sie den rechten Arm seitwärts vom Oberkörper ab und stellen sich vor, daß Sie durch die Bewegung des linken eine Bogensehne spannen. Sie schauen am rechten Arm entlang auf den Zeigefinger, der so weit aufgerichtet ist, daß Sie den Nagel deutlich sehen und seine Streckung als ein leichtes Zerren spüren. Diese Haltung stimuliert den Anfangspunkt des Dickdarmmeridians.
3. Atmen Sie aus, während Sie die Bogensehne losschnellen lassen und führen Sie die Arme in die Ausgangsposition.
4. Wiederholen Sie die Übung, diesmal nach links.
5. Üben Sie dies etwa eine Minute lang.

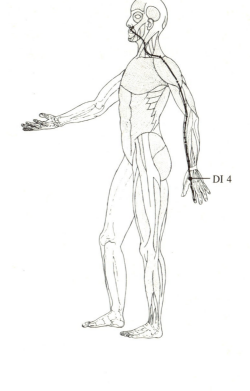

Der große Ausscheider

Der vierte Reizpunkt des Dickdarmmeridians ist als »Hoku« (DI 4) berühmt. Er harmonisiert das Ki im Dickdarm. Seine Wirkung läßt sich aus seinem Namen ableiten, der übersetzt der »große Ausscheider« bedeutet. Man preßt ihn bei Verstopfung, Stirnkopfschmerzen, Beschwerden in den Nebenhöhlen, Schlaflosigkeit, nervöser Depression, Magenschmerzen und Zahnschmerzen. Die folgende Übung kann Kontraktionen im Uterus auslösen und sollte während einer Schwangerschaft nicht ausgeführt werden.

1. Knien Sie und lassen Sie das Gesäß auf den Fersen ruhen.
2. Sie beugen den Oberkörper vor. Legen Sie die Hände mit den Handflächen nach oben in den Kniekehlen gegen die Oberschenkel. Die Daumen sind abgespreizt und berühren das Knie von außen. Sie senken den Oberkörper, so daß Ihr Gewicht das Muskelgewebe zwischen Daumen und Zeigefinger noch weiter spreizt, wodurch der »Hoku« fest gepreßt wird.
3. Wippen Sie den Oberkörper nun wie auf einem Schaukelpferd hin und her, was den Hoku kräftig anregt.

Der Magenmeridian

Meridianverlauf
Der Magenmeridian beginnt unter der Mitte der Augen. Er steigt durch Hals, Brust, Brustwarzen, Bauch und Leisten herab, wo er sich nach außen verlagert. Von dort verläuft er weiter entlang der Außenseiten der Beine, über den Rist und endet an der Wurzel des zweiten Zehennagels.

Traditionelle Assoziationen
Der Magen führt in der chinesischen Medizin den Namen »Ozean der Nahrung«. Er regelt die Verdauung. Für die östliche Gesundheitslehre ist er das zentralste Körperorgan. Ein Ungleichgewicht der Energien im Magenmeridian beeinträchtigt unmittelbar alle anderen Organe.

Übung zur Harmonisierung des Magenmeridians

1. Sitzen Sie auf den Fersen. Die Wirbelsäule ist aufgerichtet. Sie atmen tief ein.
2. Während Sie ausatmen, führen Sie die Brust in einem Bogen zu den Knien, wobei das Körpergewicht den Atem herauspreßt. Die Atembewegung sorgt in dieser kauernden Haltung für eine innere Massage der Verdauungsorgane.
3. Drücken Sie die Daumen in den dritten Punkt des Magenmeridians (M 3, zwei fingerbreit unter den Augen), während Sie sich beim Ausatmen vornüberbeugen. Versuchen Sie so deutlich wie möglich die Empfindungen wahrzunehmen, die durch den Druck an den Wangenknochen entstehen.
4. Üben Sie die Schritte 1–3 etwa eine Minute lang, beim Einatmen richten Sie sich auf, beim Ausatmen beugen Sie sich vor.

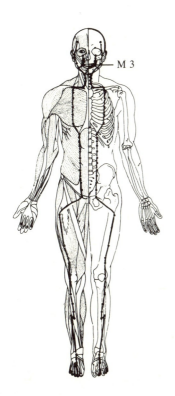

Milzmeridian

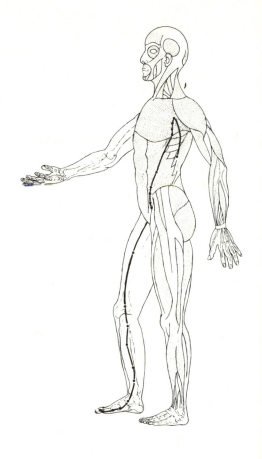

Meridianverlauf
Zum Milzmeridian gehört auch die Bauchspeicheldrüse. Er wird deswegen zuweilen als Milz/Pankreasmeridian bezeichnet. Er beginnt an der Innenseite der Wurzel des großen Zehennagels, steigt an den Innenseiten der Beine zu den Leisten auf, kreuzt die Zentralachse des Körpers und geht durch die Verdauungsorgane weiter zu den Rippen nach außen zur Außenseite der Brust. Der Meridian fließt schließlich in einem spitzen Winkel nach unten, um senkrecht unterhalb der Achselhöhle im zweiten Zwischenrippenraum zu enden.

Traditionelle Assoziationen
Die Milz ist zuständig (1) für die Blutspeicherung, (2) für die Bildung von Antikörpern, und (3) für die Produktion weißer Blutzellen, die Bakterien abwehren helfen. Nach Auffassung der chinesischen Medizin »vereinigt die Milz das Blut«. Infolgedessen bringt man auch die Menstruation mit dem Milzmeridian in Zusammenhang. Außerdem sondert die Bauchspeicheldrüse die Enzyme ab, die das Essen in brauchbare Nährstoffe zerlegen. Ferner reguliert sie über die Insulinausschüttung den Blutzuckerspiegel.
Die chinesische Medizin schreibt der Milz noch eine weitere Funktion zu. Sie befördert die Energie, die in der Nahrung enthalten war, zur Lunge, so daß sie sich dort mit der Atemenergie verbinden kann. Zusammen bilden Nahrungs- und Atemenergie dann die »wesentliche Energie«, die den ganzen Körper trägt und am Leben erhält. Die Milz ist also ein wichtiges Bindeglied im Energiehaushalt des Menschen. Ist der Milz/Pankreasmeridian durch seelische Belastungen, übermäßiges Naschen oder durch Zwangsvorstellungen bzw. -handlungen überanstrengt, leidet darunter insbesondere der Prozeß der Nahrungsumwandlung. Die Folge sind Erschöpfungszustände, Vergeßlichkeit, Kummer und Sorgen, sowie Verdauungsbeschwerden.

Übung zur Harmonisierung des Milzmeridians – Die Heuschrecke

1. Liegen Sie auf dem Bauch. Schieben Sie die Hände, zur Faust geballt, unter die Leisten.
2. Legen Sie Kinn oder Stirn auf den Boden auf, je nachdem, was für Sie bequemer ist.
3. Beine und Füße liegen eng aneinander. Dann heben Sie beim Einatmen Füße, Unter- und Oberschenkel so weit wie möglich vom Boden ab. Dadurch entsteht Druck auf viele Magen- und Milzpunkte in der Leistengegend, wo sich die beiden Meridiane treffen.
4. Beginnen Sie mit der Tiefenatmung.
5. Nach etwa dreißig Sekunden tun Sie einen besonders tiefen Atemzug und heben die Beine noch ein bißchen mehr. Halten Sie für etwa zehn Sekunden in dieser Position den Atem an.
6. Während Sie ausatmen, lösen Sie sich behutsam aus der Stellung. Öffnen Sie die Hände und legen Sie sie neben sich. Liegen Sie ganz bequem, so daß Sie vollkommen entspannen können.

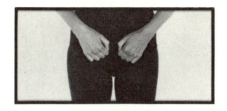

Herzmeridian

Meridianverlauf
Der Herzmeridian beginnt in der Mitte der Achselhöhle und verläuft innen an den Armen entlang zur Nagelwurzel des kleinen Fingers.

Traditionelle Assoziationen
Für die chinesischen Ärzte ist das Herz die »Wurzel allen Lebens«.[21] Es ist der Sitz des Geistes. Als »leitender Beamter« oder »Hauptorgan« fördert oder verhindert das Herz je nach seinem Zustand innere Festigkeit und emotionales Gleichgewicht.

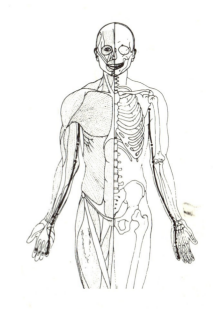

Übung zur Harmonisierung des Herzmeridians

1. Hocken Sie auf den Fersen. Sie beugen den Oberkörper vornüber, daß Sie vor den Knien mit der Stirn den Boden berühren.
2. Führen Sie die Hände mit nach oben gekehrten Handflächen unter die Füße. Verschränken Sie den kleinen Finger jeweils zwischen großem und zweitem Zeh.
3. Bewegen Sie nun für etwa eine Minute die Hüften hin und her als würden Sie mit dem Schwanz wedeln.

Dünndarmmeridian

Meridianverlauf
Der Dünndarmmeridian beginnt oberhalb des Nagelendes des kleinen Fingers, verläuft außen an den Armen entlang zum Schultergelenk, von dort im Zickzack über Schulterblatt und Schulter. Er steigt durch Hals und Unterkiefer zum äußeren Augenwinkel auf und endet vor dem Ohr.

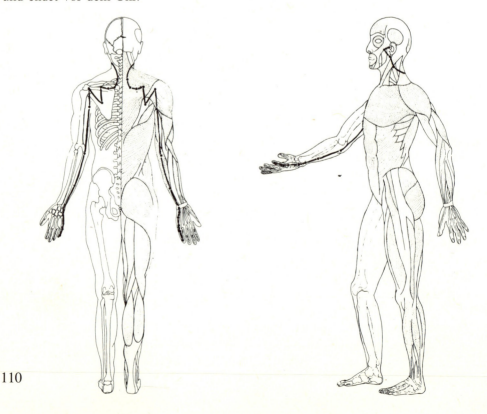

Traditionelle Assoziationen

Der Dünndarm ist dafür zuständig, Nährstoffe und Wasser zu assimilieren. Auf der mentalen Ebene steuert er die Fähigkeit, Ideen aufzunehmen und zu verarbeiten. Sperren im Dünndarmmeridian manifestieren sich zumeist in Form von Ellbogen-, Schulter- und Nackenschmerzen, weil dieser Meridian die Schulterblätter und Gelenke regiert.

Übung zur Harmonisierung des Dünndarmmeridians

1. Nehmen Sie den Fersensitz ein. Senken Sie den Oberkörper, bis Sie mit der Stirn den Boden berühren. Falten Sie die Hände hinter dem Kreuz.
2. Sie atmen ein und strecken die Arme so weit es geht hinter Ihrem Rücken nach oben. Verharren Sie, tief durch die Nase atmend, etwa dreißig Sekunden in dieser Stellung, die Schulterverspannungen löst und die Abwehrkräfte des Körpers gegen Grippe- und Erkältungskrankheiten stärkt.
3. Nach dreißig Sekunden atmen Sie tief ein und strecken dabei die Arme noch weiter zurück. Verharren Sie kurze Zeit in dieser Spannung und halten Sie den Atem an. Atmen Sie dann aus und lassen Sie die Arme locker neben sich hängen. Sie spüren, wie gut Ihnen diese Übung tut.

Blasenmeridian

Meridianverlauf
Der Blasenmeridian weist mehr Reizpunkte auf als irgend ein anderer Meridian. Er nimmt im inneren Augenwinkel seinen Anfang, läuft über die Schädeldecke, teilt sich im Nacken in zwei Stränge, die parallel an der Wirbelsäule entlang nach unten verlaufen, schließlich über die Rückseite der Beine absteigen, durch die Ferse führen und im Grundglied des kleinen Zehs enden.

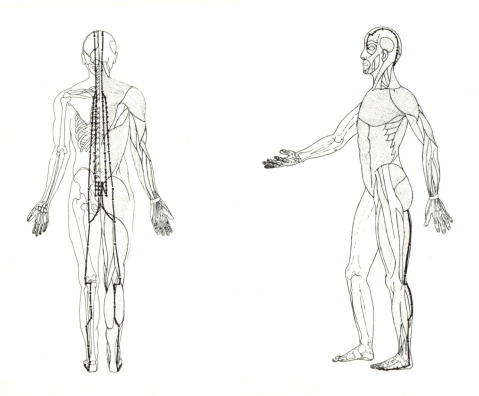

Traditionelle Assoziationen
Der Blasenmeridian hat eine bedeutende Schutzfunktion. In ihm sammeln sich der größte Teil unserer seelischen und körperlichen Spannungszustände. Er fängt sie auf. Er regiert Hals, Rücken, Gesäß, Oberschenkelrücken, Waden und Füße. Die Rückenpunkte des Blasenmeridians sorgen für das energetische Gleichgewicht der inneren Organe. Hauptaufgabe der Blase ist jedoch, Urin zu sammeln und auszuscheiden. Sie reguliert den Flüssigkeitsspiegel des Körpers.

Übung zur Harmonisierung des Blasenmeridians

Sie werden wahrscheinlich feststellen müssen, daß sich der Blasenmeridian zu einer Körperseite schwieriger strecken läßt als zur anderen. Sie können diesem Ungleichgewicht entgegenwirken, indem Sie jene Seite länger und beherzter strecken, auf der Sie den größeren Widerstand fühlen. Wenn die Streckung zu schmerzhaft und der Widerstand zu groß wird, lassen Sie einfach ein wenig locker. Denken Sie daran, daß die Streckung um so müheloser sein wird, je harmonischer Sie Ihre Bewegung dem vollen Fluß des Atems anpassen. (Die Übungen »Streckung des Lebensnervs« sind von dieser Streckübung abgeleitet.)

1. Sitzen Sie auf dem Boden, die Beine vor sich ausgestreckt. Winkeln Sie ein Bein an und schieben Sie die Ferse in die Leistengegend. Das andere Bein bleibt ausgestreckt.
2. Atmen Sie ein und strecken Sie Ihren Oberkörper in die Höhe. Dann beugen Sie ihn beim Ausatmen über das gestreckte Bein. Achten Sie darauf, daß Sie die Schultern entspannt lassen. Ziehen Sie das Kinn ein wenig ein, damit die Wirbelsäule in ihrer natürlichen Ausrichtung bleibt. Atmen Sie vollständig aus, wobei Sie den Oberkörper mit dem Gewicht der Arme herabziehen, so daß die Stirn sich auf das Knie zubewegt. Achten Sie darauf, daß diese Streckung sanft und nicht gewaltsam geschieht.
3. Üben Sie dies etwa eine Minute lang.
4. Bevor Sie nun zum anderen Bein überwechseln, strecken Sie beide Beine vor sich aus und versuchen die Unterschiede in Gelenken, Sehnen, Bändern und im Muskelgewebe zu erfühlen. Schließen Sie die Augen und wackeln Sie mit den Zehen. Welches Bein ist lockerer und fühlt sich gleichzeitig lebendiger an? Vielleicht erkennen Sie sogar einen Unterschied in der Hautfärbung der Füße.
5. Wechseln Sie die Seiten. Sie führen dieselbe Streckung nun nach der anderen Seite aus.
6. Strecken Sie zum Abschluß der Übung wiederum beide Beine vor sich aus.

Nachdem Sie beide Beine für sich gestreckt haben, sind Sie gut auf die gleichzeitige Streckung aller Stränge des Blasenmeridians vorbereitet, die eine noch tiefere und harmonisierendere Wirkung hat.

1. Sitzen Sie aufrecht, die Beine vor sich ausgestreckt.
2. Lockern Sie Fuß- und Handgelenke durch Drehen und Schütteln.
3. Umgreifen Sie mit den Händen Fußgelenke oder Waden, so daß Sie sich weder »überstrecken«, noch die Kniekehlen vom Boden abheben müssen. Richten Sie Ihre Wirbelsäule auf.
4. Beim Einatmen richten Sie den Oberkörper auf, beim Ausatmen ziehen Sie ihn mit Armen und Händen herab.
5. Üben Sie so etwa eine Minute lang in Ihrem natürlichen Atemtempo.

Nierenmeridian

Meridianverlauf
Der Nierenmeridian beginnt in den Fußsohlen und steigt an den Innenseiten der Beine zu den Geschlechtsorganen auf. Von der Spitze des Schambeines geht er im Innern zur Spitze des Steißbeines, von wo er zum Sakrum und den unteren Lendenwirbeln in die Nieren weiterführt. Ein innerer Zweig des Nierenmeridians verläuft durch Nieren, Leber, Herz, Lunge und Kehlmitte, in die Ohren. Der Hauptmeridian kommt oberhalb des Schambeins wieder zur Körperoberfläche und steigt über den Bauch und neben dem Brustbein nach oben. Er endet gerade unterhalb der Schlüsselbeine.

Traditionelle Assoziationen
Die Nieren sind in der chinesischen Gesundheitslehre die Energietanks des Körpers. Sie bewahren überschüssiges Ki für den späteren Bedarf. Sie helfen also, Ausdauer und Standvermögen zu entwickeln und sind zudem für die sexuelle Vitalität zuständig. Die Nieren erzeugen die Fortpflanzungsenergie. Störungen im energetischen Gleichgewicht des Nierenmeridians sind Hauptursache exzessiver oder unterentwickelter Sexualität. Die Nieren beherrschen Knochen, Ohren und Gehörsinn. Die Tradition verbindet aber noch weitere Symptome mit einem Ungleichgewicht des Ki in den Nieren: Kälteempfindlichkeit, Ohrensausen, unfreiwilliger Samenerguß und unregelmäßige Monatsblutung. Kräftige Nieren garantieren ungebrochene Vitalität.

Übung zur Harmonisierung des Nierenmeridians

1. Sie sitzen auf dem Boden, winkeln die Knie an und legen die Fußsohlen voll aufeinander. Sie stellen damit zwischen den beiden Hauptzweigen des Nierenmeridians eine Verbindung her.
2. Legen Sie die Hände auf die Füße. Pressen Sie mit den Daumen auf N 2 (ein

Reizpunkt an der Spitze des Innenfußbogens).
3. Ziehen Sie die Füße so nahe wie möglich an die Geschlechtsregion heran.
4. Beim Einatmen strecken Sie die Wirbelsäule gerade und aufrecht, beim Ausatmen beugen Sie den Oberkörper nach vorn und führen ihn mit dem Kopf auf die Zehen zu.
5. Üben Sie etwa eine Minute lang diese Bewegung und atmen Sie dabei lang und tief. Dies streckt den Nierenmeridian entlang der Innenseiten der Beine.

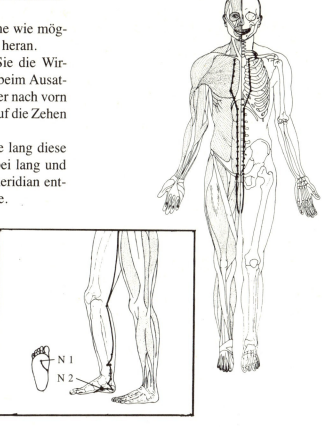

Meister-des-Herzens

Meridianverlauf
Der »Meister-des-Herzens-Meridian« beginnt im Brustmuskel außen an den Brustwarzen. Er fließt am Bizeps entlang, innen durch den Ellbogen, weiter durch die Unterarmmitte zum Mittelfinger, in dessen Kuppe er endet.

Traditionelle Assoziationen
Eine andere Bezeichnung für den »Meister-des-Herzens« ist »Kreislauf/Sex-Meridian«. Er schützt das Herz und ist teilweise am Kreislauf beteiligt. Aufgrund seiner Verbindung mit dem Nierenmeridian hat er auch auf die Sexualität Einfluß. Auf der emotionalen Ebene »ist der ›Meister-des-Herzens‹ das Organ, in dem die Glücksgefühle entspringen«.[22]

Übung zur Harmonisierung des Meister-des-Herzens

1. Sie sitzen auf dem Boden, die Fußsohlen gegeneinander.

2. Beugen Sie den Oberkörper nach vorn. Legen Sie die Handflächen unter den Außenrist der Füße, daß der äußere Knöchel auf MH 7 im Zentrum der Handwurzel aufliegt.

3. Lassen Sie den Oberkörper ganz entspannt in diese Haltung hineinfallen, wobei Sie lang und tief atmen. Verharren Sie etwa eine halbe Minute in dieser Stellung.

4. Schieben Sie die Hände etwas nach vorn, daß der äußere Knöchel nun auf MH 6 zu liegen kommt (ein Reizpunkt etwa fünf Zentimeter über dem Handgelenk in der Unterarmmitte). Der Oberkörper sackt wieder ganz entspannt nach vorn. Sie verharren etwa dreißig Sekunden in dieser Stellung.

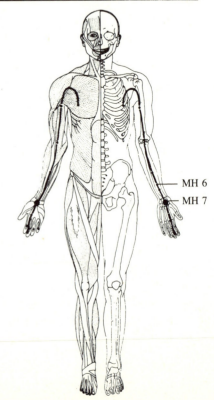

Dreifacher Erwärmer

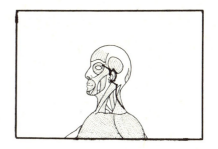

Meridianverlauf
Der »Dreifache-Erwärmer-Meridian« beginnt am Ringfinger, verläuft den Arm entlang, über die Schultern bis zum Schlüsselbein, steigt von dort zum Schläfenbein, umkreist das Ohr und endet in den Schläfen.

Traditionelle Assoziationen
Die chinesische Medizin teilt den Rumpf in drei Abschnitte: der »obere Erwärmer« kontrolliert den Atemvorgang; der »mittlere Erwärmer« die Verdauung, und der »untere Erwärmer« die Ausscheidung. Sie werden zu einer Funktionseinheit zusammengefaßt, dem Dreifachen Erwärmer. Er sorgt für den Energieausgleich zwischen diesen drei Segmenten des Rumpfes, reguliert die Körpertemperatur und steuert den Gleichgewichtssinn.

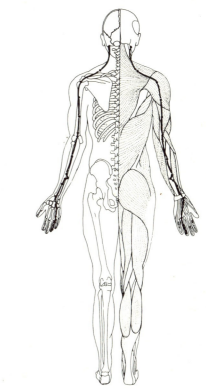

Übung zur Harmonisierung des Dreifachen Erwärmers – Die Rampe

1. Sie sitzen auf dem Boden, die Beine vor sich ausgestreckt. Nun stützen Sie den Oberkörper ab, indem Sie die Handflächen mit den Fingerspitzen nach hinten auf den Boden legen. Diese Haltung erzeugt Druck in Hand und Handgelenk, was den »Dreifachen Erwärmer« zur Tätigkeit anregt.
2. Heben Sie das Becken, daß Beine, Bauch und Rumpf eine Gerade bilden.
3. Beginnen Sie nun die Tiefenatmung oder den »Atem des Feuers« (vgl. S. 34) zu üben. Sie werden dabei wahrscheinlich ins Schwitzen kommen, weil die »Rampe« Schlacken und unausgeschiedene Giftstoffe aus den Poren treibt.
4. Schließlich senken Sie das Becken ganz langsam, legen sich auf den Rücken und entspannen. Fühlen Sie, wie Ihnen diese Übung gut tut.

Gallenblasenmeridian

Meridianverlauf
Beginnend am äußeren Augenwinkel verläuft der Gallenblasenmeridian im Zickzack über die Schläfen, weiter über die Hinterhauptsgegend, den Nacken seitlich am Schultergelenk vorbei zur Vorderseite des Körpers bis zum Rippenbogen, von dort zurück zur Taille. Er steigt über den Beckenkamm ab, entlang der Außenseite der Beine und endet im Grundglied des vierten Zehs.

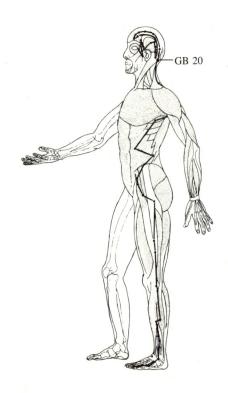

Traditionelle Assoziationen
Der Gallenblasenmeridian regiert nicht nur die Fähigkeit, Entscheidungen zu treffen, er sorgt auch für ihre Durchführung. »Die Gallenblase ist der ehrliche und aufrichtige Beamte, der durch weise Entschlüsse besticht.«[23] Unsere Urteils- und Handlungsfähigkeit ist also vom Zustand des Gallenblasenmeridians abhängig, der zudem unsere grundlegenden Lebenseinstellungen reflektiert. Energieüberschuß im Gallenblasenmeridian führt zu erhöhter Reizbarkeit, Energiemangel hingegen zu Unentschlossenheit, Wankelmut und Muskelschwäche. Der Gallenblasenmeridian bestimmt ferner die Geschmeidigkeit und Stärke von Sehnen und Bändern. Migränekopfschmerzen sind ein weiteres Gallenblasensymptom: man fühlt sich, als werde der Kopf in einem Schraubstock zusammengepreßt.

Übung zur Harmonisierung des Gallenblasenmeridians

1. Sie liegen auf dem Rücken, winkeln die Knie an und führen die Fersen zum Gesäß.
2. Verschränken Sie die Hände unter dem Hinterkopf, daß die Daumen in GB 20 unterhalb der Schädelbasis pressen.
3. Sie atmen tief ein. Beim Ausatmen senken Sie die angewinkelten Beine zur Seite, bis Waden und Oberschenkel auf dem Boden aufliegen.

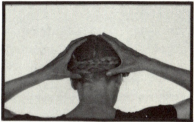

4. Während Sie erneut einatmen, fühlen Sie ganz deutlich, wie sich durch die Drehung des Rumpfes Beine, Hüften und Brust an der obenliegenden Seite öffnen und die Energie zu fließen beginnt. Beim Ausatmen führen Sie die Knie langsam im Bogen zur anderen Seite.
5. Üben Sie dies etwa zwei Minuten lang. Zum Abschluß bleiben Sie mit ausgestreckten Beinen auf dem Rücken liegen und entspannen.

Lebermeridian

Meridianverlauf
Der Lebermeridian beginnt zwischen dem großen und dem zweiten Zeh, führt an der Innenseite von Unter- und Oberschenkel entlang, dringt durch die Geschlechtsorgane in das Körperinnere, fließt unter dem Rippenbogen in die Leber. Ein innerer Zweig kreist durch die Lungen.

Traditionelle Assoziationen
Der Lebermeridian ist Herrscher über Augen und das Nervensystem. Die Leber sondert die für die Verdauung notwendige Galle ab. Die chinesische Medizin sieht einen Zusammenhang zwischen dem Zustand der Leber und Allergien. Auf der emotionalen Ebene führt Energieüberschuß im Lebermeridian zu Reizbarkeit und Jähzorn, zu wenig *Ki* hingegen zu Depressionen.
Wie die Gallenblase die Entscheidungsfähigkeit regiert, so ist die Leber für planvolles Vorgehen zuständig. Gemeinsam setzen Leber- und Gallenblasenmeridian also fest, inwieweit wir uns selbst motivieren und unsere Absichten in die Tat umsetzen können.

Übung zur Harmonisierung des Lebermeridians

1. Sie liegen auf dem Rücken, winkeln die Knie an und führen die Fersen zum Gesäß. Nehmen Sie die Fußgelenke in die Hand, ohne die Fußsohlen vom Boden abzuheben.
2. Beim Einatmen heben Sie das Gesäß und wölben das Becken nach oben, beim Ausatmen führen Sie es zum Boden zurück.

3. Üben Sie in der Weise eine Minute, dann atmen Sie tief ein, wölben das Becken so weit wie möglich nach oben und kontrahieren die Gesäßmuskeln mit aller Kraft. Schließlich entspannen Sie die Kontraktion und führen das Becken beim Ausatmen langsam zum Boden.
4. Sie liegen mit geschlossenen Augen auf dem Rücken und entspannen vollständig.

Rückführung zum Lungenmeridian

1. Sie liegen auf dem Rücken und strecken die Hände gen Himmel.
2. Atmen Sie tief ein. Halten Sie den Atem an, ballen Sie die Hände zu Fäusten und kontrahieren Sie die Armmuskeln.
3. Während Sie ausatmen, pressen Sie die Fäuste noch fester zusammen und führen Sie zur Brust. Wiederholen Sie die Schritte 2 und 3 vier Mal.
4. Entspannen Sie auf dem Rücken, die Hände neben sich, die Handflächen nach oben gekehrt.

Abschließende Tiefenentspannung

Sie fühlen, wie sich der ganze Körper entspannt. Zehen und Füße sind gelöst, ebenso Waden, Kniekehlen, Oberschenkel und Gesäß. Sie fühlen, wie sich die inneren Organe entspannen. Sie wandern Wirbel um Wirbel vom Steiß an aufwärts, bis der ganze Rücken entspannt ist. Die Schultern, die Arme, die Hände – jeder einzelne Finger ist locker und entspannt. Sanft und wohlig werden Sie von der inneren Stille angerührt. Augenbrauen, Schläfen, Stirn sind locker. Schädeldecke, Ohren, Kinn – alles entspannt. Sie halten Zunge, Lippen und Gaumen nicht mehr fest. Befreien Sie die Augen, so daß sie nicht ständig auf irgend etwas fixiert sind. Lassen Sie den Kopf ganz entspannt, den Geist ganz klar werden. Geben Sie sich ganz in den Augenblick. Sie entspannen sich vollständig.

Dritter Teil:

Übungen zur Überwindung bestimmter Beschwerden

Aku-Yoga will keine Krankheiten behandeln, sondern ihnen vorbeugen. Es ist eine ganzheitliche Methode der Gesundheitspflege, keine medizinische Behandlung. Suchen Sie unbedingt einen Arzt auf, wenn Sie das Gefühl haben, krank zu sein.

Die Funktion der Symptome

Wenngleich wir Aku-Yoga am besten als System benutzen, das den ganzen Körper harmonisiert, können wir seine Übungen auch gezielt auf Symptome anwenden, weil jede Haltung bestimmte Punkte, Meridiane und Körperteile stimuliert, die mit verschiedenen Befindlichkeiten in Verbindung stehen. Seit Jahrhunderten hat man im Fernen Osten diese Beziehungen beobachtet und mit ihnen gearbeitet. Dieser Ansatz, der sich von den Symptomen leiten läßt, hat trotz seiner Begrenztheit auch Vorzüge, denn zumeist ist er der erste Schritt zu einer umfassenderen Körperbewußtheit. Er weckt uns auf, läßt uns wahrnehmen, wo in uns das Gleichgewicht der Energien gestört ist.
Aku-Yoga befähigt uns, etwas für uns selbst zu tun, so daß wir uns, was unseren Gesundheitszustand anbelangt, nicht ausschließlich auf die Meinung und Information von anderen verlassen müssen. Die verschiedenen Stellungen, Atem-, Meditations- und Entspannungsübungen sind eine Körpertherapie, die wir an uns selbst anwenden und durch die wir uns selbst leiten können.
Unsere Symptome sind Botschaften oder Signale, die der Körper uns sendet. Mit ihnen zeigt er Störungen des energetischen Gleichgewichts an. Aku-Yoga behandelt weder Symptome noch Krankheiten, es nimmt für sich nicht in Anspruch, Gesundheitsprobleme zu lösen. Im Gegenteil, häufig wird die Stimulierung der Reizpunkte die Symptome zuerst noch verstärken und auch die verborgenen und verdrängten Faktoren ans Tageslicht bringen. Sobald wir allerdings unsere Symptome wie auch unsere Stärken und Schwächen unterscheiden lernen, sind wir um die Fähigkeit bereichert worden, die eigentlichen Ursachen aufzudecken, die das Gleichgewicht der Energien zerstören. Das Symptom ist der Ansatzpunkt. Das Üben wird uns zeigen, was wir an unserem Leben ändern müssen, um die Probleme bei der Wurzel zu packen.

Zwar ist dieser dritte Teil des Buches nach Symptomen geordnet, er enthält jedoch wertvolle Informationen über viele Aspekte von Aku-Yoga, die für jeden wissenswert sind, nicht nur für den, der unter dem betreffenden Symptom leidet. Lesen Sie ihn deswegen insgesamt. Sie werden nützliche Anregungen für das Üben bekommen. Die einzelnen Abschnitte enthalten eine ausführlichere Besprechung des Symptoms, eine oder mehrere geeignete Übungen und eine tabellarische Aufschlüsselung der Wirkungen, die die chinesische Medizin mit den entsprechenden Reizpunkten assoziiert. Manchmal weisen wir auch noch auf andere Formen der Selbstbehandlung hin.

Die Wahl der Übungen

Entnehmen Sie dem Inhaltsverzeichnis, welche Themenkreise für Ihren momentanen Gesundheitszustand besonders geeignet erscheinen. Im Text eingestreut finden Sie zusätzliche Querverweise, die Sie auf andere Aspekte Ihres Gesundheitsproblems aufmerksam machen. Probieren Sie als erstes die Übungen, die die Schwachstellen Ihres Körpers bearbeiten. Treffen Sie eine Auswahl von Übungen, die Sie gern machen, und folgen Sie jener Anleitung zur Tiefenentspannung, die Ihnen am meisten gibt. Sie gehen also wie folgt vor:

- Sie wählen die vier oder fünf Übungen aus, die Ihrem momentanen Zustand entsprechen.
- Sie führen diese Übungen eine Woche lang zwei bis drei Mal täglich aus, so daß Aku-Yoga zu einem festen Bestandteil Ihres Tagesablaufs wird. Sehen Sie zu, daß Sie nach und nach immer länger in den einzelnen Stellungen verweilen können.
- Sie legen sich nach dem Üben stets zehn Minuten mit geschlossenen Augen zur Tiefenentspannung auf den Rücken. Decken Sie sich zu. Die Decke wird Sie nicht nur wärmen, sondern wie ein Schutzschild die zirkulierenden Energien zusammenhalten, so daß Sie sich besser darauf konzentrieren können.

Regelmäßig geübt, wird Aku-Yoga Ihren Allgemeinzustand spürbar anheben. Es harmonisiert das Ki. Es löst die Verspannungen, die körperliche Schwächen hervorrufen oder verstärken. Dieser allmählich wirkende, aber um so machtvollere Prozeß gibt Ihnen Gesundheit und Gleichgewicht zurück. Wir nennen ihn Yoga-Therapie. Er erfaßt alle Bereiche unseres Lebens: Übungen und Ernährungsratschläge ebenso wie Körperhaltungen, Reizpunkte und Atemtechniken.

Aku-Yoga räumt die Blockierungen aus dem Weg, die uns von der Vervollkommnung des menschlichen Potentials abhalten. Wir können uns mit seiner Hilfe selbst befreien und die Kreativität, Lebensfreude und Freiheit erfahren, die unser Geburtsrecht ist.

Abwehrkräfte

Die Abwehrkräfte sind unmittelbar von Gleichgewicht, Robustheit und Flexibilität unseres Körpers abhängig. Wir verfügen über gute Abwehrkräfte, wenn wir etwas für uns und unseren Körper tun: uns richtig ernähren, genügend Schlaf und Bewegung bekommen und die Energie der Meridiane harmonisieren, indem wir mit Hilfe von Aku-Yoga, Meditation, Akupressur, T'ai Chi oder ähnlichen Methoden die alten Spannungen und Sperren im Körper lösen. Mißbrauch schwächt das Immunsystem. Wir unterhöhlen unsere Abwehrkräfte, wenn wir uns unbarmherzig vorwärtstreiben, ungesund essen, uns weder ausreichend bewegen noch einem Übungsweg folgen, der die alten Staus auflöst und die Energien ausgleicht. Wir werden dann mit Sicherheit leichter krank.
Erschöpfung macht die Abwehrkräfte untauglich. In dieser schnellebigen Zeit passiert es leicht, daß wir uns übernehmen, daß wir zu viele Verpflichtungen eingehen und mehr von uns verlangen, als wir zu leisten vermögen. Wir treiben uns bis zur Erschöpfung. Dieses Ungleichgewicht schwächt den gesamten Organismus.
Wir geben unserem Körper die Chance, sich von unseren Tätigkeiten zu erholen, wenn wir angemessene Ruhepausen einlegen und genügend schlafen. Die Tiefenentspannung ist besonders förderlich. Sie läßt das Blut und die Ki-Energie frei zirkulieren, daß sie den ganzen Körper, insbesondere die inneren Organe, kräftigen können.

Überlegungen zum Speiseplan

Was wir essen, spielt eine wichtige Rolle bei der Formierung unserer Abwehrkräfte. Wir schwächen den Körper und das Immunsystem, wenn wir hauptsächlich nährstoffarme, konservierte und industriell gefertigte Sachen essen. Essen wir hingegen yang-haltig und kräftig, stärken wir automatisch die Fähigkeit des Körpers, sich selbst gegen Krankheiten zu schützen. Yang-haltig sind zum Beispiel: Misosuppe, Petersilie, Bohnen, Tofu, Meeresgewächse, sautierte Gemüse und leicht geröstete Sesamkerne.

Akupressurpunkte

Für die Abwehrkräfte, zumal gegen Grippe- und Erkältungskrankheiten, ist ein Spezialpunkt wichtig: B 36 zwischen den Spitzen der Schulterblätter und der Wirbelsäule. In der »Inneren Heilkunde des Gelben Kaisers« heißt es, daß »Wind und Kälte« an diesem Punkt »in die Poren der Haut eindringen«.[24] B 36 stärkt wie andere, benachbarte Punkte die Abwehrkräfte. Diese Punkte zeigen aber auch die gegenteilige Entwicklung an: Es sind die ersten Reizpunkte des Körpers, die vor einer Krankheit (insbesondere einer Erkältung) blockiert werden.
Die Yogis im alten Indien stärkten ihre Abwehrkräfte durch Keulenschwingen. Wenn sie eine Erkältung herannahen fühlten, nahmen sie einen dicken Ast oder Knüppel, um ihn mit den Armen hin- und herzuschwingen. Sie kannten den Zusammenhang zwischen Krankheit und Verspannung in den Schultern. Die schwingende Bewegung hilft, die Verspannung zu lockern.

Die anschließende Übung stimuliert dieselben Punkte, indem sie die Schulterblätter zusammendrückt. Die »Kerze« (vgl. S. 75) und der »Pflug« (vgl. S. 97) sind ebenfalls geeignet, weil auch sie die Spannung zwischen den Schulterblättern lösen und die Abwehrkräfte stärken.

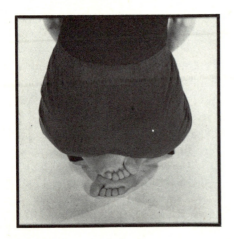

Yogamudra II

1. Sie hocken auf den Fersen. Legen Sie den Spann des linken auf den Innenfußbogen des rechten Fußes oder umgekehrt.
2. Senken Sie den Kopf langsam nach vorn zum Boden.
3. Falten Sie Ihre Hände hinter dem Kreuz.
4. Während Sie einatmen, heben Sie die Arme hinter Ihrem Rücken so weit wie möglich. Verweilen Sie etwa eine halbe bis eine Minute in dieser Position, atmen Sie dabei tief durch.
5. Bei einem weiteren Atemzug strecken Sie die Arme noch ein wenig mehr nach hinten und oben. Atmen Sie aus und lassen Sie die Arme langsam herabsinken. Sie lösen die Hände voneinander und entspannen sie neben sich, mit den Handflächen nach oben. Entspannen Sie einige Minuten in dieser Haltung.

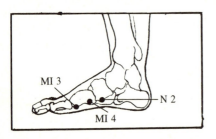

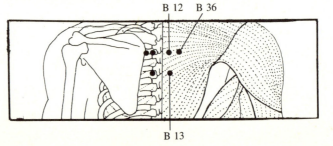

Aku-Punkte	Traditionelle Assoziationen
Blase 12	Vorbeugung und Behandlung von Verkühlung, Erkältung und Fieber
Blase 13	Husten, belegte Brust, Kongestion der Lungen, Lungenentzündung, Aufgeregtheit, Langeweile
Blase 36	Wo »Wind und Kälte in die Poren der Haut eindringen«.
Milz 3, 4	Fieber, Schweregefühl, kalte Füße, Magenverstimmung
Niere 1, 2	Halsentzündung, Gefühl der Verstopfung im Kopf, kalte und feuchte Füße

Heilwirkung für/bei: Immunsystem, Lungen, Haut, Bedrücktheit, Schmerzen oder Verhärtungen im oberen Rücken, schwache Blutzirkulation in den Händen, Schulterverspannung

Augenbeschwerden

Wir überanstrengen die Augen, weil Umwelt und Beruf uns zwingen, sie zuviel zu benutzen, oder verspannen sie, damit wir in den Verspannungen emotionalen Streß oder körperliche Überanstrengung auffangen. Natürlich können Augenbeschwerden auch durch Unfälle verursacht oder erblich bedingt sein, wir wollen hier jedoch in dem Rahmen bleiben, in dem Aku-Yoga etwas dagegen ausrichten kann.

Umweltfaktoren

Vieles am modernen Leben macht uns besonders anfällig für Augenbeschwerden. Zuerst einmal haben wir nicht nur das Tageslicht zur Verfügung wie unsere Vorfahren, sondern zusätzlich nachts die Elektrizität. Wir benutzen schon deswegen unsere Augen mehr, als die Natur es eigentlich zuläßt. Wir hocken stundenlang vor dem Bildschirm oder der Leinwand, wir sitzen einfach nur da, und nur die Augen müssen arbeiten, bis sie übermüdet sind. Die Zivilisation läßt uns unsere Augen sehr viel mehr als die übrigen

Sinne beanspruchen. Bei der Arbeit, in der Freizeit hängt das meiste, im Straßenverkehr sogar unser Leben, von den Augen ab. Viele Augenleiden sind auf diese ständige Überanstrengung zurückzuführen.

Das elektrische Licht belastet die Augen, weil es nicht alle Wellenlängen des Sonnenlichts aufweist. Unsere Augen sind nicht für künstliches Licht geschaffen, sondern für natürliches. Wir müssen unsere Augen scharf auf kleine Details einstellen und verbringen immer mehr Zeit in geschlossenen Räumen, die das Blickfeld einengen. Es belastet die Augen, naheliegende Gegenstände zu erfassen, wohingegen sie sich entspannen, sobald sie auf entfernte Dinge oder einfach nur ins Weite schauen dürfen. Lassen Sie beim Lesen, Schreiben oder beim Fernsehen Ihren Blick gelegentlich durch das Fenster in die Ferne gehen, um den Augen ein wenig Entspannung zu gönnen. Sie werden den Unterschied sofort merken.

Seelische Faktoren

Wir speichern in den Augen viele verdrängte Gefühle. Man hat uns beigebracht, daß »ein Junge nicht weint« und ein Mädchen keine »Heulsuse« ist. Um nicht zu weinen, drängen wir unsere Gefühle zurück. Die Augenmuskeln, die die nicht vergossenen Tränen festhalten, sind infolgedessen chronisch angespannt. Alle verinnerlichten Belastungen beeinträchtigen das ganze Nervensystem, auch die Sehkraft. Wir sehen nicht so gut, wie wir eigentlich könnten, weil die Unausgeglichenheit der Gefühle die Energie staut, so daß auch die Sehfähigkeit darunter leidet.

Darüber hinaus haben wir Gefühle und Neigungen, vor denen wir die Augen verschließen. Wir wollen sie nicht sehen, weil man uns dazu erzogen hat, nicht einmal ihre Existenz anzuerkennen. Fragen Sie sich, welche Bilder Sie als Kind unterdrückt haben, oder was man Ihnen zu sehen verboten hat. Haben Sie Ihre Augen verdeckt, um sich zu verstecken, zurückzuziehen oder zu schützen? Sie werden im wahrsten Sinne wieder klarer sehen, wenn Sie die vergrabenen Gefühle – besonders unterdrückte Angst, Wut und Traurigkeit – anrühren und aus sich herauslassen. Wutgefühle werden oft mit Augenkrankheit und Augenschwäche in Verbindung gebracht. Beobachten Sie sich selbst: Schauen Sie den Menschen in die Augen, mit denen Sie reden? Vermeiden Sie Augenkontakt, weil Sie Ihren eigenen Gefühlen ausweichen wollen?

Augen und Lebermeridian

Wir haben gerade auf die Beziehung zwischen unterdrückter Wut und Augenbeschwerden hingewiesen. Mit Wut assoziiert man im allgemeinen ein Ungleichgewicht des Lebermeridians. Wir müssen demnach die Energie in diesem Meridian ausgleichen, wenn wir die Verspannung der Augen aufheben und die Sehkraft verbessern wollen. Der Lebermeridian ist Frühling und Wachstum zugeordnet. Viel frisches Grün und Gemüse sind zur Harmonisierung seiner Energie deswegen besonders förderlich. Vermeiden Sie fettes Essen, vor allem Fleisch und Molkereiprodukte, die die Leber verstopfen und den Körper insgesamt mit vielen Giftstoffen belasten.

Die Kunst des Sehens

Die Augen sind die »Fenster der Seele«, sie bringen unser innerstes Wesen zum Ausdruck, das wir niemals völlig verbergen können. Wir werden leuchtende Augen haben und die Welt um so klarer sehen, je mehr wir Körper, Gefühle und Geist geklärt haben.
Sehen ist eine Kunst. Die indische Sprache kennt allein 300 Worte dafür. Sehen Sie nicht bloß, was Sie sehen wollen, und verdrängen den Rest, sondern lassen Sie *alle* Bilder zu. Das ist der Unterschied zwischen *Anschauen* und *Sehen*. Wenn Sie etwas *anschauen*, benötigen Sie dazu ein Objekt. Anschauen ist mit einer gewissen Anstrengung verbunden, die darin besteht, daß Sie das Objekt mit den Augen »dingfest« machen wollen. Wenn Sie jedoch für das Leben so offen sind, daß Sie seinen Bildern vertrauen und sie wie sie sind in sich aufnehmen, entspannt dies die Augen ungemein. Bereitwilliges Annehmen schafft Vertrauen und befreit den Blick, so daß Sie nun um so klarer sehen können.

Augenkreisen

1. Sie sitzen bequem, die Augen bleiben geöffnet.
2. Ohne den Kopf zu bewegen, schauen Sie so weit wie möglich nach oben. Dann lassen Sie die Augen in einem großen Kreis das ganze Gesichtsfeld abtasten. Die Augen drehen sich langsam und anmutig. Achten Sie besonders darauf, wenn die Augen eine Stelle überspringen wollen. Das zeigt an, wo die Augenmuskeln verspannt sind.
3. Führen Sie mit den Augen drei volle Kreise aus. Dann schauen Sie geradeaus. Sie schließen die Augen und entspannen.
4. Nach einer Weile öffnen Sie die Augen und lassen sie drei Mal in die entgegengesetzte Richtung kreisen. Schauen Sie anschließend nach vorn. Sie schließen die Augen zur Entspannung.
5. Wiederholen Sie die gesamte Übung: drei Kreise in beide Richtungen.
6. Sie schließen die Augen und entspannen sich einige Minuten, wobei Sie tief ein- und ausatmen. Das »Handauflegen« eignet sich besonders gut zum Weiterüben.

Handauflegen

1. Sie nehmen mit geschlossenen Augen eine bequeme Sitzhaltung ein, am besten an einem Tisch, damit Sie die Ellbogen aufstützen können. Oder Sie knien zu demselben Zweck auf dem Boden.
2. Legen Sie die Handballen auf die Augenhöhlen, so daß die Handflächen voll die Augenränder abdecken. Sie stimulieren damit eine Reihe von Reizpunkten, die eine positive Wirkung auf die Augen besitzen.

3. Sie atmen lang und tief. Lassen Sie Hals, Gesicht und Augen für einige Minuten vollkommen entspannt.
4. Nehmen Sie die Handflächen weg und öffnen Sie behutsam die Augen, so entspannt wie während der gesamten Übung. Sie fühlen Ihre Augen ganz neu: offen, klar und locker.

Yogamudra III

1. Knien Sie, daß zwar die großen Zehen aneinander stoßen, die Fersen sich jedoch nicht berühren. Die Arme hängen locker an Ihren Seiten herab.
2. Sie atmen tief ein. Während Sie ausatmen, beugen Sie den Oberkörper nach vorn und stützen die Ellbogen etwa fünf Zentimeter über dem Knie auf die Oberschenkel auf.
3. Ballen Sie die Hände zur Faust. Stützen Sie den Kopf auf die Fäuste, wie auf der unteren Abbildung gezeigt: Die Knöchel von Zeige- und Mittelfinger sind so plaziert, daß der Augenrand (B 1 und 2) zwischen Ihnen ruht.
4. Nun atmen Sie tief ein und aus. Entspannen Sie die Augen und stellen Sie sich zuerst einen schwarzen Samtvorhang vor. Mit der Zeit können alle möglichen Bilder entstehen, lassen Sie alle zu.
5. Üben Sie etwa zwei Minuten in der beschriebenen Weise.
6. Ruhen Sie sich anschließend einige Zeit im Sitzen oder Liegen aus.

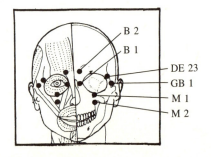

Aku-Punkte	Traditionelle Assoziationen
Magen 1 »Empfange-Tränen«	schlechtes Sehvermögen, Augenzucken, wäßrige Augen, Abneigung gegen helles und starkes Licht, schlechte Nachtsicht
Magen 2 »Vier-Weiß«	Augen fühlen sich benommen, als hätten sie Rauch abbekommen, flackern, blinken, füllen sich mit Wasser; Gesichtsverspannungen
Blase 1 »Augen-Hell«	Hauptpunkt für die Augen, Augen verschwommen und mit weißem Film bedeckt, Tränenfluß bei Wind, schlechte Nachtsicht, getrübtes Sehvermögen, Bindehautentzündungen
Blase 2 »Bambus-Bohren«	Augen gerötet, träge, umherirrend, wäßrig; Augenzucken, das Gefühl, als ob sich Nebel über die Augen legt; Kopfschmerzen, Halluzinationen
Dreifacher Erwärmer 23 »Bambus-Hohl«	Augenschmerzen, Rötung, geschwollene Augen, Augenzucken, Neigung zu Augenentzündungen, Tränenfluß bei grellem Licht
Gallenblase 1 »Augen-Geboren«	Äußere Augenwinkel sind rot unterlaufen und schmerzen; schwaches Sehvermögen, Farbenblindheit

Heilwirkung für/bei: Überanstrengung der Augen, Störung des energetischen Gleichgewichts von Leber und Gallenblase, Nackenversteifungen, Halsverspannungen, Nervenbeschwerden

Bauchmuskelschwäche

Im besten Fall ist die Bauchdecke fest und locker. Sie hat einen gesunden Muskeltonus ohne Verhärtungen. Sie ist flexibel, aber nicht schlaff oder gar schwabbelig – ein Ideal, das leider die wenigsten verkörpern. Den gegenteiligen Fall, nämlich unterentwickelte Bauchmuskeln, trifft man häufig an. Diese Schwäche hat weitreichende Konsequenzen. Därme und Rücken, Verdauungs- und Atemfunktion haben darunter zu leiden. Schlaffe Bauchmuskeln hängen durch. Wenn dies zum Dauerzustand wird, beeinträchtigen sie als erstes Verdauung und Ausscheidung. Bauch und Rücken gehen aber unmittelbar ineinander über. Ein schlaffer Bauch muß deswegen auch die Lendenregion belasten, weil sie seine Schwäche kompensieren muß. (Es verwundert deswegen nicht, daß Menschen mit unterentwickelten Bauchmuskeln auch besonders häufig über »Kreuzschmerzen« klagen.) Und schließlich sind viele Bauchmuskeln an das Zwerchfell angeschlossen, das sich mit jedem Atemzug weitet und zusammenzieht. Verspannte oder schlaffe Bauchmuskeln beeinträchtigen demnach drittens die Atmung, wohingegen eine voll entwickelte, flexible Bauchdecke den Atem tief und ebenmäßig fließen läßt.

Wir sehen, eine kräftige Bauchdecke ist für jeden wichtig, besonders aber für Frauen, die Kinder haben können und wollen. Vor einer Schwangerschaft müssen die Bauchmuskeln einen gesunden, elastischen Tonus aufweisen, daß sie das zusätzliche Gewicht des wachsenden Kindes gut tragen können. Und im übrigen wird die Mutter nur dann schnell und komplikationslos ihre normale Figur zurückgewinnen, wenn sie vor und während der Schwangerschaft über kräftige Bauchmuskeln verfügte. Bei einem schwächlichen Muskeltonus besteht dafür keine Garantie.

Die Chinesen sehen zwischen Geist und Bauch einen Zusammenhang. Für sie ist ein kräftiger Bauch gleichbedeutend mit einem gesunden und vitalen Geist. Es mag also an den geistigen Fähigkeiten hapern, wenn die Bauchdecke unterentwickelt ist. Verstopfte Därme und ein verstopftes Gehirn haben vielleicht mehr miteinander zu tun als wir gemeinhin annehmen. Wir werden deshalb in unseren Gedanken Klarheit und Überzeugungskraft gewinnen, wenn wir die Bauchmuskeln durch regelmäßiges Üben und die Därme durch gesunde Kost straffen und reinigen.

Rumpfbeugen im Sitzen sind vielleicht die bekannteste Gymnastikübung zur Kräftigung der Bauchdecke und auch recht wirksam. Winkeln Sie dabei jedoch die Knie ein wenig an, daß Sie die Bauchdecke betätigen, ohne das Kreuz zu belasten. Wenn Ihnen die Rumpfbeugen zu fade werden, können Sie es mit der Solarplexus-Haltung versuchen, die wir gleich vorstellen wollen. Sie hat die gleiche Wirkung. Sie stärkt den geraden Bauchmuskel (rectus abdominus) und die inneren Organe. Es ist eine harte Übung. Sie werden die Position nicht lange halten können. Messen Sie deshalb, wie lange Sie die Solarplexus-Haltung einnehmen, und versuchen Sie, sie jedes Mal fünf Sekunden länger zu üben. Üben Sie sie täglich, damit Sie Ihre Bauchmuskeln langsam aber stetig aufbauen können. Am besten, Sie gehen ganz behutsam und methodisch vor.

Die Solarplexus-Haltung wirkt sich noch in anderer Weise segensreich auf den ganzen Körper aus: Sie regt, wie ihr Name schon sagt, den Solarplexus (ein großes Nervengeflecht im Oberbauch) zu erhöhter Tätigkeit an. Damit kräftigt sie das Nervensystem insgesamt. Es kann nun die Energien reibungsloser weiterleiten.

Die Nerven erfahren im allgemeinen nachts ihre regelmäßige Auffrischung, weil im Schlaf die Stoffwechseltätigkeit stark abnimmt. Mit dem Aufwachen muß der Körper schlagartig von diesem unbewußten Schlummerzustand zur erhöhten Spannung des Tages umschalten. Wie viele machen sich einen kräftigen Morgenkaffee, um eben dies zu erreichen! Die Solarplexus-Haltung wäre ein wesentlich gesünderes Stimulans für denselben Zweck. Sie regt den Stoffwechsel auf ganz natürliche Weise an, indem Sie dem Solarplexus, der Schilddrüse und dem gesamten Nervensystem frische Energie zuführt.

Solarplexus-Haltung

1. Liegen Sie auf dem Rücken, die Füße aneinander.
2. Schließen Sie die Arme um Ihre Brust, so als wollten Sie sich umarmen.
3. Heben Sie den Kopf, so daß Sie das Kinn an die Höhlung zwischen den Schlüsselbeinen heranführen.
4. Atmen Sie tief ein, heben Sie dabei die Beine etwa dreißig Zentimeter vom Boden ab. Die Füße bleiben zusammen.
5. Beginnen Sie, den »Atem des Feuers« zu atmen (vgl. S. 34). Üben Sie etwa zwanzig Sekunden in dieser Weise, bis der Körper sich zu schütteln beginnt.
6. Sie liegen mit geschlossenen Augen auf dem Rücken, sich vollkommen entspannend, und lassen Blut und Energie ungehemmt kreisen.

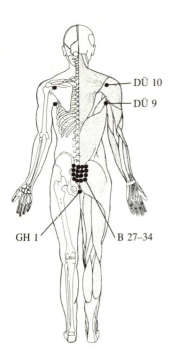 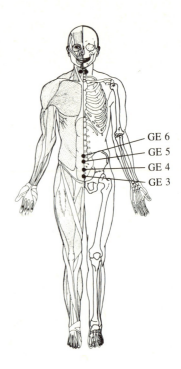

Aku-Punkte	Traditionelle Assoziationen
Dünndarm 9, 10	Fühllosigkeit oder Schmerzen im Arm, Arthritis, Bluthochdruck
Gefäß des Herrschers 1 »Lange Streckung«	Nervosität, Darmbeschwerden, Probleme mit den unteren Rückenpartien
Magen 9	Schilddrüse
Gefäß der Empfängnis 3–6 und Blase 27–37	Bauchschwäche, Fortpflanzungs- und Harnausscheidungsorgane

Heilwirkung für/bei: Arme, Nervensystem, Solarplexus, Dickdarmkatarrh, unregelmäßige Schilddrüsenfunktion, Störung des emotionalen Gleichgewichts

Beckenverspannungen

Das Becken muß sehr viel Streß auffangen, der sich in Form von Verspannungen in ihm sammelt. Diese Verspannungen müssen wir mit Hilfe von Übungen lösen. Wenn Sie kräftig, beweglich und emotional ausgeglichen sein wollen, muß Ihr Becken von Verspannungen frei bleiben.

Stoßdämpfer und Scharnier

Das Becken verbindet Ober- und Unterkörper. Es verteilt das Gewicht des Oberkörpers, damit die Beine es tragen können. Wie ein Stoßdämpfer schützt es den Oberkörper (insbesondere das Rückgrat) beim Gehen und Laufen vor dem Aufprall des Körpergewichts.
Das Becken sorgt für einen großen Bewegungsspielraum und bestimmt im wesentlichen die Körperhaltung. Der ganze Körper bekommt es zu spüren, wenn das Becken aus seiner natürlichen Ausrichtung gedrückt oder von Verspannungen gehemmt ist. Umgekehrt kann das Becken das Körpergewicht nicht richtig lagern, wenn das Gleichgewicht anderswo gestört ist. Haltungsfehler verspannen die Beckenmuskeln und belasten die Gelenke falsch.
Viele wichtige Muskeln, Sehnen, Bänder, Nerven, Arterien und Lymphknoten kommen im Becken zusammen. Das Becken dient etwa 36 Muskeln zur Befestigung. Sie koordinieren Beckengürtel und Wirbelsäule. Wenn Sie harmonisch zusammenwirken, tragen die Beckenmuskeln, -sehnen und so weiter zu einem optimalen Allgemeinbefinden bei. Allerdings macht das Becken häufig durch seine Sperren und nicht durch sein Gleichgewicht auf sich aufmerksam. Weil so viele Funktionen weder in sich noch im Verhältnis zueinander harmonisch sind, fließen die Energien nicht ungehindert.

Die Meridiane

Die Situation wird dadurch noch komplexer, daß sich im Becken die Meridiane zusammenballen. In der Leistengegend kommen auf relativ engem Raum Magen-, Milz-, Nieren- und Lebermeridian zusammen. An einigen Stellen verlaufen sie nicht nur nebeneinander, sondern überkreuzen sich sogar. Zusätzlich zu den vier Meridianen in den Leisten verlaufen Gallenblasen- und Blasenmeridian durch das Becken: der Gallenblasenmeridian durch die Hüften, der Blasenmeridian in mehreren Strängen über Gesäß und Rücken. Es herrscht rege Tätigkeit. Wenn sie gestört wird, bilden sich an den Hauptreizpunkten sehr schnell Verspannungen: anfällig dafür ist besonders die unmittelbare Umgebung des Hüftgelenks, wo der Oberschenkelkopf in der Gelenkpfanne aufgehängt ist.

Auswirkungen auf die inneren Organe

Beckenverspannungen beeinträchtigen die Fortpflanzungs- und Verdauungsorgane. Der Dickdarm wird blockiert und der Zustrom von Blut und Nervenimpulsen gehemmt, wenn die Muskeln und Meridiane verspannt sind oder stagnieren. Und natürlich brauchen wir ein flexibles und biegsames Becken, damit wir geschlechtlich voll erlebnisfähig sein können.

Faktoren, die Beckenverspannungen begünstigen:

Zu enge Kleidung: Die Mode beeinflußt unser Verhalten – meist auf ungesunde Weise. Schlanksein ist schick. Dieses Gebot kann in Becken und Bauch viele Verspannungen hervorbringen. Man will dem Schönheitsideal genügen, indem man den Magen einzieht. Gürtel sind nur für diesen Zweck bestimmt. Enge Hosen und andere zur Taille spitz zulaufende Kleidungsstücke, die die schlanke Linie betonen sollen, verschlimmern das Problem. Das Ergebnis: zusätzliche Verspannung, Behinderung der Biegsamkeit und Bewegungsfreiheit des Beckens, und Schädigung der inneren Organe.

Haltungsfehler und Bewegungsmangel: Das Becken ist so gebaut, daß es sich nach allen Richtungen bewegen kann. Wenn wir zuviel sitzen oder stehen, wird die Energie im Körper gestaut, denn das Becken und seine sechs Meridiane bekommen nicht ausreichend Gelegenheit, sich nach allen Seiten zu bewegen und zu strecken. Die weitere Entwicklung ist dann vorgezeichnet. Der Bewegungsmangel wird zur Gewohnheit, es gibt immer mehr Verspannungen, das Becken ist steif, die Energien sind ins Stocken geraten. Schauen Sie sich um, und Sie werden erkennen, wie verbreitet dieses Phänomen ist. Was sehen Sie häufiger, eine fließende, kraftvoll befreite Haltung oder durchgedrückte Knie, nach hinten weggekippte Becken (die Hohlrücken machen) und hochgezogene Schultern?

Diese Haltungsfehler machen das Becken steif. Fast ist es in eine Position festgeschraubt, so daß der Kreislauf behindert und die Genitalfunktion geschwächt ist. Verstopfung, Hexenschuß, Ischias oder Impotenz sind die möglichen Folgen.

Verspannungen in Brust und Schultern: Alle Verspannungen in der oberen Wirbelsäule hängen unmittelbar mit denen in der unteren Wirbelsäule zusammen und umgekehrt. Hat ein Teil der Wirbelsäule seine natürliche Ausrichtung verloren, muß ein anderer den Fehler wettmachen, so daß sie am Ende beide verspannt und falsch ausgerichtet sind. Im allgemeinen spüren wir die Verspannungen in den Schultern mehr als die im Becken. Wir sollten deswegen auch die Beckenverspannungen mehr wahrnehmen und die dort gestauten Energien bearbeiten. Wie tief wir atmen, kann uns über den Zustand der Energien im Becken aufklären: Der Atem kann unmöglich voll und tief sein, wenn sich in Brust, Bauch und Becken chronische Verspannungen festgesetzt haben.

Frustration und andere emotionale Faktoren: Das Becken ist das »Tor des Bauches«. Dort erfahren wir unsere elementarsten Gefühle. Ein verspannter Bauch blockiert diese Gefühle, so daß wir von unseren wahren Wünschen und Bedürfnissen abgeschnitten werden. Verspannung und Unterdrückung lasten auf unseren Gefühlen und ihrem Ausdruck. Dies führt zu Frustration und Enttäuschung, weil wir uns unsere tieferen Bedürfnisse nicht erfüllen können, wie sehr wir es auch versuchen. Frustration ist eine Sackgasse. Viele bleiben darin stecken, weil die kleinen »Ersatzbefriedigungen« (Rauchen, Trinken, Schlemmen, Naschen und so weiter) sie nicht nur unbefriedigt lassen, sondern schwächen und den Körper vergiften. Die wahre Befriedigung, das ist Offenheit und Gesundheit, wird immer schwerer greifbar.

Umgekehrt bietet uns diese Situation aber einen guten Ansatzpunkt, die Beckenverspannungen auszugleichen und alle Emotionen, die darin gebunden sind, zu befreien. Wenn wir unsere Beckenverspannungen lösen, können wir uns von Unsicherheit, Sorgen und Angst befreien. Wir finden zu einer tieferen Erfüllung und tun im Leben einen wichtigen Schritt nach vorn.

Sexuelle Unterdrückung

Wir sind erzogen, in den Geschlechtsteilen nur wenig zu fühlen. Aufforderungen wie »faß dich nicht da unten an« werden kaum begünstigen, daß das Becken gesund und entspannt ist. Aber die Eltern müssen gar nicht so deutlich werden, um Hemmungen zu erzeugen. Frustrierende Erfahrungen bei der Sauberkeitserziehung haben ein ähnliches Ergebnis. Wir beschränken die Bewegungs- und Empfindungsfähigkeit des Beckens, indem wir die Beckenmuskeln dauernd anspannen. Wir stumpfen dort unsere Wahrnehmung ab und unterdrücken die sexuellen Gefühle, weil Sexual- und Sauberkeitserziehung das Becken negativ belastet haben.

Die Sperren im Becken hemmen die Energien, so daß sie nicht gleichmäßig fließen können. Daraus können eine Reihe von Beschwerden resultieren: kaum ausgeprägter Sexualtrieb, vaginale Infekte, Menstruationskrämpfe, schwache Erektion, vorzeitiger Samenerguß und Impotenz. Auch wenn es nicht gar so schlimm kommen muß, schwächen Beckenverspannungen in jedem Fall die Fortpflanzungsorgane. Der Orgasmus hat dann hauptsächlich die Funktion einer Streßlösung.

Ist das Becken einmal von Verspannungen frei, können wir viel tiefer fühlen und empfinden als vorher. Ein lockeres, offenes, befreites Becken läßt durch den ganzen Körper wohlige Empfindungen kreisen, was uns mit tiefer Befriedigung beglückt.

Wir haben die verschiedenen Problemursachen aufgeführt: enge Kleidung, Haltungsfehler und Bewegungsmangel, Verspannungen in Brust und Schultern, Frustration und andere emotionale Faktoren, und schließlich die Unterdrückung der Sexualität. Sie alle verbinden sich zu einem kulturspezifischen Muster der Verspannung von Bauch und Becken. Dieses Muster behindert unsere Entwicklung ganz erheblich. Wir müssen uns deswegen eingehend mit dem Becken und seinen Sperren beschäftigen, wenn wir unsere Energien zu einem gesunden Ganzen ausgleichen und integrieren wollen.

Die »Heuschrecke« stimuliert die Reizpunkte der Beckenregion. Sie vermehrt im Becken die Blutzufuhr und alle Wahrnehmungen. Wir pressen zu diesem Zweck auf verschiedene Reizpunkte in den Leisten. Die »Heuschrecke« demonstriert ferner, daß zwischen Yoga und Akupressur eine ganz natürliche Verbindung besteht: Sie stellt eine traditionelle Yoga-Haltung dar und stimuliert gleichzeitig Akupressurpunkte. Sie lockert die Muskelverspannungen von Kreuz, Leisten, Unterleib und Geschlechtsregion. Bei täglicher Übung verbessert sie Haltung, Ausscheidung, Menstruations- und Potenzbeschwerden, wie auch andere Probleme, die mit der Sexualität zusammenhängen.

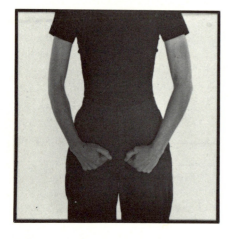

Die Heuschrecke

1. Sie liegen auf dem Bauch, die Füße nebeneinander. Der Kopf ruht auf Kinn oder Stirn.
2. Sie ballen die Hände zur Faust und schieben sie neben den Hüftknochen unter die Leisten.
3. Während Sie tief einatmen, heben Sie die Beine so hoch wie möglich. Die Beine bleiben gestreckt, die Füße zusammen.
4. Verweilen Sie etwa eine halbe Minute in dieser Position, wobei Sie tief durch den Hara (untere Bauchregion) ein- und ausatmen.
5. Atmen Sie wieder tief ein und heben Sie die Beine noch ein Stück höher. Dann halten Sie für etwa zehn Sekunden den Atem an.
6. Kehren Sie sacht in die Ausgangsposition zurück. Sie legen den Kopf auf die Seite und entspannen vollkommen.

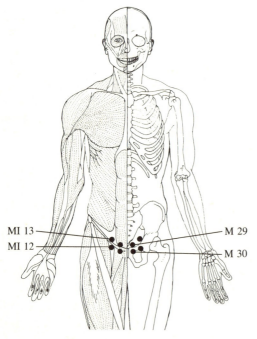

Aku-Punkte	Traditionelle Assoziationen
Milz 12	Bauchschmerzen, aufgedunsener Bauch
Milz 13	Schmerzen im Gesäß, Eingeweidebruch, Verdauungsstörungen
Magen 29	Ausgleichspunkt für die Geschlechtsorgane
Magen 30	Potenz

Heilwirkung für/bei: Unterleib und Genitalien, Frustration, Leistenschmerzen, Verstopfung, Verdauungsbeschwerden, kalte Füße

Bluthochdruck

Die Ursachen für erhöhten Blutdruck (in der medizinischen Fachsprache »Hypertonie«) sind zumeist falsche Ernährung oder emotionale Belastungen.

Bluthochdruck und Eßgewohnheiten

Es gibt Nahrungsmittel, die die Spannung im Körper vermehren, und andere, die sie abbauen. Inzwischen hat man nachweisen können, daß übermäßiger Salzgenuß und Bluthochdruck zusammenhängen. Salz verhärtet und verengt die Arterien, was den Blutfluß hemmt. Das Herz muß kräftiger pumpen, um das Blut durch die verengten Gefäße zu schicken. Da Salz darüber hinaus das Muskelgewebe verhärtet, bildet es in den Muskeln Verspannungen, die ebenfalls die Blutzirkulation behindern. Fleisch enthält Salz und tierische Fette. Sein Genuß treibt demnach den Blutdruck hoch. Vermeiden Sie vor allem abgepackte, vorverarbeitete und konservierte Nahrungsmittel, weil sie zuviel Salz oder Zucker (und meist sogar beides) enthalten. Essen Sie statt dessen frisches Obst und Gemüse, ganze Körner und andere natürliche Produkte.

Bluthochdruck und Emotionen

Wer unter Druck steht, ist immer auf dem Sprung. Er ist einsatzbereit, egal ob der Druck von außen oder von innen kommt. Die erhöhte Wachsamkeit stellt eine ganz normale physiologische Reaktion dar. Sie regt den Stoffwechsel an, damit wir die Energie bekommen, die wir zur Bewältigung der Situation benötigen. Heutzutage sind wir aber kaum durch konkrete Lebensgefahren bedroht, die in unseren Vorfahren die Fluchtreflexe und ihre erhöhte Stoffwechseltätigkeit hervorbrachten. Dessen ungeachtet reagiert der Körper in der alten Weise auf innere und äußere Bedrängnis: Er schaltet den Stoffwechsel einen Gang herauf. Von innen bedrängt zu werden, zehrt an den Kräften, weil es den Motor ständig auf vollen Touren laufen läßt. So kommt eines zum anderen: innerer Druck beschleunigt den Stoffwechsel, dadurch steigt der Blutdruck, was auf Dauer zu einem Problem wird, wenn wir nicht lernen, den inneren Druck abzubauen.

Bluthochdruck zeigt an, daß die Energien aus dem Gleichgewicht geraten sind. Wir müssen uns selbst wie auch unsere Lebensgewohnheiten eingehend betrachten, wenn wir an die tieferliegenden gefühls- und ernährungsbedingten Ursachen herankommen wollen. Die »Meditation zur Erforschung von Krankheitsursachen« (siehe S. 43) kann uns vielleicht weiterhelfen und uns die Ursachen erschließen, deren Beseitigung allein Heilung verspricht.
Die ganzheitliche Gesundheitslehre betrachtet den Menschen insgesamt. Sie forscht nach den Hintergründen, den Verschiebungen im energetischen Gleichgewicht, den wiederkehrenden typischen Schwächen, die hinter den Symptomen stecken. Und sie betont unsere Eigenverantwortung: Wir können nur dann wirklich gesunden, wenn wir selbst alle Elemente aus unserem Leben verbannen, die das Gleichgewicht der Energien umkippen. Konkret bedeutet dies zumeist, daß wir anders essen, anders arbeiten und uns

anders bewegen müssen. Vielleicht brauchen wir dazu den Rat und spezielle Hilfe eines Fachmanns, der mit ganzheitlichen Methoden Menschen behandelt. Ganz sicher müssen wir an uns selbst arbeiten und uns selbst helfen, zum Beispiel durch Methoden wie Aku-Yoga und Meditation.

Ich hatte einen beruflich erfolgreichen und wohlhabenden Klienten wegen seines erhöhten Blutdrucks zur Akupressur. Er entspannte sich bei einer der Behandlungen so tief, daß er fest einschlief und folglich länger bei mir war als vorgesehen. Er hatte danach einen Termin bei seinem Hausarzt, mir davon aber nichts gesagt. Ich ließ ihn also ruhen. Schließlich wachte er auf, schaute auf die Uhr und zog sich in aller Hast an. Die Behandlung hatte den Blutdruck zwar gesenkt, aber ich war ziemlich sicher, daß er nach dieser Hektik wieder steigen würde. Als ich bei der nächsten Sitzung mit meinem Klienten darüber sprach, bekam ich eine überraschende Neuigkeit zu hören: Seit Jahren hatte sein Arzt das erste Mal einen normalen Blutdruck an ihm gemessen. Die Blutdruckmessung gehört zu den wenigen medizinischen Tests, zu denen ich die Mittel habe. Weil ich die Wirkung der Akupressur auf den Blutdruck über einen längeren Zeitraum feststellen wollte, bat ich die Frau meines Klienten, ihm vor und nach der Behandlung jeweils den Blutdruck zu messen. Vor der Behandlung stand der systolische Blutdruck bei 162 mm/Hg (42 über dem Normalwert), danach war er um 38 auf 124 mm/Hg gefallen. Das war der erste Schritt. Das Symptom hatte sich gebessert. Allerdings würde dieser Erfolg keinen Bestand haben, wenn es mir nicht gelänge, die Ursachen aufzudecken. Mein Klient kam von selbst auf den richtigen Gedanken. Er bemerkte, daß er aus Gewohnheit trank, um ein bißchen lockerer zu werden und »in Stimmung« zu kommen. Er sah in dem erhöhten Blutdruck jetzt plötzlich ein Signal, das ihn vor einem Infarkt warnen wollte. Er hörte zu trinken auf, auch weil er nun nicht länger auf den Alkohol angewiesen war, wenn er sich entspannen wollte. Durch die Akupressurbehandlung hatte er Methoden kennengelernt, die dafür nicht nur gesünder, sondern auch wirkungsvoller waren. Sobald er zu trinken aufgehört hatte, verschwand sein Bluthochdruck vollkommen.

Die anschließende Übung streckt die Reizpunkte in den Schultern. Sie löst die Spannungen und den emotionalen Druck, die den Blutdruck hochtreiben.

Flügelheben

1. Sie sitzen bequem und aufrecht. Falten Sie die Hände hinter Ihrem Rücken.
2. Schieben Sie die Schultern nach hinten, daß die Schulterblätter aneinanderstoßen.
3. Während Sie einatmen, heben Sie die Schultern zu den Ohren und lassen den Kopf nach hinten fallen.
4. Strecken Sie die Arme hinter Ihrem Rücken so weit wie möglich nach oben.
5. Beim Ausatmen kommen Sie zur Ausgangsposition zurück.
6. Wiederholen Sie die Schritte 2–5 fünf Mal. Üben Sie schließlich eine ganze Minute in der beschriebenen Weise.
7. Sie entspannen die Arme und schütteln die Schultern ganz leicht. Sie atmen etwas tiefer als sonst.

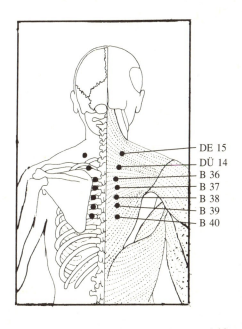

Aku-Punkte	Traditionelle Assoziationen
Blase 36, 37	Schulterkrämpfe, Schulterschmerzen, Armschmerzen, Lungenschwäche
Blase 38–40	Asthma, Herzkrankheiten, leichtes Fieber, Krämpfe im oberen Rücken
Dünndarm 14	Muskelschmerzen in Armen und Schultern, Lungenentzündung
Dreifacher Erwärmer 15	Brustschwäche, Schwermut, Schulterschmerzen, Rückenschmerzen, Schmerzen in Armen und Ellbogen, wenn man sie bewegt

Heilwirkung für/bei: Kräftigung des Immunsystems, Schulterverspannungen, Verspannungen im oberen Rücken, Herzbeschwerden, Atembeschwerden

Depression

Eine Depression bringt zum Ausdruck, daß unserem Leben etwas wichtiges fehlt, oder daß ein verborgener Faktor unser Gleichgewicht stört. So sind wir zum Beispiel immer dann deprimiert, wenn wir den Sinn unseres Lebens nicht erkennen können. Depressionen werden meist von Zwangshandlungen begleitet, die stark selbstzerstörerische Züge tragen. Wir rauchen, trinken oder überessen uns, was uns noch unausgeglichener und kränker macht. Wir fühlen uns immer niedergeschlagener. Der Körper stellt sich an einigen Stellen taub. Er schränkt seine Tätigkeit ein. Wir steuern auf den Tiefpunkt zu.
Die schwärzeste Depression kann uns jedoch auch zum anderen Ende des Spektrums unserer Erlebnisfähigkeit führen – zu umfassender Bewußtheit. Wir müssen dazu nur die Energie wahrnehmen, die allen Erfahrungen zugrunde liegt und sich jeden Augenblick als das Licht der Bewußtheit entfachen kann. Wenn wir sie beachten, wird sie unser Leben völlig umkrempeln.

Depression ist einfach etwas, das wir bearbeiten müssen, damit wir mehr über uns selbst erfahren. Wir werden nicht viel aus unseren Depressionen lernen, wenn wir sie mit Werturteilen belegen. Depressionen, Emotionen überhaupt, sind das Leben, wie wir es im Moment erfahren – und eine Einladung, aus ihnen zu lernen.

Wie jede andere Übungsform und Disziplin wird Aku-Yoga uns sehr schnell mit unseren inneren Widerständen konfrontieren: »Ich kann das nicht.« – »Das ist zu schwer.« – »Ich will einfach nicht mehr.« – »Das gefällt mir aber gar nicht.« – »Was für ein ausgemachter Schwachsinn.« – »Mein Fuß (Finger, Kopf, Bauch, Hals, Rücken und so weiter) tut mir weh.« – »Ich bin eben nicht die/der Richtige dafür.« Haben wir uns diese Sätze nicht schon tausendfach innerlich zugeraunt oder sie laut herausgebrüllt, frustriert und deprimiert über die Barrieren, die wir offensichtlich nicht überwinden können?

Psychische Sperren sind jedoch nicht die einzigen Ursachen für die Depression, auch die Nahrung und die allgemeine körperliche Verfassung tragen dazu bei. Aber *es liegt an uns,* uns alle Ursachen unserer Depression bewußt zu machen. Bewußtsein ist sozusagen der Scheinwerfer, sie beleuchtet die Sperren, die unser inneres Wachstum aufhalten und unsere Lebenserfahrung einschränken.

Mit Depressionen arbeiten

Wir wissen, daß Aku-Yoga Stauungen löst. Kreist die Energie dann ungehindert durch die Meridiane, löst sie nicht bloß die vorhandenen körperlichen Stauungen, sie befreit auch die Gefühle, die die psychische Komponente der Stauungen waren. Verdrängte Gefühle werden an die Oberfläche gespült. Nun liegt es an uns, ob wir sie sehen, bewußt erleben, annehmen und bewältigen wollen. Durch Aku-Yoga können wir unser eigener Therapeut sein. Wir brauchen nur zu beobachten, was wir fühlen.

Aber so einfach dies klingt, so schwer ist es auch. Fühlen und Beobachten sind ein hartes Stück Arbeit. Aus Gewohnheit schauen wir eben *nicht* näher hin, machen nicht uns selbst, sondern irgend jemanden dafür verantwortlich, wenn in unserem Leben etwas schiefgeht. Wir haben Angst, auf Selbstschutzmechanismen zu verzichten, die uns jahrelang vor unseren eigenen Gefühlen geschützt haben. Angst, Selbstzweifel und Wut, plötzlich sind sie da – und wir hatten keine Ahnung, daß sie überhaupt in uns steckten. Haben wir jedoch den Mut, diese Schwelle zu überschreiten und die Augen trotzdem nicht mehr zu verschließen, erfahren wir alle »unheimlichen« und »negativen« Gefühle von nun an bewußt. Damit befreien wir uns von ihrer Herrschaft. Je mehr wir unsere Gefühle anerkennen, desto wohler ergeht es uns. Es läßt sich leichter leben. Wir sind zufrieden. Wir können sehr viel dazulernen, wenn wir die Signale und Botschaften beachten, die aus unserem Innern hervorbrechen. Unsere alltäglichen Beobachtungen und Reflexionen können ein Ausdruck des inneren Lehrers sein.

Seelische Faktoren

Unterdrückte Gefühle können depressiv machen. Schon im zartesten Alter lernen wir, was die Gesellschaft von uns verlangt. Unterdrücke zumindest einige deiner Gefühle, wenn du geliebt oder auch bloß »akzeptiert« werden willst! Ein Kleinkind ist allein nicht lebensfähig. Es muß sich so *ver-stellen,* daß andere sich seiner annehmen. So werden wir als Kleinkinder in Verhaltensmuster getrieben, die wir als Erwachsene nur schwer abschütteln können, auch wenn sie uns inzwischen nicht mehr dienlich, sondern im Gegenteil hinderlich sind. Drei Schritte helfen uns dabei, depressive Grundstrukturen abzulegen und eine reife, selbstbewußte Persönlichkeit zu entwickeln: Beobachtung, bereitwilliges Annehmen und Selbstverantwortung. Sie sind die Marksteine seelischer Reifung.

Beobachtung: Lernen Sie als erstes, unvoreingenommen zu beobachten. Beobachten Sie alles, auch die Urteile und Vorurteile, die sich in Ihnen formen. Seien Sie, was man im Yoga den »Zeugen« nennt. Beobachten heißt, sich nicht gefangennehmen zu lassen. Sie sehen, Sie sind verärgert oder aufgebracht. Da Sie diesen Vorgang unvoreingenommen beobachten, werden Sie nicht mehr in dem Maße darin verwickelt. Sie sind gelöster, so daß Sie auch die Ursachen Ihrer Depression besser erkennen können.

Bereitwilliges Annehmen: Nachdem Sie alles vorurteilslos beobachtet haben, können Sie es auch bereitwillig annehmen. Nichts ist an sich »richtig« oder »falsch«, »gut« oder »schlecht«. Vielleicht sind Sie nur deprimiert, weil Sie sich für »schlecht« halten und sich mit beißender Selbstkritik zerfleischen. Die Depression führt dann unweigerlich zu Scham, Selbstmitleid und Selbstzweifel. Gelingt es Ihnen jedoch, all dies zu *beobachten* und *anzunehmen,* muß die Depression sich auflösen, weil es keine negativen Emotionen mehr gibt, die ihr die Energie für ihren Fortbestand geliefert haben.

Nehmen Sie sich als den Menschen an, der Sie sind: Ihre gesamte Erfahrung, Ihre Versuche, das Leben zu meistern, was Sie bei der Begegnung mit anderen Menschen gefühlt haben, Ihre Erwartungen, Hoffnungen, Ängste, Aggressionen, Liebe, Freuden und Träume. Sie alle sind ein Teil von Ihnen – Ihr Sein, Ihre Wahrheit. Beschauen und nehmen Sie sie als das an, was ist.

Selbstverantwortung: Letztlich sind Sie für Ihr Erleben selbst verantwortlich. Sie bestimmen. Sie können wählen, wie Sie mit sich umgehen wollen, und niemand zwingt Sie, sich schlecht zu behandeln. Im Gegenteil, Sie können sich akzeptieren, sich lieben, für sich sorgen, sich mit nährenden und heilenden Energien speisen, auf Ihre innere Stimme und Ihre Gefühle hören. Dies ist eine große Verantwortung. Wenn Sie sie wahrnehmen, schenkt Sie Ihnen Freiheit und Befriedigung von einem Ausmaß, das Sie selbst überraschen wird. Daß ein so einfacher Prozeß eine so ungeheure Wirkung haben soll, mag kaum glaubhaft sein. Die Erfahrung bestätigt ihn jedoch. Jeder kann ihn testen.

Ziehen Sie dabei vier weitere Faktoren in Betracht, die Ihr Leben erfüllender machen und Sie wirkungsvoller vor Depressionen schützen werden:

- Selbstachtung: Von nun an bemühen Sie sich, positive Situationen zu schaffen, die Ihre tieferen Bedürfnisse befriedigen und seelisches Wachstum fördern.
- Reife Beziehungen: Suchen Sie sich Freunde und Bekannte, die eine positive Lebenseinstellung haben, die geben, nehmen, teilen und lieben können.
- Sinnvolle Arbeit: Machen Sie Ihre Arbeit zu einem Dienst, der Ihr Leben mit Sinn erfüllt und Ihre Persönlichkeit stärkt.
- Zukunftsschau: Visualisieren Sie mögliche Veränderungen Ihres Lebens. Stellen Sie sich konkrete Ziele und arbeiten Sie dann darauf zu.

Überlegungen zum Speiseplan

Auch ein niedriger Blutzuckerspiegel kann Depressionen hervorrufen. Dies ist ein Yin-Zustand, in dem Hochgefühl und Niedergeschlagenheit in schneller Folge abwechseln. Er kann durch zuviel Zucker in Essen und Trinken verursacht sein. Zucker hebt den Blutzuckerspiegel kurzfristig und produziert damit ein künstliches Hochgefühl. Zum Ausgleich schüttet die Bauchspeicheldrüse mehr Insulin aus, so daß der Blutzuckerspiegel dramatisch fällt, worauf der Körper mit Ermüdung, Depression und nervöser Anspannung reagiert.

Wer einen niedrigen Blutzuckerspiegel hat, sollte Yin-Substanzen vermeiden, vor allem: Zucker, Alkohol, Kaffee und Früchte mit hohem Zuckergehalt. Frisches Gemüse, ganze Körner, Misosuppe, Keimlinge und Meeresgewächse sind die beste Kost, wenn man einen Yin-Überschuß im Körper ausgleichen möchte.

Zu wenig Vitamin C und E kann ebenfalls Depressionen begünstigen. Ein frischer Salat aus Gurken und Petersilie, mit Zitronensaft übergossen, beseitigt diesen Mangel schnell.

Physiologische Faktoren

Depressionen sind so gut wie unvermeidbar, wenn das Blut zu wenig Sauerstoff zugeführt bekommt. Dagegen können wir zwei Dinge tun: den Milzmeridian anregen und Tiefenatmung üben, die die Sauerstoffzufuhr steigert. Da der Milzmeridian überdies die Bauchspeicheldrüse beeinflußt, harmonisieren wir mit ihm nicht bloß die Blutproduktion, sondern auch die Insulinausschüttung.

Die Milz produziert und bewahrt das Blut, das die Körperzellen mit Sauerstoff versorgt. Der Körper wendet sich an die Milz, wenn er mehr Blut benötigt:

> »Sobald sich die Muskeln der Milz zusammenziehen, zum Beispiel in Augenblicken, die Sympathikus und Adrenalindrüsen reizen (d. h bei Sauerstoffmangel), drücken sie ihren Inhalt heraus. Diese Korpuskeln (die roten Blutkörperchen) werden sofort zu Sauerstoff- und Kohlendioxidträgern, denn ihr Dienst wird ja gerade besonders gefragt.«[25]

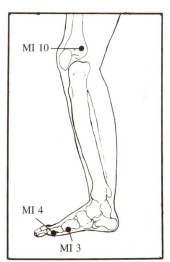

MI 10, ein Reizpunkt auf der Innenseite der Oberschenkel etwa vier fingerbreit über der Kniescheibe, kann Depressionen lindern, wenn die unzureichende Sauerstoffversorgung der Körperzellen die Ursache ist. Die Chinesen bezeichnen ihn als »Ozean des Blutes«. Ebenfalls zur Kräftigung des Milzmeridians geeignet sind die Punkte MI 3 und 4 im Innenfuß hinter dem großen Zeh.

Den Atem hatten wir als zweiten Faktor genannt. Achten Sie auf Ihren Atem, wenn Sie deprimiert und niedergeschlagen sind, wahrscheinlich atmen Sie flach. Ihr Atem ist eingeschnürt. Um Ihre Depression zu überwinden, brauchen Sie vielleicht nur tiefer zu atmen. Wenn Sie fünf Minuten so lang und tief wie möglich atmen, haben Sie es geschafft. Das klingt simpel, ganz einfach ist es aber nicht, denn Sie müssen sich sehr konzentrieren. Jedenfalls werden Sie sich schon nach fünf Minuten ganz anders fühlen, wenn Sie in der Minute nicht mehr als vier Mal ein- und ausatmen. Sie haben ein neues Selbstwertgefühl gewonnen. Versuchen Sie es. Die folgende Übung kann Ihnen dabei helfen. Sie wird Sie an diese Art zu atmen heranführen.

Aku-Yoga gegen Depressionen

Aku-Yoga ist ein mächtiges Werkzeug der Bewußtseinsschulung. Es schenkt uns ein neues Gefühl für unseren Körper, verbindet uns mit den Lebenskräften der Natur. Wir sind lebendig, kreativ und bewußt, sobald die Lebenskraft durch die Meridiane zirkuliert. Die Tiefenatmung befreit uns aus Depressionen, weil sie uns die Lebensenergie unmittelbar erfahren läßt und uns auf die Spuren aufmerksam macht. Aku-Yoga beugt darüber hinaus zukünftigen Depressionen vor.

Das Leben stellt uns ständig mit Sperren und Hindernissen auf die Probe. Wir müssen dafür gewappnet sein. Ein Übungsweg, der uns stark, beweglich, ausgeglichen und ausdauernd macht, stellt uns Grundlage und Schutz zur Verfügung, wenn uns das Leben einmal tüchtig mitspielt. Wir können dann von den Kräften zehren, die wir uns selbst aufgebaut haben. Wir haben ein neues Problembewußtsein gewonnen: Probleme sind keine Strafe mehr, sondern eine Herausforderung, als Mensch zu wachsen und zu reifen.

Schnelle Hilfe gegen Depressionen

1. Wasser: Lassen Sie kaltes Wasser über Füße, Fußgelenke, Hände, Gesicht und Ohren laufen, um alle Meridiane zu erhöhter Tätigkeit anzuregen.
2. Bewegung: Laufen, rennen, tanzen, schwimmen Sie. Machen Sie Gewichtstraining, fahren Sie Roll- oder Schlittschuh. Bringen Sie sich zum Schwitzen! Das befreit von Verspannungen und Sperren.
3. Ausdrucksfähigkeit: Verleihen Sie Ihren Gefühlen Ausdruck. Singen Sie sich Ihren Katzenjammer von der Seele oder zeichnen, malen, tanzen Sie. Oder führen Sie regelmäßig Tagebuch – was immer Ihren Neigungen und Begabungen entgegenkommt.

Einbringen und Loslassen

1. Sie sitzen bequem, die Wirbelsäule gerade.
2. Kreuzen Sie die Arme vor der Brust, so daß die Handgelenke sich vor dem Herzen befinden. Die Finger liegen außen auf der Brust, wo Sie vielleicht Verspannungen fühlen (L 1).
3. Lassen Sie den Kopf nach vorn sinken, daß das Kinn auf die Höhlung zwischen den Schlüsselbeinen zeigt.
4. Atmen Sie vier Mal hintereinander kurz durch die Nase ein. Die Lungen sind erst beim vierten Atemzug vollständig gefüllt. Halten Sie den Atem für ein paar Sekunden an.
5. Atmen Sie langsam und ebenmäßig durch den Mund aus.
6. Üben Sie etwa drei Minuten in der beschriebenen Weise, wobei Sie insbesondere auf den Rhythmus und die Tiefe des Atems achten.

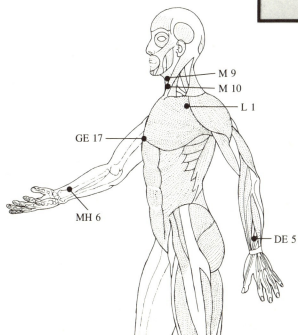

Aku-Punkte	Traditionelle Assoziationen
Lunge 1	Kummer, Festhalten von Emotionen, Schweregefühl in der Brust, Atembeschwerden
Gefäß der Empfängnis 17	Zentralpunkt, an dem sich Herz-, Lungen-, Milz-, Leber-, Nieren- und Dreifacher Erwärmer-Meridian überschneiden; Angst, Störung des emotionalen Gleichgewichts
Dreifacher Erwärmer 5	Kopfschmerzen, Verspannungen, Brustschmerzen, Depression
Meister des Herzens 6	Kopfschmerzen, Schwindelgefühl, Wahnsinn, Störung des emotionalen Gleichgewichts
Magen 9, 10	Schilddrüse, Ausdrucksvermögen

Heilwirkung für/bei: Herz, Verspannungen in der Brust, Stauungen in der Brust, innere Haltlosigkeit, Kummer, Selbstzweifel, gestaute Wut, Mutlosigkeit, Störungen des emotionalen Gleichgewichts

Erkältungskrankheiten

Drei Faktoren spielen bei Erkältungskrankheiten eine besondere Rolle: Jahreszeitenwechsel, unterdrückte Gefühle und Eßgewohnheiten. Wir werden sie im einzelnen ansprechen.

Der Wechsel der Jahreszeiten

Die Chinesen haben jahrhundertelang den Wandel der Jahreszeiten beobachtet und besonders darauf geachtet, den Wetterveränderungen in Kleidung und Eßgewohnheiten zu entsprechen, was auch die beste Vorbeugung gegen Erkältungskrankheiten ist. Erkältungen zeigen, daß wir mit den Jahreszeiten nicht übereinstimmen. Geschwächte Abwehrkräfte (siehe dazu auch S. 127) verhindern, daß wir uns den äußerlichen

Veränderungen anpassen können. Wir erkälten uns leichter in den Übergangszeiten, wenn unsere Abwehrkräfte aus irgendeinem Grund nicht auf der Höhe sind.

»Veränderung beeinflußt den Körper. Deswegen kann sie Krankheit mit sich bringen... Die lästigen Winde bringen Verkühlung und damit Krankheit unter die Lungen... Speichel und Schleim bilden sich. Bösartige Winde lösen Kälteschauer aus. – All dies führt zu der Krankheit der lästigen Winde.«[26]

Unterdrückte Gefühle

Erkältungen können weiterhin ein Ventil für unterdrückte Gefühle sein. Der Körper strebt von sich aus stets auf einen Zustand des Gleichgewichts hin. Wir erschweren ihm seine Arbeit, wenn wir unseren Gefühlen nicht Ausdruck verleihen, weil sie sich dann in Form physischer Beschwerden Luft verschaffen und den Körper dementsprechend belasten müssen. Es ist keineswegs ungewöhnlich, wenn wir ein Gefühl, das uns belastet, weil wir ihm den Ausdruck versagen, auf indirektem Wege über eine Erkältung loszuwerden versuchen: Wir schlucken die Tränen herunter, daß sie sich verwandeln und in Form von Schleim herauskommen müssen. Wenn die Erkältung durch unterdrückte Gefühle ausgelöst wurde, will sie uns sagen, daß wir unser Lebenstempo herunterschalten sollten, um dem Körper die Gelegenheit zu geben, sich selbst zu reinigen und sein Gleichgewicht zurückzugewinnen.

Überlegungen zum Speiseplan

Erkältungen können auch eine Selbstreinigung des Körpers anzeigen, er scheidet Schleim und Giftstoffe aus, die sich in Folge falscher Eßgewohnheiten angesammelt haben. Wer häufig aus der Dose ißt, viel weißes Mehl, weißen Zucker und Kochsalz gebraucht, kann gar nicht verhindern, daß sich mehr und mehr Gift in ihm staut. Streichen Sie die Dosen vom Speisezettel und stellen Sie sich auf eine gesunde, frische Kost um, beginnt der Körper sofort, sich selbst zu reinigen. Die unvermeidbare Erkältung ist dann eigentlich ein Zeichen der Gesundung. Sie ist *regenerierend*, nicht *degenerativ*, eine gesunde Krise, in deren Verlauf der Körper viel Dreck abstößt. Haben Sie Ihren Körper einmal gründlich gereinigt, müssen Sie Ihren Speiseplan in der Folgezeit so aufbauen, daß ein Gleichgewicht zwischen yin- und yang-haltigen Speisen gewahrt bleibt, sonst war die Mühe umsonst. Die Yin- und Yang-Eigenheiten der Nahrung erklären, was bezüglich der Wechselwirkung von Essen und Krankheit andernfalls unverständlich bleiben müßte. Dazu die folgende kleine Geschichte:

Ich bekam früher eine Erkältung nach der anderen. Ich konnte es einfach nicht begreifen, weil ich doch so viel für meine Gesundheit tat: Ich war in einer intensiven Yoga- und Meditationsschulung und bemühte mich selbstverständlich darum, vernünftig zu essen. Ich aß brav eine Menge Apfelsinen, um möglichst viel Vitamin C zu mir zu nehmen. Natürlich war die Schulung eine gewisse Belastung, aber sie konnte nicht erklären, warum sich ausgerechnet eine so gesundheitsbewußte Person wie ich so häufig erkältet. Ein wenig seltsam kam mir vor, daß meine Akupressurlehrer mich ohne Angst vor Ansteckung behandelten und mich ebenso unbedenklich babysitten ließen. Warum waren sie so wenig daran interessiert, sich vor meinen Bazillen zu schützen? Auch das kalte Wetter störte sie nicht. Es konnte regnen und stürmen wie es wollte, sie holten sich keinen Schnupfen. Wieso? Was machten sie anders als meine anderen Freunde, die im Winter dauernd erkältet waren wie ich selbst?

Die ersten Hinweise bekam ich, als ich beim Babysitten neugierig in ihrem Kühlschrank stöberte. Sie aßen wirklich gut: kräftige Hausmachersuppen, selbstgebackenes Brot, viel Gemüse, brauner Reis, zu Knabbern und zu Naschen gab es hingegen fast nichts.

Trotz dieser Beobachtungen, hatte ich wohl noch nicht verstanden. Es vergingen Wochen, bevor ich für neue Ideen aufnahmebereit war, bis ich nämlich akzeptiert hatte, daß ich meine Lebensgewohnheiten ändern mußte, wenn ich Erkältungen und Grippen wirksam vorbeugen wollte. Nach dieser Einsicht bat ich einen meiner Lehrer um praktische Hinweise.

Er sagte in etwa folgendes: »Mäßigung ist das Grundprinzip. Der Körper wehrt sich gegen jedes Übermaß. Seine Maxime heißt Gleichgewicht. Du sonderst sehr viel Schleim ab; der ist Yin. Wahrscheinlich ist dein Speisezettel yin-lastig, das heißt du ißt zu viele Früchte, Süßspeisen, Eiscreme und trinkst zu viel Fruchtsaft (der Saft tropischer Früchte ist besonders yin-haltig). Natürlich greifst du bei den Sachen zu, die du am liebsten ißt. Aber selbst die gesündeste Kost wird zum Gift, wenn man zu viel davon genießt. Denke immer daran, ausgewogen zu essen. Der Grundsatz vom Gleichgewicht gilt auch für das Essen. Achte auf den Yin- und Yang-Anteil deiner täglichen Nahrung. Überleg dir, wieviel du von deinen Lieblingsspeisen verzehrst. Du kannst deinen Zustand am wirkungsvollsten ausgleichen, wenn du ganz bewußt weniger von dem genießt, was du sonst am meisten ißt.«

Ich dachte kurz nach: Was esse ich am meisten? Ja, richtig: Früchte, vier bis acht Stück am Tag. Aber Früchte sollen doch gut sein. Moment, es ging hier ja nicht um gut oder schlecht, sondern um Ausgewogenheit. Ich schränkte daraufhin meinen Obstkonsum auf eine Frucht pro Tag ein.

Trotzdem glaubte ich noch nicht, daß mich dieser Schritt vor weiteren Erkältungen schützen würde. Deswegen fragte ich meinen Lehrer, was ich an Stelle der vielen Früchte essen sollte.

»Die alte, östliche Ernährungslehre hält Keime, frisches Gemüse und ganze Körner für die ausgeglichenste Kost. Im übrigen wird es einige Zeit dauern, bis sich dein Körper darauf umgestellt hat. Du wirst immer noch Schleim ausstoßen, aber vielleicht nicht mehr so viel und so heftig wie bisher. Hast du dann ein Jahr lang ausgewogen gegessen, wirst du dich mit Sicherheit nicht mehr so oft erkälten. In der Zwischenzeit mußt du noch lernen, deinen Speiseplan auf die Jahreszeiten einzustellen.«[27]

Ich habe mich an diesen Rat gehalten, zuerst nur probeweise. Das war vor vier Jahren. Ich kann jetzt sagen, daß es funktioniert. Eine derartige Diät beschleunigt nicht nur den Auswurf von Schleim und Giften, sondern kräftigt überdies die Abwehrkräfte. Sie schützt wirkungsvoll vor Erkältungen.

Die Entwicklungsstadien einer Erkältung

Eine Erkältung durchläuft viele Entwicklungsphasen. Die Chinesen haben beobachtet, daß diese Phasen Yin oder Yang sind: Yin-Symptome schlagen in Yang-Symptome um, die wiederum leiten in Yin-Symptome über und so weiter. Häufig erkälten wir uns, wenn wir überarbeitet oder anderweitig überlastet sind (Yang-Zustand). Der Körper ist für Infektionen anfällig, weil er nur schwache Abwehrkräfte hat. Ihm fehlt der Schutzschild. Er verkühlt sich (Yin-Zustand). Verkühlung (Yin) schlägt in Hitze (Yang) um, wenn der Körper zum Selbstschutz Fieber erzeugt. Darauf folgen Schweißausbrüche mit Kälteschauern, die den Körper wieder abkühlen sollen. Die nächsten Symptome sind: Verstopfung der Nebenhöhlen, Kopfschmerzen, starker Schnupfen und eine belegte Brust (nachdem sich der Nasenschleim in der Lunge festgesetzt hat), Husten (der den Schleim ausscheiden soll), Halsentzündung (vom Husten ausgelöst) und verstärkter Schleimauswurf. Selbstverständlich treten die Erkältungssymptome nicht immer in dieser klassischen Reihenfolge auf. Das Schema verdeutlicht jedoch, wie Yin- in Yang-Symptome umschlagen und umgekehrt Yang-Symptome einem Yin-Zustand weichen. Der Körper versucht, mit Hilfe der Erkältung sein Gleichgewicht zurückzugewinnen.

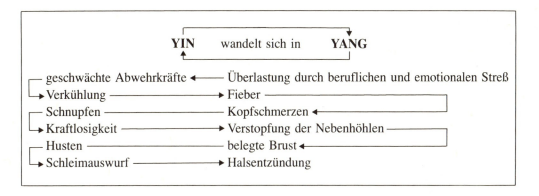

Bedenken Sie auch, daß die Erkältung einen Exzeß bereinigen soll. *Essen Sie nicht,* wenn Sie nicht wirklich hungrig sind! Gönnen Sie dem Verdauungssystem eine Verschnaufpause und sich selbst möglichst viel Ruhe, so daß der Körper seine Energien auf den »Hausputz« konzentrieren kann, der gerade stattfindet.

Einmal fragte der Gelbe Kaiser seinen Minister, den weisen Ch'i Po, warum man Erkältungen manchmal nur schwer überwindet. Hier die Antwort:

> »Es können sich Krankheitsrückstände im Körper einnisten, wenn man den Patienten dazu ermuntert, zuviel zu essen, wenn er noch hohes Fieber hat. Die Krankheit hat sich zwar zurückgezogen, die Hitze (das Fieber) bleibt aber im Körper, weil die Nahrungsenergien sich gegenseitig angreifen. Zwei Hitzeelemente prallen aufeinander, infolgedessen bleibt auch das Fieber... Ißt der Patient Fleisch, sobald die Körperhitze nur ein wenig nachgelassen hat, erfolgt ein Rückfall; wenn der Patient viel ißt, bleibt eine Spur der Krankheit im Körper.«[28]

Das »halbe Rad« ist gegen Erkältungen gut. Üben Sie es im Krankheitsfall jedoch nur sanft und behutsam. Es ist vor allem zur Vorbeugung geeignet, weil es Giftstaus und Energiesperren auflöst. Allerdings dürfen Sie es nicht üben, wenn Sie schwanger sind. Es stimuliert kräftig den vierten Reizpunkt des Dickdarmmeridians (DI 4), was Uteruskontraktionen bewirken kann.

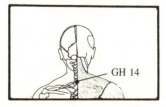

Das halbe Rad

1. Sie liegen auf dem Rücken, die Fußsohlen flach auf dem Boden, die Fersen nahe beim Gesäß.
2. Machen Sie die Hände hohl und führen Sie sie unter den Nacken. Die Handrücken liegen aneinander, die Knöchel des kleinen Fingers pressen in die Schädelbasis.
3. Spreizen Sie nun Daumen und Zeigefinger möglichst weit auseinander, um den Druck auf den Hoku (DI 4) zu erhöhen.
4. Während Sie einatmen, heben Sie das Gesäß vom Boden und wölben das Becken nach oben. Dann atmen Sie tief durch den Hara.
5. Üben Sie dies etwa eine Minute lang.
6. Beim Ausatmen senken Sie das Becken. Hüllen Sie sich in eine Decke und entspannen Sie vollkommen.

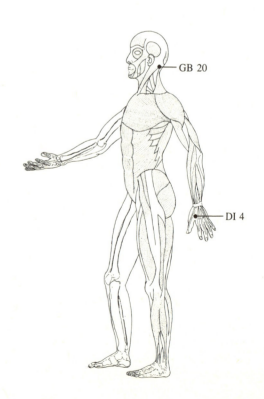

Aku-Punkte	Traditionelle Assoziationen
Gefäß des Herrschers 14	Erkältungen, Grippe, Fieber, Erbrechen, Halsbeschwerden, Husten, Spasmen (bei Kindern)
Gallenblase 20	Kopfschmerzen, Erkältungen, Grippe, Fieber, Husten, Augenbeschwerden
Dickdarm 4	Verstopfung, Stirnkopfschmerzen, Beschwerden in den Nebenhöhlen, Erkältungen, Grippe, Husten, Halsentzündungen, Menstruationsbeschwerden

Heilwirkung für/bei: Migränekopfschmerzen, menstruationsbedingte Verspannung, Gesichts- und Augenkrankheiten, Schulterverspannungen, Stirnkopfschmerzen, allgemeine Verspanntheit, Nervenleiden, geistige Erschöpfung, Verstopfung, sexuelle Hemmungen

Erschöpfungszustände

Die unterschiedlichsten Faktoren können allgemeine Erschöpfung herbeiführen: körperliche Mängelzustände und Exzesse, Eßgewohnheiten, seelische Belastungen, eine Lebenshaltung der Perspektivelosigkeit und geistigen Stagnation. Tun Sie etwas, wenn Sie permanent erschöpft sind. Arbeiten Sie auf den verschiedenen Daseinsebenen an sich, damit Ihre Kräfte nicht noch weiter erschlaffen. Sie können sich von altem Ballast befreien, daß Sie schnell vitaler werden und bleiben.

Körperliche Mängelzustände

Sie müssen sich kraftlos und erschöpft fühlen, wenn Sie (1) nicht genügend frische Luft bekommen und nicht voll durchatmen, wenn (2) die Punkte und Meridiane nicht genügend Ki-Energie haben und (3) das Blut nicht alle Stellen des Körpers gleichmäßig versorgen kann. Muskelverspannungen kommen meist hinzu. Sie erschweren die Probleme und verketten sie miteinander. Damit bieten sie aber gleichzeitig einen Ansatzpunkt für Veränderungen: Sie können sich aus Ihrer Erschöpftheit befreien, indem Sie die *Muskelverspannungen lösen*.

Atem
Wenn Sie sich bei der Arbeit und in der Freizeit überwiegend in geschlossenen Räumen aufhalten, können Sie gar nicht genügend frische Luft bekommen. Aller Luftverschmutzung zum Trotz sollten Sie am Tag ein paar Mal nach draußen gehen, um von der abgestandenen, trockenen Zimmerluft wegzukommen.
Wichtig ist nicht allein, *was* Sie atmen, sondern auch *wie* Sie atmen. Die Brustmuskeln schnüren die Rippen und damit die Atmung ein, sobald sie verhärtet oder verspannt sind. Wir atmen zu flach. Wir müssen die Spannungen in der Brust lösen, damit die Lungenflügel sich öffnen, voll atmen und das Blut mit Sauerstoff durchtränken können. Die meisten warten damit zu lang, nämlich bis sie zum Gähnen *müde sind*. Das Gähnen ist ein Reflex. Der Körper zwingt uns, lang und tief auszuatmen. Er will die verbrauchte Luft endlich loswerden und neuen Stauerstoff bekommen. Gähnen Sie ein paar Mal, um festzustellen, wie tief oder flach Sie atmen. Ist das Gähnen vielleicht der einzige Moment, in dem Sie tief atmen? Könnten Sie sich nicht immer darum bemühen? Es würde sich lohnen. Wenn Sie tief und gleichmäßig atmen, fühlen Sie sich nicht nur tatkräftiger, Sie entspannen obendrein. Wie wohltuend, diese kräfteraubende Mühle allmählich durch ein harmonisches Gleichgewicht von Tätigkeit und Entspannung zu ersetzen. Vielleicht schauen Sie an diesem Punkt noch einmal in den Abschnitt, der die Tiefenatmung ausführlich behandelt. Sie werden dort nützliche Anregungen finden (siehe S. 33f).

Ki
Die traditionelle chinesische Medizin geht davon aus, daß wir bei der Geburt eine bestimmte Menge von Lebensenergie (Ki) mitbekommen, die vom Gesundheitszustand unserer Eltern und entfernteren Vorfahren abhängt. Es liegt dann an uns, was wir mit dem ererbten Kapital anfangen. Wir können es durch unseren Lebensstil bewahren, vergeuden oder vermehren. Die folgenden Faktoren bestimmen darüber: Eß-, Bewegungs- und Atemgewohnheiten, die Verfassung des Geistes und der Gefühle, Alkohol-, Tabak- und Rauschmittelgenuß, bzw. andere gesundheitsschädigenden Süchte, und schließlich Umwelteinflüsse wie etwa der Lärmpegel und die Qualität der Luft.
Ungesunde Lebensgewohnheiten erschöpfen die Lebensenergie. Es fließt nur unzureichendes Ki durch Punkte und Meridiane, was die Organtätigkeit beeinträchtigt und die Abwehrkräfte schwächt. Andererseits zwingt uns niemand dazu, unseren Körper zu zerrütten. Wir können im Gegenteil die Energiereserven aufbauen, die Organe kräftigen, das Immunsystem stärken. Gesunde Ernährung, regelmäßiges Üben, Tiefenatmung, Akupressur, Aku-Yoga, Aikido, T'ai Chi Chuan, und was es sonst dergleichen noch geben mag, helfen uns dabei.

Kreislauf
Kreislaufschwäche führt zur Unterversorgung der Zellen und Gewebe. Die Nährstoffe können nicht alle Stellen erreichen, die Stoffwechselabfälle nicht weggespült werden. Auf der Zellebene kommt das Leben ins Stocken. Die Gewebe ziehen sich zusammen. Blut und Ki-Energie sind behindert, der Atem gehemmt: Ein Panzer hat sich um Körper und Seele gelegt. Welche Befreiung, wenn wir ihn endlich aufbrechen!

Exzesse

Exzesse und mangelnde Versorgung bewirken Energiemängel. Nervliche Anspannung treibt den, der sich selbst zu hart antreibt, über die Grenzen seiner Belastbarkeit in den Zusammenbruch, das heißt die völlige Erschöpfung seiner Energien. Wir haben Grenzen. Wir können nur soviel von uns verlangen, wie wir zu leisten vermögen. Jeder muß lernen, wieviel er sich zumuten kann, weil die Grenzen der Belastbarkeit bei jedem anders liegen. Beobachten Sie sich deswegen selbst, damit Sie entdecken, was für Sie die optimale Verteilung von Tätigkeit und Ruhe ist.

Die chinesischen Ärzte konnten zwischen Überlastungen und Meridianen bestimmte Zusammenhänge erkennen. Jede Tätigkeit greift hauptsächlich einen Meridian an, wenn sie das individuell tolerierbare Maß überschreitet:

- Wenn Sie zu lange stehen, überfordern Sie den Nierenmeridian.
- Wenn Sie zuviel sitzen, schädigen Sie den Milzmeridian.
- Wenn Sie zu lange liegen, ersticken Sie den Lungenmeridian.
- Wenn Sie zuviel schauen, belasten Sie den Herzmeridian.
- Wenn Sie sich ganz allgemein zu sehr anstrengen, entleeren Sie den Lebermeridian.

Fassen Sie diese Liste als eine Anregung zur Therapie auf. Beachten und bearbeiten Sie insbesonders jene Punkte und Meridiane, die Sie durch die Ausübung Ihres Berufes zwangsläufig überfordern müssen. Sie können sich wirksam gegen Ermüdung und Erschöpfung schützen, wenn Sie die Belastung ausgleichen.

Hilfen zur Auffrischung erschöpfter Energien

Fußmassage

Mit einer Fußmassage können Sie Ihre Müdigkeit abschütteln und Energie auftanken. Ziehen Sie dazu Schuhe und Socken aus. Massieren Sie kraftvoll an beiden Füßen Gelenke und Spann, danach Sohle und Zehen. Sie werden nicht nur fühlen, wie gut dies tut, sondern darüber hinaus begreifen, warum, wenn Sie sich erinnern, daß die Hälfte aller Organmeridiane durch die Füße verlaufen.

Übergehen Sie bei der Fußmassage niemals den ersten Punkt des Nierenmeridians (N 1) in der Mitte der Fußsohle am unteren Rand des Fußballens. Die Chinesen nennen ihn »Frühlingsquell«, weil er für den ganzen Körper eine Quelle der Energie ist und uns schnell aus einer Ermüdung herausreißen kann.

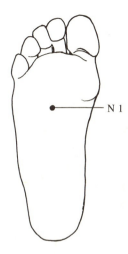

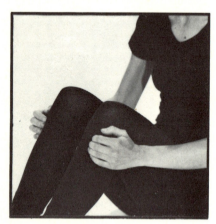

Die Rückenschaukel I

Leichtes Hin- und Herschaukeln auf der Wirbelsäule nimmt ebenfalls die Müdigkeit von uns. Es massiert die ganze Wirbelsäule, die Rückenmuskeln und alle Akupressurpunkte, die entlang der Wirbelsäule verlaufen. Die »Rückenschaukel« kommt dem ganzen Körper zugute, weil die Nervenzweige des Rückgrats und die Reizpunkte entlang des Rückgrats mit allen inneren Organen in Verbindung stehen.

Als zweites lockert die »Rückenschaukel« Verspannungen im Hals und in den Schultern, die uns ebenfalls müde machen. Schaukeln Sie bis zu Schultern und Genick, um die entsprechenden Punkte und Muskeln zu stimulieren.

Drittens legen Sie zur Ausführung der »Rückenschaukel« die Hände auf einen wichtigen Reizpunkt (M 36). Die chinesische Medizin mißt ihm große Heilkraft bei, er vermehrt die Energiezufuhr zu den Muskeln. Will man den ganzen Körper beleben, stimuliert man gewöhnlich als erstes M 36, den »Sanri«, was soviel wie »noch drei Meilen« bedeutet. Der Name veranschaulicht seine Wirkung: Der »Sanri« schenkt Ausdauer. Selbst ermüdet, können wir »noch drei Meilen« gehen, wenn wir durch den »Sanri« neue Kräfte wecken. Dieser Punkt kann Ihnen beim Sport oder auf einer langen Wanderung viel nützen. Er liegt auf der Außenseite der Unterschenkel, gerade unter dem Knie. Sie finden ihn, indem Sie auf einem Stuhl sitzen, so daß Ober- und Unterschenkel einen 90°-Winkel bilden, und die linke Handfläche über die linke Kniescheibe wölben, wobei Sie die Finger leicht spreizen. Die Kuppe des linken Ringfingers wird dann genau den »Sanri« treffen. Pressen Sie sanft hinein.

Zusammen mit der Anregung der verschiedenen Rücken-, Genick- und Schulterpunkte macht das Pressen des »Sanri« die »Rückenschaukel« zu einer wirkungsvollen Übung, die den Körper verjüngen kann.

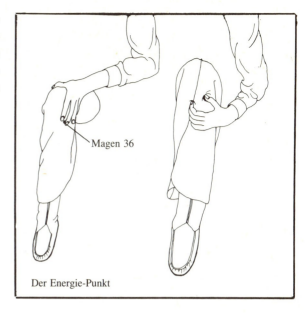

Magen 36

Der Energie-Punkt

Überlegungen zum Speiseplan

Was Sie essen, beeinflußt Ihren Energiehaushalt. Nährstoffarme Kost verweigert dem Körper all jene Bausteine (Proteine, Kohlehydrate, Fette, Mineralien, Vitamine und Faserstoffe), die er zu seiner Funktion benötigt. Sie ermüdet ihn. Seien Sie deswegen nicht über Müdigkeit und Erschöpfung überrascht, wenn Sie statt nährstoffreicher Speisen Dinge essen, die Ihrer Gesundheit schaden. Zu diesen gesundheitsschädlichen Substanzen zählen auch Salz und Zucker. Viele nehmen zuviel davon. Konservierte Nahrungsmittel zum Beispiel enthalten meistens beide, zumindest aber einen dieser Stoffe. Salz und Zucker zerstören das biochemische Gleichgewicht. Sie machen uns schlaff. Zucker raubt dem Körper die Vitamine und beansprucht überdies die Bauchspeicheldrüse. Salz belastet den Wasserhaushalt des Körpers, wir brauchen mehr Wasser und speichern mehr Wasser in den Geweben. Aufgrund seines Bindeeffekts verhärtet Salz die Muskeln.

Was sollten wir anderes als müde sein, wenn wir zuviel und zu fett essen! Schwere Speisen bedeuten Schwerarbeit für Magen und Darm. Es kostet viel Kraft, die verschlungenen Essensberge zu verdauen. Diese Kraft fehlt den übrigen Organen. Sind aber die Organe müde, sind wir es auch. Wenn der Körper zu wenig Vitamine, Mineralien, Proteine und so weiter bekommt, sind wir ebenfalls erschöpft. Einzig die natürliche, leicht verdauliche Kost schafft Abhilfe: Sie kräftigt die Organe, ohne sie zu belasten (vgl. S. 227 ff).

Seelische Faktoren

Energielosigkeit kann auch ein Indiz für seelische Unausgeglichenheit sein. Wenn Sie Ihre Gefühle unterdrücken, verspannen Sie zum einen Ihre Muskeln und bringen sich außerdem um wertvolle Erfahrungen in Ihrem Leben.

Eine Möglichkeit, diesen »seelischen Block« abzubauen, besteht in der Visualisierung, das heißt in der Öffnung des Geistes und der Vorstellungskraft. Viele Menschen gehen jedoch ihren Gefühlen aus dem Weg und machen damit ihr Leben stumpfsinnig und fade.

Sie können dieser Langeweile entkommen, wenn Sie damit beginnen, Ihre Phantasie einzusetzen und neue Dinge auszuprobieren. So öffnen Sie sich einem ganz neuen Lebensgefühl und schöpfen daraus frische Kraft und Vitalität. Sie werden plötzlich von wirklichen Gefühlen berührt und fragen sich, was Sie im Leben tatsächlich wollen und welche Bedürfnisse Sie haben. Sie erfahren daraus eine neue Qualität von Wirklichkeit. Sie »erfüllen sich Ihren Traum«.

Im Yoga ordnet man die Fähigkeit der schöpferischen Vorstellung dem sechsten Chakra zu. Gegen Energielosigkeit helfen deswegen auch die beiden Visualisierungsübungen, die wir bei der Besprechung der Chakras übermittelt haben (vgl. S. 76 und 77). Üben Sie sie, wenn Sie Schlaffheit überwinden und Ihre schöpferischen Möglichkeiten entfalten wollen.

Der geistige Faktor

Der Geist ist mächtiger, als man uns gemeinhin glauben macht. Er ist so mächtig, daß er unser Leben gestaltet. Was wir wahrnehmen, was wir projizieren und uns vorstellen, bestimmt weitgehend unsere Begegnungen und Erfahrungen. Die Gedanken erschaffen die Wirklichkeit in dem Sinn, daß sie festlegen, *wie* wir die Wirklichkeit wahrnehmen.

Betrachten wir als Beispiel einmal, wie der Geist uns Müdigkeit vorspiegelt. Es ist früh am Morgen. Wir sind gerade aufgewacht und fühlen uns ausgeschlafen. Dann schauen wir auf den Wecker und sehen, daß wir statt unserer gewohnten acht nur sieben Stunden Schlaf bekommen haben. Plötzlich fühlen wir uns wieder seltsam müde. Müdigkeit kann auch eine Reaktion darauf sein, daß wir etwas nicht tun wollen. Das folgende Zitat veranschaulicht andere Fälle geistig bedingter Müdigkeit:

> »Müdigkeit hat drei Ursachen: Energieverlust, der primäre Grund, daneben eine ungesunde Geschäftigkeit des Geistes und natürlich körperliche Anstrengung. Im allgemeinen machen wir die körperliche Anstrengung für unsere Müdigkeit verantwortlich. Dabei übersehen wir ganz, daß geistige Geschäftigkeit uns ebenfalls alle Kräfte rauben kann.
>
> Besonders müde machen Sorgen, Kummer, Angst, nervöse Unsicherheit und Schmerz. Es gibt aber noch einen Geistesfaktor, der zwar weniger auffällig, aber keineswegs weniger ermüdend ist, nämlich der Gedanke, müde zu sein. Von hundert Leuten, die über Erschöpftheit klagen, werden neunzig allein deshalb erschöpft sein, weil sie sich dafür halten. Der Gedanke »Ich-bin-erschöpft« braucht als Stütze unbedingt das Gefühl tatsächlicher Erschöpfung, sonst ist er nicht glaubwürdig. Dieser eine Gedanke erzeugt tausend andere Gedanken, die die Gründe für die Erschöpfung darlegen. Wir sind erschöpft, weil schon allein die Anwesenheit anderer Menschen oder einer bestimmten Person angeblich viel Kraft kostet; weil irgendeine Handlung ungeheuer anstrengend war; weil die alltäglichen Pflichten uns auslaugen; weil die Arbeit uns abnutzt; weil wir singen,

wie wir singen; reden, wie wir reden und so weiter. Natürlich erfahren wir dann, was unsere Gedanken uns zu erfahren vorgeben.«[29]

Die anschließende Übung hilft gegen Erschöpfung. Sie löst die Verspannungen in den Schultern. Sie wird im allgemeinen im Stehen geübt, kann von Geübteren aber auch in der Rückenlage auf dem Boden ausgeführt werden.

Den Himmel auf Händen tragen

a

1. Sie stehen gerade aufgerichtet, die Beine ein wenig gespreizt, die Arme zu den Seiten. Die Augen bleiben während der gesamten Übung geöffnet.
2. Während Sie einatmen, heben Sie die Arme an den Seiten. Die Handflächen zeigen zuerst nach oben, wenn sie über dem Kopf angelangt sind nach unten.
3. Sie falten die Hände. Dann drehen Sie sie. Die Handflächen sind nun himmelwärts gerichtet. – Atmen Sie noch tiefer ein und strecken Sie sich noch mehr, wobei Sie von unten auf die Handrücken schauen.
4. Während Sie ausatmen, lassen Sie das Kinn langsam zur Brust, die Arme an den Seiten herabsinken.
5. Wiederholen Sie die Bewegung noch fünf Mal.

b

c

d

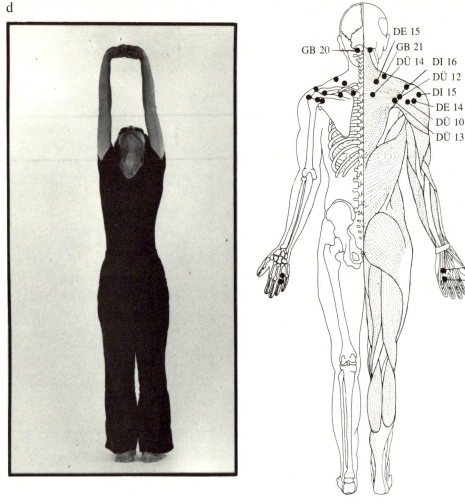

Den Himmel auf Händen tragen (im Liegen)

1. Sie knien auf dem Boden. Spreizen Sie die Unterschenkel, daß Sie dazwischen mit dem Gesäß die Erde berühren.
2. Stützen Sie sich auf die Ellbogen. Sie lehnen sich immer mehr zurück, bis Schultern und Hinterkopf auf dem Boden aufliegen. Die Arme sind neben Ihnen.
3. Sie falten die Hände auf dem Bauch.
4. Während Sie einatmen, kehren Sie die Handflächen nach außen und führen die Arme über das Gesicht hinter dem Kopf zum Boden. Strecken Sie die Arme so weit wie möglich.
5. Während Sie ausatmen, lassen Sie die Arme langsam zum Bauch zurückkommen.

6. Wiederholen Sie die Übung noch fünf Mal.

7. Bleiben Sie zur Entspannung mit ausgestreckten Beinen auf dem Rücken liegen, die Arme neben sich. Spüren Sie die Energie, die die Übung in Ihnen freigesetzt hat.

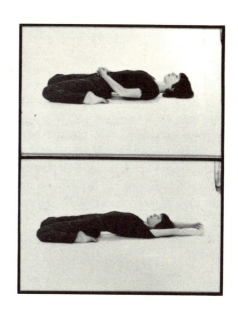

Aku-Punkte	Traditionelle Assoziationen
Gallenblase 20, 21	Armschmerzen, Schulterschmerzen, Unfähigkeit, die Hände zum Kopf zu führen, Rheuma
Dickdarm 15, 16	Schulterknochen, Nervenschmerzen in den Armen
Dreifacher Erwärmer 2, 3	Hände oder Arme rot oder geschwollen, steife Finger, Schmerzen im Unterarm und Ellbogen
Dreifacher Erwärmer 14, 15	Schulterschmerzen, Armschmerzen, Schultern und Arme können sich nicht frei bewegen
Dünndarm 10, 12–14	allgemeine Erschöpftheit, Muskelschmerzen und -schwächen in Schultern und Schulterblatt

Heilwirkung für/bei: Erschöpfungszustände, Bluthochdruck, Verspannungen in Schultern und Hals, Rheuma, Armschmerzen, Kreislaufbeschwerden, suchtartiges Verlangen, Schwäche, Energielosigkeit

Frustration

Alles geht seinen Gang, folgt seinem Rhythmus. Jede Blume, jeder Baum wächst, wie seine Anlagen ihm zu wachsen vorgeben. Alle Dinge und Wesen entfalten sich mit der ihnen eigenen Geschwindigkeit. Wir Menschen sind da keine Ausnahme. Jeder entwickelt und verändert sich entsprechend seinem individuellen Gesetz.
Wir müssen dieses individuelle Gesetz entziffern, sonst reiben wir uns auf, weil wir uns selbst nicht kennen. Wir erleben dann viele Enttäuschungen, sind häufig frustriert. Frustrationen zeigen, daß wir weder unsere Gefühle und Bedürfnisse anerkennen, noch unserem eigentlichen Gesetz folgen. Statt dessen sperren wir uns gegen das Geschehen und gegen uns selbst. Wenn wir Enttäuschungen und Frustration aber als einen Aspekt der ganzen Wahrheit unseres Lebens akzeptieren, haben wir schon begonnen, sie zu überwinden.

Der Lauf der Natur

Das Universum ist Wandel, ist Veränderung. Denken Sie daran, wenn Sie das nächste Mal in einem Tief stecken. Betrachten Sie die Situation unter dem Gesichtspunkt, daß sich alles unaufhörlich wandelt, also auch Ihre momentane Beschränkung. Sobald Sie sich den Lebensprozessen der Welt wirklich verbunden fühlen, werden Sie die Wahrheit des Gesetzes der Wandlung kennen und nicht mehr in Enttäuschungen hängenbleiben.
Als einen ersten Schritt zu mehr Lebensvertrauen sollten Sie von nun an als gegeben ansehen, daß alle Dinge irgendwie zusammenhängen und sich stets verändern. Enttäuschungen und Frustration können die Bewußtheit schmälern und das Vertrauen in eine natürliche Wandlung verdunkeln. Da sie alle Aufmerksamkeit auf sich ziehen, verzerren sie die Wahrnehmung. Doch wenn es Tiefpunkte gibt, muß es auch wieder aufwärts gehen. Das Leben besteht aus zyklischen Auf- und Abwärtsbewegungen. Es bleibt niemals stehen.

Die Kunst, mit Hindernissen umzugehen

Oft sehen wir Situationen oder Aspekte unseres Lebens als Hindernisse an und sind frustriert. Ein Hindernis ist aber meist nur *ein* Aspekt des Lebens und stellt eine Herausforderung dar, an der wir wachsen und reifen können. Wenn Sie das nächstemal frustriert sind, sehen Sie Ihre Lage als unvoreingenommener Beobachter. Gibt es überhaupt ein Hindernis? Prüfen Sie genau, was es für Sie bedeutet und in welcher Weise eigene Projektionen das Hindernis erzeugen (»Ich kann nicht«, »Ich will nicht«, »Ich bin nicht gut, klug, begabt oder reich genug« usw.).
Begreifen Sie das Hindernis als einen von vielen möglichen Aspekten Ihres Lebens. Um all diese wahrzunehmen, dürfen Sie nicht wie gebannt nur auf das Hindernis starren. Wenn Sie etwas »loslassen«, eröffnen sich Ihnen neue Möglichkeiten.
Unter Umständen ist es am besten, das Hindernis für eine Weile zu akzeptieren und nichts dagegen zu tun. Bei anderer Gelegenheit müssen Sie das Hindernis unbedingt angehen. Ihre Intuition wird Ihnen sagen, was jeweils richtig ist.

Typische Muskelverspannungen

Frustration schlägt sich im Körper in Form von Muskelverspannungen nieder, vor allem in Schultern, Hals, Solarplexus und Hüften.
Atmen Sie tief durch den Bauch ein und aus. Nehmen Sie wahr, *wie* Sie atmen. Fühlen Sie die Bewegungen, die der Atem im Körper auslöst: Die Luft strömt durch Nase, Kehle und Brust in den Bauch. Bauch und Brust weiten sich beim Einatmen. Beim Ausatmen fallen sie ein. Wenn Sie nicht mehr über Gefühle und Enttäuschungen nachgrübeln, sondern bewußt dem Atem durch Ihren Körper folgen, können Sie leicht alle Phänomene als das beobachten und annehmen, was sie ihrem Wesen nach sind.

Verspannungen in den *Schultern* verkörpern Steifheit, Verunsicherung und Angst vor dem Neuen.
Verspannungen im *Solarplexus* deuten auf eine Hemmung der persönlichen Ausstrahlungskraft. Man hat Angst vor sich selbst, getraut sich nicht, der zu sein, der man eigentlich ist. Man erkennt die eigene Kraft nicht an, so daß man sie auch nicht einsetzt. Die Lebensenergie ist unterdrückt.
Genickversteifung und *Halsverspannungen* repräsentieren gestaute Wut. Wir haben die Enttäuschungen einfach wie »Nackenschläge« hingenommen, anstatt uns zu wehren. Wir haben die Wut unterdrückt, den Zorn in uns hineingefressen und durch den Hals gewürgt. Wir haben nicht gesagt, was wir sagen wollten.
Verspannungen in den *Hüften* haben mit sexueller Frustration zu tun. Man hat den Kindern verboten, sich »da unten« anzufassen. Viele erwachsene Menschen legen oft instinktiv die Handflächen auf die Reizpunkte in der Hüftgegend. Dies ist eine Geste der Frustration. Man sieht daran, daß die sexuelle Frustration sich als Muskelverspannung zu den Hüften verlagert hat.

Frustration und Enttäuschung bedeuten ein langsames Absterben, ein Sich-Sperren gegen den Strom des Lebens. Vertrauen wir uns im Gegensatz dazu einer harmonischen Entwicklung an, werden wir uns in unserer Haut wohlfühlen. Bewegung ist das Bindeglied. Sie führt aus der Frustration zum Wohlbefinden, weil sich in ihr das Leben selbst zeigt. Weil Bewegung Leben ist, kann sie Enttäuschungen und Hemmungen überwinden helfen. »Bewegung ist Leben, Stillstand ist Tod. Bewegung vermittelt, was dem Leben Bedeutung gibt, Stillstand ist der Herold des Todes.«[30] Die anschließenden Übungen lösen insbesondere die Verspannungen und Frustrationen, die sich um die Hüften gestaut haben.

Hüftwende

1. Sie liegen auf dem Rücken.
2. Verschränken Sie die Finger unter dem Nacken.
3. Beim Einatmen ziehen Sie das linke Bein an.
4. Während Sie ausatmen, rollen Sie sich auf die rechte Hüfte, wobei Sie aus den Tiefen Ihrer Seele »Ahhh« seufzen.
5. Beim Einatmen lassen Sie sich auf den Rücken zurückrollen.
6. Rollen Sie etwa zwei Minuten lang nach links und rechts. Sie entspannen zum Abschluß auf dem Rücken.

Aku-Punkte	**Traditionelle Assoziationen**
Gallenblase 30	Frustration, Hüftbeschwerden
Gallenblase 20	Aggressivität, Streitsucht
Blase 10	ein Reizpunkt, der den ganzen Körper lockert und entspannt
Magen 10	Bluthochdruck

Heilwirkung für/bei: Ischias, Kopfschmerzen, Druckgefühl an der Schädelbasis, steifes Kreuz

Hüftbefreiung

1. Sie liegen auf dem Rücken. Schieben Sie die Hände (oder Fäuste) mit den Handflächen nach unten unter das Gesäß.
2. Winkeln Sie die Knie an. Die Füße sind etwas auseinander.
3. Sie atmen tief ein. Beim Ausatmen kippen Sie die Knie seitwärts zum Boden. Die Fingerknöchel pressen dabei in die Gesäßmuskeln.
4. Während Sie einatmen, führen Sie die Knie in die Ausgangsstellung zurück.

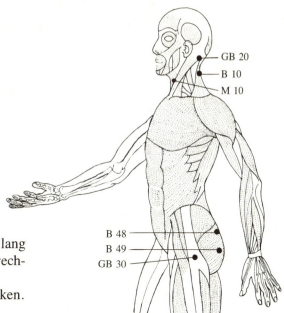

5. Üben Sie dies etwa zwei Minuten lang und kippen Sie dabei die Knie abwechselnd nach beiden Seiten.
6. Entspannen Sie sich auf dem Rücken.

Aku-Punkte	Traditionelle Assoziationen
Blase 48	»Schoß und Geschlecht«, Verstopfung, allgemeines Schweregefühl
Blase 49	Lendenschmerzen, Kreuzschmerzen, Beschwerden beim Harnlassen
Gallenblase 30	Schmerzen in Gesäß und Oberschenkeln, Ischias

Halsverspannungen

Die Chinesen bezeichnen den Hals als »Himmelspfeiler«, weil in einem gesunden und entspannten Menschen der Geist ruhig und von Frieden erfüllt ist. Allerdings ist der Hals auch die erste Zielscheibe für alle Spannungszustände, die den Körper bestürmen. Der Hals verspannt sich als erstes, wenn persönliche, soziale oder arbeitsbedingte Anforderungen zu einer Belastung werden.

Kampf- und Fluchtreflex

Wir haben diesen Reflex von unseren entfernten Vorfahren ererbt, als Streß und Belastung gleichbedeutend waren mit Lebensgefahr. Das Anspannen des Halses diente dem Schutz des Kopfes und der Adern, die ungeschützt an der Kehle liegen. Auch wenn streßauslösende Situationen heute meist keine unmittelbare Lebensgefahr bedeuten, funktioniert der Körper immer noch nach den alten Mustern. Wir reagieren auf körperlichen, seelischen und geistigen Streß, indem wir unbewußt die Halsmuskeln anspannen. Wir bringen zumeist nicht die Gefühle zum Ausdruck, die der Alltag in uns erzeugt. Weil wir sie nicht aus uns herauslassen oder anderweitig freisetzen, führen sie zu entsprechenden seelischen Spannungen. Der Hals muß also nicht nur Stoßdämpfer für den unmittelbaren Streß sein, er muß überdies blockierte und unbearbeitete Gefühle speichern.
Die Verspannungen sammeln sich und werden zum Dauerzustand, weil wir entweder nicht wissen, wie wir sie abbauen können, oder es einfach nicht tun, obwohl wir es wissen. Verspannungen, Schmerzen, Versteifungen, ja selbst eingeklemmte Nerven im Hals sind deswegen keine Seltenheit.
Der Hals kann seine eigentliche Aufgabe nicht voll wahrnehmen, wenn er aus irgendwelchen Gründen überansprucht wird. Er kann den Kopf mit seinen elf bis fünfzehn Pfund Gewicht nicht richtig abstützen. Streß und Anspannung sind für die Halsmuskeln eine zusätzliche Last. Sie schaffen eine ungesunde Situation, in der Verspannungen noch mehr Verspannungen erzeugen müssen.

Hals und Meridiane

Bei Halsverspannungen gilt zu bedenken, daß dort viele Meridiane auf engem Raum zusammenkommen. Halsverspannungen können die Meridianströme leicht miteinander vermischen. Das führt zu Komplikationen wie Genickversteifung, Halsentzündung oder geschwollenen Drüsen.
Die Reizpunkte auf dem Hals heißen »Himmelsfenster«. Wir haben sie am Ende dieses Abschnitts in einer Tabelle aufgeführt. Die »Himmelsfenster« sind klar und offen, solange der Hals kräftig und geschmeidig ist und die Halswirbel in natürlicher Ausrichtung übereinanderliegen. Dann sind auch wir für das Leben offen, das wir als harmonischen Fluß erfahren. Jede Gespanntheit schlägt sofort auf alle Ebenen unseres Daseins durch. Nicht nur im Körper werden Sperren errichtet, sondern wir sperren uns auch gegen Gefühle, Geist und spirituelles Potential. Da der Hals eine Schlüsselstellung innehat und zudem leicht Verspannungen in sich aufnimmt, müssen wir besonders darauf achten, ihn durch Üben so weit wie möglich davon freizuhalten.

Körperlich bedingte Verspannungen

Es gibt Halsverspannungen, die hauptsächlich körperliche Ursachen haben. Harte körperliche Arbeit zum Beispiel kann den Hals überanstrengen. Außerdem verspannen gewisse Tätigkeiten zwangsläufig den Hals, weil man ihn zu ihrer Ausführung für längere Zeit in einer verdrehten Lage halten muß.

Geistig bedingte Verspannungen

Geistige Überanstrengung verspannt den Hals. Wer zu angestrengt nachdenkt und plant, wird dies bestätigen. Nur zu gut kennt er die Verspannung und Ermüdung, die solche Strapazen für den Hals bedeuten. Unsere Kultur betont im allgemeinen den Intellekt auf Kosten des Körpers und der Gefühle. Wir sind deswegen für geistige Verspannungen anfällig, die zu Beschwerden in und am Hals führen.

Seelisch bedingte Verspannungen

Halsverspannung kann auch das Ergebnis emotionaler Belastung sein. Wir verspannen den Körper, wenn wir wütend, verängstigt oder frustriert sind. Der Hals bekommt seinen Teil davon ab. Mit der Zeit wird er ziemlich steif und hart, nicht etwa, weil die Gefühle an sich steif machen, sondern weil wir uns *gegen* die Gefühle versteifen. Wir ziehen die Muskeln unbewußt zusammen, weil wir Frustration und Schmerz aus unserem Leben heraushalten möchten. Leider erreichen wir das Gegenteil damit. Je mehr wir unsere Gefühle unterdrücken, desto größer wird mit dem Muskelpanzer der Schmerz. Als »Nackenschläge« kennzeichnen wir Ereignisse, die uns unsere Ohnmacht vor Augen führen, weil wir ihnen nicht mehr als unsere Wut (zumal die unterdrückte) entgegenzusetzen vermögen. Das Wort unterstreicht den Zusammenhang zwischen Gefühlen und Halsverspannung.

Die Abbildung veranschaulicht die Verbindungen zwischen der Verspannung bestimmter Halspartien, den Meridianen und den Gefühlen.

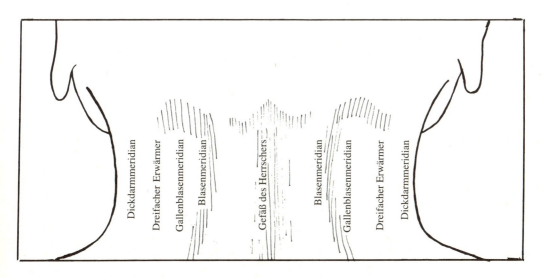

Gefühl	Organmeridian	bei Unterfunktion des Meridians	bei Überfunktion des Meridians
Wut	Leber/Gallenblase	Unentschlossenheit	Gereiztheit
Angst	Blase/Nieren	Zweifel	Tollkühnheit
Trauer	Dickdarm/Lunge	Trauer	Festhalten
Freude	Dreifacher Erwärmer/ Meister des Herzens	Verwirrtheit	Kummer

Ausdrucksfähigkeit

Der Hals ist ein Barometer für unsere Ausdrucksfähigkeit. Alle Menschen haben das Bedürfnis, ihre Gefühle, Gedanken, Hoffnungen und Pläne zum Ausdruck zu bringen. Ausdrucksfähigkeit gehört zum fünften Chakra, das in der Kehlgegend liegt. Gehemmtheit im Ausdruck kann den Hals in Mitleidenschaft ziehen, weil sie Stagnation und Spannung mit sich bringt.

Wir leben mit uns selbst und mit der Welt in Eintracht, wenn wir uns angemessen auszudrücken wissen, wenn wir uns zur rechten Zeit, am rechten Ort und in der rechten Weise Ausdruck verschaffen. Wir werden dann kaum unter Halsverspannungen leiden. Solange wir uns jedoch noch in der Entwicklung befinden und die Kunst erlernen, mit den Wandlungen im Fluß des Lebens übereinzustimmen, werden wir im Hals stets ein bißchen verspannt sein.

Das Wechselspiel zwischen Geist und Körper

Der Hals registriert das Wechselspiel zwischen den Geboten des Geistes und den Bedürfnissen des Körpers. Sobald Körper und Geist widersprüchliche Signale ausgeben, oder die Bedürfnisse des einen zugunsten der Forderungen des anderen vernachlässigt werden, lagert sich im Hals Verspannung ab. Wenn zum Beispiel der Körper müde ist, der Geist jedoch befiehlt zu arbeiten, ist das ein Widerspruch. Oder Ihr Körper will sich betätigen und austoben, Sie aber sagen ihm, »daß er besser nach Hause geht und sich ausruht«. Der Hals wird diese Widersprüche registrieren.

Die Lust oder Unlust zum Liebesakt erzeugt häufig Disharmonien zwischen Körper und Geist. Der Körper ist manchmal zu müde und abgespannt für die Liebe, der Geist hingegen hat große Erwartungen. Umgekehrt ist der Körper vielleicht erregt und möchte schmusen, während der Geist Ihnen aus irgendwelchen Gründen zu verstehen gibt, daß es jetzt nicht geht.

Harmonisches Leben

Der Hals bleibt geschmeidig und beweglich, wenn Körper und Geist übereinstimmen, wenn Arbeit und Freizeit im richtigen Verhältnis stehen, wenn das Leben sich in einem harmonischen Rhythmus vollzieht. »Regelmäßigkeit in Gewohnheit, Tat, Erholung, Essen, Trinken, Sitzen, Gehen, ja überhaupt in allem, schenkt uns den notwendigen Rhythmus zur Vervollkommnung der Musik des Lebens.«[31]

Himmelspfeiler

1. Sie hocken auf den Fersen.
2. Während Sie einatmen, verschränken Sie die Hände hinter dem Nacken. Beim Ausatmen beugen Sie sich vornüber. Sie berühren mit der Kopfspitze den Boden, wobei Sie das Kinn gegen die Brust pressen.
3. Heben Sie das Gesäß und bewegen Sie sich auf der Kopfspitze weiter nach vorn, so daß die Halsmuskeln gestreckt werden. Dabei atmen Sie lang und tief.
4. Sie drehen den Kopf sacht nach beiden Seiten und lehnen sich nach vorn, so daß auch die übrigen Halspartien gestreckt sind. Die schmerzempfindlichen Punkte auf der Schädelkrone werden stimuliert und dadurch chronische Halsverspannungen gelöst.
5. Üben Sie etwa eine Minute in der beschriebenen Weise.
6. Legen Sie sich zur Entspannung einige Minuten auf den Rücken.

Himmelsfenster

1. Sie liegen auf dem Rücken. Falten Sie die Hände hinter dem Nacken.
2. Beim Ausatmen heben Sie mit den Armen den Kopf hoch, wobei die Handballen fest gegen die Halsseiten pressen.
3. Nun atmen Sie tief in den Unterleib. Sie halten die Augen geschlossen und den Kopf in der beschriebenen Position, in der

Sie entspannt etwa eine Minute verweilen.
4. Sie strecken den Nacken noch mehr, indem Sie die Ellbogen zusammenbringen.

5. Während Sie einatmen, lassen Sie den Kopf zum Boden herab. Legen Sie die Arme neben sich, entspannen Sie sich und spüren Sie, wie gut das Ihnen tut.

Aku-Punkte	Traditionelle Assoziationen
Magen 6	Hals ist steif und läßt sich schwer drehen, Gesichtsakne
Gefäß des Herrschers 15, 19, 20	Kopf und Hals sind steif, Kopfschmerzen, Schlaflosigkeit
Blase 6, 7	Schweregefühl im Kopf, Kopfschmerzen unter der Schädeldecke
Blase 8	Rheuma in Hals und Schultern
Gallenblase 12, 20	Hals schmerzt und ist steif

Heilwirkung für/bei: Halsentzündung, Akne, steifer Hals, unregelmäßige Schilddrüsenfunktion, Kongestion oder Kribbeln in der Kehle, Geistesstörungen, Sprechschwierigkeiten, Schmerzen ganz allgemein

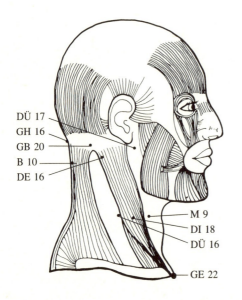
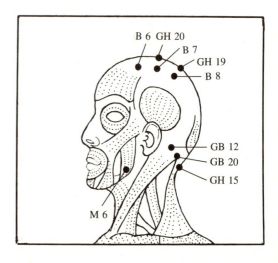

Die Himmelsfenster

Bezeichnung	Punkt	Lage	Traditionelle Assoziationen
»Mensch willkommen«	M 9	vorn	Kehle geschwollen, gerötet und schmerzhaft, Bluthochdruck; Asthma
»Stütze und Sturm«	DI 18	seitlich vorn	Husten, Kurzatmigkeit; Halsentzündung; Hüftschmerzen auf der gegenüberliegenden Körperseite
»Himmel stürmt«	GE 22	vorn in der Mitte	trockener Husten; vogelähnliche Kehllaute; Schlund geschwollen; harte oder belegte Zunge
»himmlisches Fenster«	DÜ 16	in der Mitte der Halsseite	Spasmen in Hals und Schulter; Lethargie; der Hals ist steif und läßt sich nur schwer drehen
»himmlische Erscheinung«	DÜ 17	unter dem Ohrläppchen	Hals geschwollen und unbeweglich; Halsentzündung; Übelkeit, Tonsilitis
»Fenster zum Himmel«	DE 16	seitlich hinten	Schulter-, Rücken- und Armschmerzen; steifer Hals; aufgedunsenes Gesicht; Augenschmerzen
»himmlische Säule«	B 10	hinten	Kopf ist schwer; Spasmen in den Halsmuskeln; verstopfte Nase; Schlund geschwollen
»Wind-Haus«	GH 16	hinten in der Höhlung im Zentrum der Schädelbasis	Kopfschmerzen, Halsversteifung, Angst, Taubheit, psychische Störung; Augen bewegen sich sprunghaft; Neigung zum Selbstmord

Körperverspannung

Jede Verspannung hat eine Ursache. Leiden Sie unter körperlichen Verspannungszuständen, sollten Sie sich fragen: »Was macht mich verspannt? Gegen was will ich mich mit meiner Verspannung abschirmen?« Es könnte vieles sein: eine Liebesbeziehung, verhaltene Wut oder andere unterdrückte Gefühle, körperliche Erschöpfung, ja vielleicht sogar Ihre allgemeine Lebenseinstellung. Konzentrieren Sie sich einmal ganz auf Ihre Verspannung, widmen Sie Ihr ungeteilte Aufmerksamkeit. Lesen Sie den folgenden Abschnitt. Nehmen Sie sich die Zeit, Ihre Körperbewußtheit zu verfeinern, und folgen Sie ganz entspannt und locker dieser Anleitung:

▶ Sie schließen die Augen, lenken Ihre Aufmerksamkeit voll und ganz auf den Körper. Spüren Sie die Verspannungen auf. Wo liegen Sie? Was sind die Ursachen? Wenn Hals oder Schultern verspannt sind, fragen Sie sie, warum? – Und warum sie auch weiterhin daran festhalten. Sie haben die Augen geschlossen. Der Geist ist offen, empfänglich. Lassen Sie einfach geschehen, was sich Ihnen darbieten will. Die klärende Antwort wird möglicherweise ganz einfach auf Sie zukommen.

Möchten Sie noch mehr über eine solche Selbstbefragung erfahren, können Sie nachlesen, was über die »Meditation zur Erforschung von Krankheitsursachen« gesagt wurde (siehe S. 43).

Bei jeder Verspannung bleiben die Muskelfasern längere Zeit kontrahiert. Sie kann deswegen das erste Stadium einer Krankheit sein, weil sie die Körperflüssigkeiten und Energien nicht mehr ungehindert kreisen läßt. Lymphe, Blut, Hormone, Nervenimpulse und Ki können nicht mehr alle Körperstellen erreichen. Darunter leiden mit der Zeit auch noch andere als die unmittelbar betroffenen Regionen.

Wir müssen den Körper als Ganzes sehen. Wenn wir ihn als eine Funktionseinheit erleben, in der alle Elemente zusammenwirken, werden wir jede Krankheit und auch jeden allgemeinen Spannungszustand um so leichter hinter uns lassen.

Die Spannung kann ein Lehrmeister sein, denn sie macht Sie auf Aspekte und Bereiche Ihrer Persönlichkeit aufmerksam, die Sie bearbeiten müssen. Sie ist der Anstoß zur Veränderung. Sie lehrt, daß Sie sich wandeln müssen. Sperren Sie sich dann allerdings gegen die Bewußtwerdung der Spannungsursachen, unterdrücken oder vermeiden Sie Ihre Gefühle, muß die Spannung sich stauen, bis sie Sie schließlich psychisch und körperlich zerrüttet. Die höchste Kunst des Lebens hingegen ist, sich als den Menschen anzunehmen, der Sie hier und jetzt sind, mit dem Fluß Ihrer Gefühle mitzugehen und davon zu lernen.

Oft ist Unmäßigkeit die Ursache von Verspannung. Was Sie sich an Arbeit, Essen, Übung und Ruhe zumuten, beeinflußt das Gleichgewicht der Lebensprozesse Ihres Körpers und Ihrer Seele. Im Übermaß wird selbst die gesündeste Kost zum Gift. Wenn Sie zu viel schlafen, ebenso wenn Sie zu viel unternehmen, wird der Körper sehr bald mit irgendwelchen Symptomen darauf reagieren. Bedenken Sie, daß Quantität die Qualität schmälern kann, und entdecken Sie, was Sie für Ihr persönliches Gleichgewicht brauchen.

Es gab einmal einen Zen-Mönch, der wollte für den Rest seines Lebens nur noch die erleuchtende Meditation üben, die er gerade kennengelernt hatte. Während der ersten beiden Wochen fühlte er seinen Körper ganz intensiv, durchflutet von beseligenden Wärme-, Farb- und Lichtwellen. Aber schon nach einem Monat Nur-Sitzen war der Körper kalt und schwach geworden. Krankheit zwang ihn schließlich, seinen Sitz-Marathon aufzugeben. Er mußte lernen, daß man nur durch ein Gleichgewicht von Tätigkeit und Ruhe gesund bleiben kann.

Das Essen kann ebenfalls körperliche Verspannungen auslösen. Die Meister des Ostens haben die Beziehung zwischen Nahrung und Verspannung seit Jahrhunderten genauestens beobachtet. Bestimmte Speisen verursachen extreme biochemische Reaktionen. Salz hat einen Bindeeffekt auf Gewebe und Organe. Es schließt zum Beispiel Schnittwunden, und im Übermaß genossen verhärtet es die Arterien und treibt den Blutdruck hoch. Fleisch enthält mehr Salz als Gemüse, dazu gesättigte Fette und Harnsäure, die die Muskelfasern kontrahieren. Wird sie nicht durch körperliche Bewegung zur Ausscheidung getrieben, erhöht insbesondere die Harnsäure die allgemeine Muskelspannung des Körpers.

Die anschließende Übung preßt auf den Solarplexus. Sie öffnet einen besonders wichtigen Reizpunkt (GE 12) zwischen Nabel und Brustbein. Zusammen mit der Tiefenatmung wird sie viele Spannungen im Körper lösen. Versuchen Sie dreißig Sekunden in dieser Stellung auszuharren. Danach entspannen Sie sich für ein paar Minuten mit geschlossenen Augen. Sich zu entspannen, ist nach dieser Übung besonders wichtig, weil sich ihre ungeheure Spannung in kreisende Energie lösen wird, die wir voll aufnehmen sollten.

Das »Boot« stimuliert Punkte auf dem Magen- und Nierenmeridian und auf dem Gefäß der Empfängnis. Die Übung hilft, Ausdauer und Konzentration zu entwickeln, kräftigt das Kreuz, regt den Kreislauf an und gleicht die Bauchenergien aus. Allerdings müssen wir ihr einige Mahnungen vorausschicken. Wer einen hohen Blutdruck hat, darf sich in dieser Übung nicht zu sehr fordern. Bei einer leichten Hypertonie sollte man sie zum Beispiel nicht länger als fünf bis zehn Sekunden ausführen, sich danach aber viel Zeit zur Entspannung nehmen. Wer unter chronischen Herzbeschwerden leidet, sollte das »Boot« überhaupt nicht üben.

Das Boot

1. Liegen Sie auf dem Bauch, die Füße zusammen, die Arme neben sich. Der Kopf ruht auf dem Kinn.
2. Strecken Sie die Arme vor sich aus.
3. Während Sie langsam und tief einatmen, heben Sie Arme, Kopf, Füße und Beine vom Boden ab, daß die Wirbelsäule sich krümmt.
4. Atmen Sie lang und tief. Verharren Sie solange Sie können in dieser Stellung, wenn möglich etwa eine halbe Minute.
5. Entspannen Sie sich mindestens drei Minuten lang. Der Kopf liegt auf der Seite, die Arme ausgestreckt neben Ihnen.

von vorne

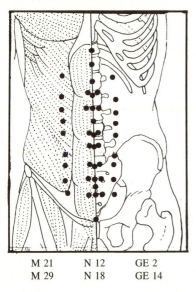

M 21   N 12   GE 2
M 29   N 18   GE 14

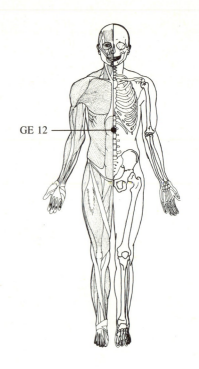

GE 12

Aku-Punkte	Traditionelle Assoziationen
Niere 12–18, Magen 21–29	Blähungen, Darmschmerzen, Verdauungsbeschwerden, Darmbeschwerden
Gefäß der Empfängnis 2–14	allgemeine Körperspannung, innere Nahrung, Verjüngung
Gefäß des Herrschers 4	»Tor des Lebens«

Heilwirkung für/bei: Nieren, Adrenalindrüsen, Blähbauch, Bauchschmerzen, Bauchkrämpfe, allgemeine Körperspannung, Kreuzbeschwerden, Angst, allgemeine Erschöpfungszustände

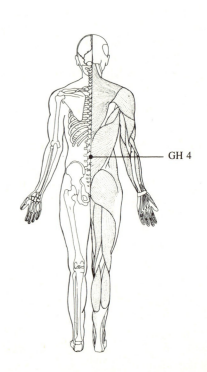

GH 4

Kopfschmerzen

Die Hauptursache von Kopfschmerzen sind Muskelverspannungen in Kopf, Nacken und Schultern, die die Blutgefäße einschnüren, so daß die Nervenzellen im Gehirn nicht den notwendigen Sauerstoff erhalten. »Im Gehirn sind wichtige Nervenzellen, die sich nicht mehr von dem erlittenen zersetzenden Mangel erholen, wenn sie nur acht Minuten keinen Sauerstoff bekommen haben.«[32]

Kopfschmerzen sind ein wichtiges Signal. Sie warnen uns vor Verspannung und Sauerstoffmangel. Sie sind sozusagen ein Sicherheitsventil, das uns auf die Störung aufmerksam machen möchte, bevor die Verengung der Blutgefäße eine kritische Schwelle überschreitet. Leider reagieren wir zumeist ganz falsch darauf. Anstatt die Muskelverspannung zu lösen, bringen wir das Signal, das sie anzeigt, mit einem Schmerzmittel zum Schweigen. Wir unterdrücken das Symptom, anstatt die Ursache zu behandeln. Dadurch bleiben wir von dem natürlichen Warnsystem des Körpers abgeschnitten.

Jedes Symptom steht für eine tieferliegende Störung des Gleichgewichts. Spannungskopfschmerzen entstehen durch den Überdruck in permanent verhärteten Muskeln. Die Tablette behandelt nicht das eigentliche Problem, sondern nur die Begleiterscheinung. Sie ist ein charakteristisches Beispiel für den Unterschied zwischen der westlichen und der östlichen Herangehensweise in der Gesundheitspflege.

Wir haben uns angewöhnt, zahlreiche Warnzeichen des Körpers (Gefühle, kleine Beschwerden, leichte Schmerzen) solange zu ignorieren, bis sie sich nicht mehr verdrängen lassen, weil sich unser Zustand dramatisch verschlimmert hat. Ist es soweit gekommen, kann die Behandlung oft nur noch darin bestehen, das verschlissene Organ oder Körperteil zu entfernen.

Die chinesische Gesundheitslehre setzt den Schwerpunkt anders. Ihr geht es darum, der Krankheit vorzubeugen. Sie beschäftigt sich eingehend mit den tieferen Krankheitsursachen. Symptome werden nicht isoliert betrachtet, sondern als ein Ausdruck der Gesamtpersönlichkeit und ihrer momentanen Verfassung. Die Ärzte im alten China und Indien verstanden ihre Aufgabe jedoch nicht allein darin, Krankheit zu heilen oder sie zu verhindern. Sie wollten mehr erreichen: eine dynamische, strahlende Gesundheit, die dem Menschen ein langes Leben und spirituelle Erfüllung beschert.

Verbreitete Kopfschmerzursachen

Emotionale Belastung: Frustration, Wut, Sorgen, Angst und Reizbarkeit überanstrengen die Schulter-, Hals- und Kopfmuskeln. Es entstehen Druck und Verspannungen, die Kopfschmerzen auslösen können.

Verspannungen von Schultern und Hals: Wie bereits erwähnt, schadet ein Überdruck in Schulter- und Halsmuskeln dem Kopf, weil er Blut wie Lebensenergie abschnürt, so daß sie den Kopf nicht ungehindert durchströmen. Diese Stockung führt zu Kopfschmerzen.

Ungleichgewicht der Meridiane: Die Verspannungen am Kopf haben etwas mit den Meridianen zu tun, die dort fließen. Dazu gehören der Gallenblasenmeridian (er ist

besonders wichtig, weil er in Zickzacklinien über den gesamten Kopf verläuft), der Lebermeridian, der »Dreifache Erwärmer«, der Blasenmeridian, und das »Gefäß des Herrschers«. Sie können sich selbst gegen viele Arten von Kopfschmerzen helfen, wenn Sie im Gesicht und auf dem Kopf die schmerzempfindlichen Punkte pressen. Auf dem Fuß liegen zusätzliche Reizpunkte, die eine Disharmonie der Kopfmeridiane ausgleichen (GB 41 und 43; B 62, 64, 67). GB 39, eine Handbreit über dem Fußknöchel an der Außenseite der Beine, ist bei Kopfschmerzen ein besonders wirkungsvoller Punkt.
Falsche Ausrichtung der Nackenwirbel: Wenn die Nackenwirbel aus ihrer Ausrichtung gerutscht sind, machen sie eine natürliche Kopfhaltung unmöglich. Hals- und Kopfmuskeln müssen sich übermäßig anstrengen, damit sie das Ungleichgewicht kompensieren. Möglicherweise ist auch eine Bandscheibe beschädigt. Der Nerv ist »eingeklemmt«, Kopfschmerz die Folge.

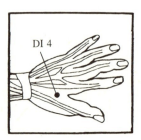

Verstopfung: Kopfschmerzen und Verstopfung treten häufig gemeinsam auf. Der »Hoku« (DI 4) im Muskelgewebe zwischen Daumen und Zeigefinger befreit Verdauungssystem und Kopf von Blockierungen. Ein Fingerdruck auf diesen Punkt wird vorübergehend viele Arten von Kopfschmerzen vertreiben. Das ist allerdings nicht genug, wenn Sie Ihren Zustand dauerhaft verbessern, wenn Sie die Ursachen der Kopfschmerzen beseitigen wollen. Überprüfen Sie dazu Ihre Eßgewohnheiten. Suchen Sie nach Möglichkeiten, Magen und Därme zu reinigen. Essen Sie vielleicht zuviel? Sie überlasten damit das Verdauungssystem, was Stirnkopfschmerzen und Beschwerden in den Nebenhöhlen hervorrufen kann. In diesem Fall müssen Sie sich viel bewegen und weniger essen. Massieren Sie den Bauch. Dies hilft sowohl gegen Verstopfung wie auch gegen Kopfschmerzen. Eine ausführliche Anleitung zur Bauchmassage finden Sie auf S. 240f.
Unausgewogene Kost: Zuviel Salz oder Zucker können Kopfschmerzen verursachen. Im Übermaß genossen, stören sie nachhaltig das Gleichgewicht der Energien. Salz hat einen Bindeeffekt, der Spannungen verstärkt, Zucker einen toxischen Schwelleffekt, der einen hämmernden, klopfenden Kopfschmerz verursachen kann. Der Giftgehalt im Fleisch ist eine weitere mögliche Kopfschmerzursache. Im Abschnitt über die Verdauungsstörungen (siehe S. 227ff) werden diese Zusammenhänge etwas ausführlicher dargestellt.
Krankheit: Wir haben einleitend gesagt, daß Kopfschmerzen ein Warnsignal sind, das uns auf Störungen des Gleichgewichts der Energien hinweisen will. Sie können darüber hinaus aber auch schwerwiegende Krankheiten anzeigen, wie zum Beispiel Ohrenkrankheiten, Kiefer- oder Zahnwurzelvereiterungen, Rheuma, innere Blutungen und sogar Wucherungen wie Tumore. Suchen Sie vorsichtshalber einen Arzt auf, wenn Sie anhaltend schwere Kopfschmerzen haben.

Akupressur gegen Kopfschmerzen

Shiatsu-Methoden

Lassen Sie den Partner bequem auf einem Hocker oder auf einem Kissen auf dem Boden sitzen.
Stehen (oder knien) Sie zu seiner Linken. Legen Sie den rechten Daumen auf die Medulla Oblongata (die Höhlung in der Mitte der Schädelbasis direkt über den Nackenwirbeln) und stützen Sie mit der linken Hand die Stirn. Nun drehen Sie den Daumen im Uhrzeigersinn in die Höhlung nach oben unter die Schädelbasis. Lassen Sie den Druck allmählich schwächer werden. Anschließend bewegen Sie den Kopf langsam im Kreis. Sie stützen ihn dazu mit beiden Händen fest ab, so daß Ihr Partner die Halsmuskeln vertrauensvoll entspannen kann, während Sie seinen Kopf durch einen weit ausschwingenden Kreis führen.

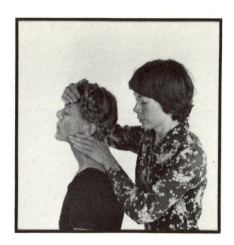

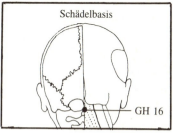

Als nächstes ballen Sie die Rechte zur Faust und legen sie mit dem Handrücken gegen den Nacken. Mit der anderen Hand schieben Sie die Stirn gegen die Faust, so daß der Kopf sich nach hinten wölbt. Halten Sie ihn etwa zehn Sekunden in dieser Position. Lassen Sie den Druck allmählich nach und wiederholen Sie die Bewegung mit der anderen Hand (die Linke preßt gegen den Nacken, die Rechte führt die Stirn). Diese Technik hilft wirksam gegen Migränekopfschmerzen, besonders wenn Sie zusätzlich die nächste Behandlungsmethode anwenden. Achten Sie darauf, daß Sie den Druck nur behutsam steigern. Sie wollen ein wohliges Gefühl auslösen, das seine spannungslösende Intensität aus der Nähe zur Schmerzgrenze bezieht, diese Grenze aber niemals überschreitet.

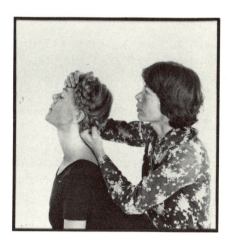

Pressen Sie die Daumen auf GB 20 unter dem Hinterhauptsbein nach oben in die Schädelbasis. Sie drücken den Kopf Ihres Partners gerade nach oben, wobei Sie ihn ein wenig nach hinten neigen. Energiestörungen in GB 20 führen häufig zu Kopfschmerzen. Die Chinesen bezeichnen diesen Reizpunkt zuweilen als »Tor des Bewußtseins«. Er steuert die sensorische und neurologische Tätigkeit des Gehirns.

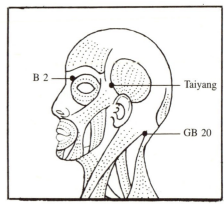

Jin Shin-Methoden

Der Partner liegt auf dem Rücken.
Legen Sie die Daumen auf die Schläfen (Sonderpunkt Taiyang). Tasten Sie nach einer kleinen Einbuchtung, in die die Daumenkuppen sich ganz natürlich einfügen können. Drehen Sie die Daumen langsam darin. Dies streckt und lockert die Muskeln über dem Ohr. Anstatt der Daumen können Sie auch die Finger benutzen. Danach massieren Sie behutsam das ganze Ohr. Eine sanfte Ohrmassage kräftigt insbesondere den Nierenmeridian, aber auch die übrigen Meridiane, weil auf dem Ohr mehr als hundert Reizpunkte liegen, die mit allen Regionen und Teilen des Körpers verbunden sind.

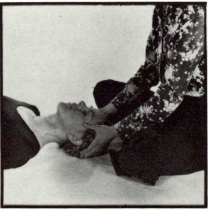

Sie sitzen hinter dem Kopf Ihres Partners und legen beide Hände unter seinen Nakken. Massieren Sie langsam die Nackenmuskeln. Sie pressen sie dazu ganz sacht, indem Sie Daumen und Finger aufeinander zubewegen. Pressen Sie besonders die verhärteten Stellen mit sehr viel Gefühl.

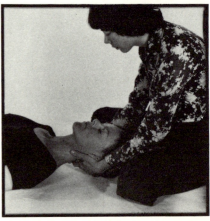

Schauen Sie Ihrem Partner auf das Gesicht. Sein Gesichtsausdruck verrät Ihnen, ob Sie es richtig machen.

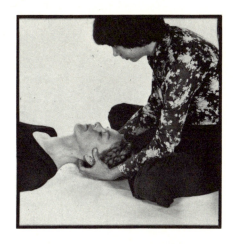

Sie umschließen für ein paar Minuten die Nackenmuskeln fest mit allen Fingern. Vermindern Sie ganz allmählich den Druck. Dann schieben Sie die Handflächen unter den Hinterkopf, wobei die Fingerspitzen in die Schädelbasis greifen. Sie kippen den Kopf Ihres Partners ein wenig nach hinten und ziehen ihn zur Streckung der Halswirbel ganz sacht zu sich hin. Sie stimulieren damit die Gehirnflüssigkeit, so daß sie vermehrt in das Gehirn strömt. Lockern Sie die Streckung allmählich. Halten Sie die Finger weiterhin auf der Schädelbasis, bis Sie in den Kuppen einen Puls schlagen fühlen (was nicht länger als vier Minuten dauern sollte). Der Pulsschlag beweist, daß die Energie durch GB 20 in das Gesicht und zum Gehirn strömt.

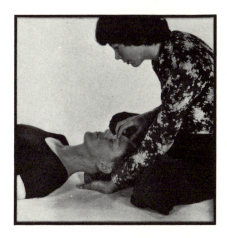

Stützen Sie den Nacken mit der linken Hand, wobei die Finger rechts und der Daumen links auf dem Hals liegen. Berühren Sie mit den vier Fingern der rechten Hand die Wurzeln der Augenbrauen. Wo Augenbrauen und Nasenbein ineinander übergehen, liegen Punkte des Blasenmeridians (B 2). Man hat sie schon immer bei leichten Spannungskopfschmerzen in der Stirn und Beschwerden in den Nebenhöhlen benutzt.

Die anschließenden Übungen lösen vor allem jene Spannungen, die in Verbindung mit Kopfschmerzeen auftreten. Die »Hocke« ist ebenfalls geeignet. Sie hilft gegen Stirnkopfschmerzen, Migräne und Verstopfung der Nebenhöhlen (siehe S. 238).

Unter Wasser schauen

1. Sie liegen auf dem Bauch, die Stirn auf dem Boden. Spreizen Sie die Beine, daß die Füße etwa dreißig Zentimeter auseinander sind.
2. Sie legen die Hände auf den Hinterkopf, daß die Fingerkuppen auf die Punkte an der Schädelbasis pressen. Die Ellbogen sind auf dem Boden aufgestützt.
3. Während Sie einatmen, heben Sie Kopf, Arme und Füße etwa fünf bis sieben Zentimeter vom Boden ab. Drücken Sie mit den Fingerkuppen in GB 20.
4. Atmen Sie etwa eine Minute lang tief ein und aus.
5. Sie lösen sich sanft aus der Haltung, legen den Kopf auf die Seite und die Arme neben sich.
6. Sie liegen auf dem Rücken. Massieren Sie kraftvoll den »Hoku« (DI 4) und die Füße, damit Sie die Spannungslösung noch vertiefen.

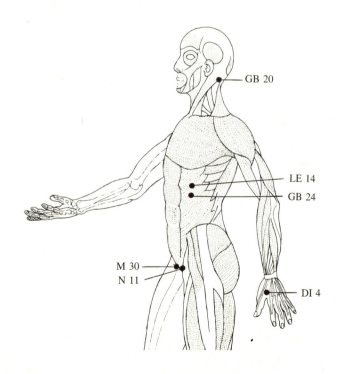

Aku-Punkte	Traditionelle Assoziationen
Dickdarm 4	Stirnkopfschmerz, Verstopfung der Nebenhöhlen
Gallenblase 20	Migräne, Augenweh, trübes, verschwommenes Denken
Gallenblase 24 und Leber 14	Verdauungsstörungen, Kopfschmerzen
Niere 11 und Magen 30	die Energien sind ungleich zur Spitze des Körpers verteilt, Unterleibsschmerzen und -schwellungen, Unfähigkeit, lange aufrecht zu stehen

Heilwirkung für/bei: Bauchschmerzen, Impotenz, Bruch, Schmerzen in Penis und Hodensack, Kreuzschmerzen, Kopfschmerzen, Blasenschwäche, Harnröhrenentzündung

Bambus bohren I

1. Sie liegen auf dem Rücken.
2. Legen Sie den Zeigefinger auf B 2, den Mittelfinger über der Nasenwurzel auf das »dritte Auge« und den Daumen entweder auf M 6 im Kiefermuskel oder auf die Schläfen.
3. Kippen Sie den Kopf zurück, bis die Schultern gegen die Schädelbasis drücken. Verweilen Sie etwa dreißig Sekunden in dieser Position und atmen Sie tief ein und aus.
4. Drehen Sie die Hände, so daß nun anstelle der Zeigefinger die Daumen auf B 2 pressen (siehe Abbildung auf S. 184 oben). Mit den übrigen Fingern drücken Sie auf reizempfindliche Punkte am Haaransatz. Sie atmen weiterhin tief und gleichmäßig. Verweilen Sie auch in dieser Position etwa eine halbe Minute.
5. Sie liegen auf dem Rücken und entspannen sich mit geschlossenen Augen.

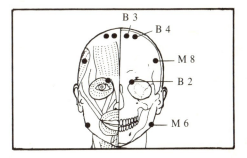

Aku-Punkte	Traditionelle Assoziationen
Blase 2	»Bambus-Bohren«, Ermüdung des Gehirns, Entzündung der Nebenhöhlen, Kopfschmerzen, Augenmüdigkeit, Heuschnupfen
Blase 3, 4	Kopfschmerzen, verstopfte Nase, Hitzewellen im Kopf, Augenmüdigkeit
Magen 6	Gesichtslähmung, Halsverspannungen, Verspannung der Kiefermuskeln
Magen 8	»Kopf-Müde«, Kopfschmerzen, Schmerzen über den Augenlidern

Heilwirkung für/bei: Schulterverspannungen, allgemeine Verspanntheit, Nebenhöhlenbeschwerden, Verspannung der Kiefermuskeln, Stirnkopfschmerzen

Krämpfe und Spasmen

Die Muskeln verkrampfen sich, wenn sie über einen längeren Zeitraum unnötig angespannt bleiben und dadurch die Blutzirkulation eingeschnürt wird. Das Blut kann die Milchsäure und andere Giftstoffe nicht wegspülen, so daß sie gestaut werden. Diese Stauung stört das normale Gleichgewicht noch mehr, weil sie den Fluß der Energien aufhält und die Verspannung verstärkt. Im Krampf werden die Nerven plötzlich hyperaktiv. Sie verursachen eine extreme und schlagartige Kontraktion des Muskels, eben den Krampf oder Spasmus. Die chinesische Medizin ordnet Krämpfe den extremen Yang-Zuständen zu, weil Kontraktion eine Yang-Eigenschaft ist.

Zwar kann es überall im Körper zu Krämpfen kommen, doch gewöhnlich treten sie nur in jenen Muskeln auf, die wir besonders in Anspruch nehmen. Sportler bekommen ihre Krämpfe zumeist nur dort, wo die Muskulatur am meisten gefordert wird, bei Handballspielern zum Beispiel sind dies Arme und Schultern, bei Fußballspielern und Läufern Oberschenkel, Waden und Füße. Manchmal neigt der überbeanspruchte Muskel auch erst Jahre nach seiner Höchstleistung zu Krämpfen, wenn der einmal erreichte Muskeltonus nicht mehr aufrechterhalten wird.

Krämpfe haben immer etwas mit dem nächstliegenden Meridian zu tun, Wadenkrämpfe, so wie Krämpfe an der Rückseite der Oberschenkel also mit Blasen- und Nierenmeridian, Krämpfe an der Seite des Rumpfes mit dem Gallenblasenmeridian und so weiter. Sie zeigen an, daß die Energien ungleichmäßig verteilt und die betroffenen Meridiane überspannt sind.

Krämpfe und Reizpunkte

Die Reizpunkte bieten uns zwei Möglichkeiten der Krampflösung: zum einen können wir einen bestimmten Punkt drücken, der gegen alle Krämpfe hilft, zum anderen einen beliebigen Punkt auf dem verkrampften Muskel. Im ersten Fall pressen wir auf Leber 3 (LE 3) auf der Fußoberseite in der Vertiefung zwischen dem großen und dem zweiten Zeh. Er hilft gegen Krämpfe und Spasmen. Bei einem Krampf müssen Sie sofort kräftig auf diesen Punkt und einen Reizpunkt des verkrampften Muskels pressen. Dann löst sich der Krampf überraschend schnell. Üben Sie danach einige Minuten auf beide Punkte sanften Druck aus, um die Energien tiefer auszugleichen.

Bei der zweiten Methode pressen wir nun den Punkt auf dem verkrampften Muskel. Wir drücken zwei bis drei Minuten immer kräftiger in den Kern des Krampfes hinein. Wir setzen dem Druck des Krampfes unseren Fingerdruck entgegen. Damit bedienen wir uns eines Grundprinzips der Yin-Yang-Lehre: treffen zwei Yang-Kräfte aufeinander, wird eine von ihnen schließlich nachgeben und sich zum Ausgleich in Yin wandeln. Wenn wir anhaltend und fest auf den Reizpunkt pressen, überwinden wir die Yang-Energie des Krampfes, so daß sie schließlich nachgeben muß.

Überlegungen zum Speiseplan

Was wir essen, kann Krämpfe fördern oder ihnen vorbeugen. Eine Kost, die das Muskelgewebe zusammenzieht und verhärtet, muß selbstverständlich auch die Krampfbildung begünstigen. Fleisch und Salz kontrahieren die Muskelfasern. Im Übermaß verzehrt, leisten sie chronischer Muskelverspannung Vorschub.
Kalziummangel begünstigt ebenfalls Muskelkrämpfe. Essen Sie genügend Vitmain D und E, die für die Assimilierung von Kalzium wichtig sind. Sie brauchen dazu nur ein Glas frisch gepreßten Zitronensaft mit lauwarmem Wasser zu trinken.[33]
Die alte chinesische Medizin sieht einen Zusammenhang zwischen Muskelkrämpfen und dem energetischen Gleichgewicht der Leber (weshalb wir bei Krämpfen zuerst auf LE 3 pressen), sie assoziiert mit der Leber den sauren Geschmack. In Maßen genossen verbessern säuerliche Speisen den Muskeltonus und beugen Krämpfen vor. Ißt man jedoch zuviel Saures, verhärtet sich das Muskelgewebe wie bei zu hohem Salzgenuß.[34]

Krampfvorbeugung

Halten Sie die Muskeln dehnbar und geschmeidig. Üben Sie regelmäßig und massieren Sie sich gelegentlich. Aku-Yoga hilft Ihnen, indem es die Bewußtheit für den eigenen Körper schärft. Sie nehmen unnötige Muskelspannungen sofort rechtzeitig wahr und kennen die krampfanfälligen Stellen. Da die Übungen Spannungen abbauen, entziehen sie Krämpfen und Spasmen die Grundlage. Sie strecken, lockern und entspannen – die Streckung des Blasenmeridians zum Beispiel die Waden, die Rückseiten der Oberschenkel und den ganzen Rücken bis herauf in den Nacken und die Schultern.
Massieren Sie, wenn möglich, jeden Tag alle krampfanfälligen Muskeln und machen Sie warme Umschläge. Wenn es zum Beispiel der Wadenmuskel ist, kneten Sie ihn von der Achillessehne über der Ferse bis in die Kniekehle. Wenn Sie das Gefühl haben, daß ein Muskel unnötig angespannt ist, nehmen Sie sich immer die Zeit, ihn zehn bis fünfzehn Minuten zu massieren, zu strecken oder zu wärmen, bevor er so verspannt geworden ist, daß er sich einfach verkrampfen muß.

Die nächste Übung ist eine Variante der bekannten Yogamudra, die man zuweilen als »Säuglingshaltung« bezeichnet, weil Säuglinge sie häufig zu ihrer Entspannung einnehmen. Yogamudra preßt Brustkorb und Bauch zusammen. Sie drückt die verbrauchte Atemluft aus den Lungen, fördert die Verdauung und hilft gegen Blähungen. Sie stimuliert hauptsächlich Punkte, die die chinesischen Ärzte zur Vorbeugung und Heilung von Krämpfen (auch Magen- und Menstruationskrämpfen) anwenden.

Yogamudra IV

1. Hocken Sie auf den Fersen, die Beine gespreizt, daß die Füße etwa sechzig Zentimeter auseinander liegen. Die Arme hängen locker zu Ihren Seiten herab.
2. Sie atmen tief ein. Beim Ausatmen beugen Sie den Oberkörper langsam nach vorn, bis die Stirn den Boden berührt.

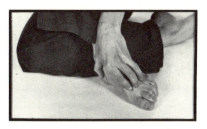

3. Sie schieben die Hände unter die Füße, daß der Zeigefinger auf LE 3 drückt (siehe Abb.).
4. Nun atmen Sie tief ein und aus. Mit dem Einatmen kommt frische Energie in die Muskeln, mit dem Ausatmen lösen sich Verspannungen und die Giftstoffe verlassen den Körper.
5. Üben Sie dies eine Minute lang. Dehnen Sie die Zeit nach wiederholtem Üben allmählich auf zwei Minuten aus.
6. Sie legen sich zur Entspannung auf den Rücken. Lassen Sie das Gefühl wohliger Gelöstheit durch alle Muskeln strömen.

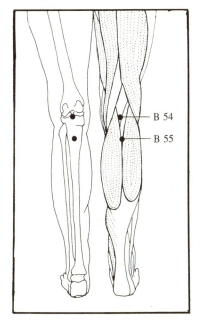

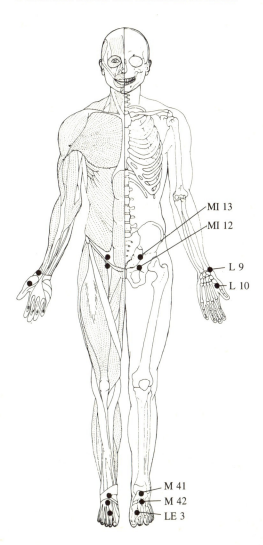

Aku-Punkte	Traditionelle Assoziationen
Leber 3	Muskelkrämpfe, Leberbeschwerden, Augenbrennen, verschwommene Sicht, Zehenkrämpfe, Fußschwäche, fahle Gesichtsfarbe, leblose Augen
Lunge 9, 10	Harmonisierung der Energien in der Lunge
Magen 41	Gefühllosigkeit in den Muskeln, Rheuma, Angst, Aufregung
Magen 42	zielloses Umherirren, Suche nach Wärme und Geborgenheit
Milz 12, 13	Magenkrämpfe, Darmkrämpfe, Bauchschmerzen, Verdauungsbeschwerden
Blase 54, 55	Empfindungslosigkeit oder Kältegefühl in den unteren Gliedmaßen, Spasmen, Rheuma, Scheidenkrämpfe

Heilwirkung für/bei: Verdauungsbeschwerden, Verstopfung, Blähungen, Rheuma, unterdrückte Wut, Aggressivität, Heuschnupfen, Allergien

Kreislaufbeschwerden

Der »Gelbe Kaiser« beschrieb den Blutkreislauf bereits vor viertausend Jahren, die westliche Medizin entdeckte ihn erst im sechzehnten Jahrhundert. Die Akupressur kennt deswegen schon seit langem Techniken, die den Kreislauf festigen und stärken.

Körperliche Faktoren

Muskelverspannung und Bewegungsmangel sind die Ursache der Mehrzahl der Kreislaufbeschwerden. Muskelverspannungen hemmen den Kreislauf, weil das unnötig kontrahierte Muskelgewebe die Arterien und Venen (und damit die Blutzirkulation) einschnürt. Der chronische »Muskelpanzer« stört das körperliche und seelische Gleichgewicht nachhaltig, denn er verhindert, daß das Blut alle Stellen des Körpers gleichmäßig durchpulst. Die durch Muskelverspannung bedingte Kreislaufschwäche hat natürlich auch mit Bewegungsmangel zu tun. Das Herz pumpt schneller und kräftiger, wenn wir

uns bewegen. Der Kreislauf ist auf vollen Touren, um den Zellen den zusätzlich notwendigen Sauerstoff zuzuführen. Der Körper ist durchwärmt, die Sehnen gedehnt und locker, die Muskelverspannung zumindest teilweise gelöst.
Kreislaufschwäche ist ein Teufelskreis: ist das Gleichgewicht der Energien irgendwo im Körper einmal so weit gestört, daß der Kreislauf davon behindert wird, stört die ungenügende Blutzirkulation das Gleichgewicht noch mehr, und so weiter.
Sobald das Blut die Zellen nicht mehr ausreichend mit Sauer- und Nährstoff versorgt, und es die Abfallprodukte des Stoffwechsels nicht mehr wegwaschen kann, müssen Zellen und Gewebe unter diesem Mangel leiden. Die unausgeschiedenen Giftstoffe stauen sich, die Spannung nimmt zu.
Aku-Yoga kräftigt die Blutzirkulation in zweifacher Weise: erstens löst die Stimulierung die Spannung, die sich um einen Reizpunkt und in seinem Meridian gestaut hat und zweitens strecken und lockern die komplexen Bewegungsabläufe *alle* Muskeln und Glieder. Tägliches Üben macht die Arterien elastischer. Das Blut kann ungehemmt fließen. Es versorgt den gesamten Organismus mit frischen Nährstoffen. Giftstoffe und Säuren werden zu den Ausscheidungsorganen gespült.
Häufig sind es die Verspannungen in Schultern und Hals, die die Kreislaufbeschwerden mitverursachen. Durch Stimulierung dort wichtiger Reizpunkte (z. B. DE 15, B 10, GB 21 und DÜ 10; vgl. Abbildung und Tabelle auf S. 224), können sie gelockert werden. Bei schwacher Blutzirkulation hat man außerdem häufig kalte Hände und Füße. Der »Pflug« zum Beispiel regt jene Reizpunkte an, die den Gliedmaßen zugeordnet sind. Schließlich fördert auch die Tiefenentspannung die Blutzirkulation, so daß man durch Rumpf und Gliedmaßen eine wohlige Wärme fließen fühlt.
Kommt man bei kaltem Wetter ins Frösteln, so möchte man sich am liebsten noch mehr zusammenziehen und in sich verkriechen. Sinnvoll wäre jedoch, gerade das Gegenteil zu tun: sich in der Kälte zu entspannen, sich zu öffnen. Wer gegen die Kälte ankämpft, indem er sich »zusammenreißt«, erzeugt mehr Verspannung, die die Blutzirkulation weiter einengt. Atmen Sie also tief ein und entspannen Sie sich, wenn Sie das nächste Mal frieren. Bewegen Sie sich offen und gelöst. Versteifen Sie sich nicht gegen die Kälte. Fühlen Sie statt dessen, wie Blut und Energie den Körper durchkreisen. Sich der Kälte entgegenzustemmen ist wenig hilfreich, mit ihr mitzugehen hingegen sehr.

Überlegungen zum Speiseplan

Wir wollen einige Diätempfehlungen für Kreislaufbeschwerden geben. Wenn Sie zu Kälteschauern, Frösteln und Frieren neigen, – insbesondere in den Gliedmaßen – so ist dies auf einen Yin-Zustand zurückzuführen, weil Kälte eine Yin-Eigenschaft ist. Sie haben diesen Zustand möglicherweise selbst verursacht, indem Sie zuviel yin-haltige Nahrung gegessen haben. In jedem Fall aber würden Sie ihn damit verschlimmern. Zum Ausgleich sollten Sie den Konsum von Alkohol, Früchten, Honig, Flüssigkeiten und kalten oder eisgekühlten Speisen einschränken. Verzichten Sie vor allem ganz auf Speisen mit dem extrem yin-haltigen weißen Zucker. Sie müssen selbstverständlich auch die entgegengesetzte Störung des Energiehaushalts ausgleichen. Essen Sie weniger Fleisch und salzen Sie nicht so stark, wenn der Körper sich zumeist heiß anfühlt, und Sie generell angespannt und gehetzt sind.

Sautierte Zwiebeln, Ingwer und Klettenwurz fördern die Blutzirkulation. Misosuppe ist herzhaft und kräftigend. Sie wärmt den ganzen Körper. Warme und herzhafte Speisen wärmen den Körper im allgemeinen auf, gekühlte senken die Körpertemperatur. Es gibt Ausnahmen zu dieser Regel: der Wärmeeffekt von scharfen Speisen wie z. B. Curry oder Chili wird dadurch zunichte gemacht, daß sie (bei häufigem Genuß) den Körper überreizen und damit schwächen, was letztlich die Körpertemperatur senkt. Buchweizen ist wohl die yang-haltigste vegetarische Speise. Er produziert sehr viel Wärme im Körper. Natürlich gilt, daß man bei allen Speisen nur maßvoll zugreift, um zu einem gesunden Gleichgewicht zu kommen.

Der »Pflug« ist eine traditionelle Yoga-Haltung. Man verschränkt Finger und Zehen miteinander, um den Stauungen der Lebensenergie entgegenzuwirken. Legen Sie sich nach der Übung flach auf den Rücken. Schließen Sie die Augen. In dieser Entspannung können Sie deutlich spüren, daß das Blut nun kräftiger kreist. Der »Pflug« wirkt ausgleichend auf die inneren Organe. Ferner begünstigt er Gewichtsabnahme. Durch die zeitweilige Anhebung des Blutdrucks festigt er den Kreislauf. Bei erhöhtem Blutdruck dürfen Sie den »Pflug« deswegen nur vorsichtig üben (vgl. Abschnitt über »Bluthochdruck« S. 141ff). Bleiben Sie am Anfang nicht länger als zehn Sekunden in dieser Position. Sie können die Übungszeit nach den ersten Verbesserungen Ihres Zustandes allmählich verlängern. Und vergessen Sie nicht die unerläßliche Tiefenentspannung danach.

Der Pflug

1. Sie liegen auf dem Rücken, die Hände neben sich. Die Beine berühren sich.
2. Sie atmen tief ein. Beim Ausatmen heben Sie die Beine über den Kopf, bis sie hinter Ihnen auf dem Boden aufkommen. Halten Sie die Beine so gerade wie möglich.
3. Verschränken Sie Zehen und Finger.
4. Sie entspannen den ganzen Körper. Atmen Sie tief durch. Sie nehmen den Körper bewußt wahr. Visualisieren Sie den Energiestrom, der sie durchkreist.
5. Nach dreißig bis sechzig Sekunden führen Sie die Arme wieder in die Ausgangsposition. Dann schwingen Sie *langsam* die Beine über den Kopf, ohne sie anzuwinkeln oder einzuknicken, bis sie wieder flach ausgestreckt auf dem Boden liegen.
6. Sie entspannen in der Rückenlage.

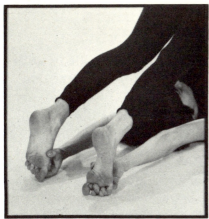

7. Üben Sie anschließend sofort den »Bogen« (vgl. S. 95) oder die »Kobra«, (vgl. S. 94) um die Wirbelsäule auch in die entgegengesetzte Richtung zu strecken.

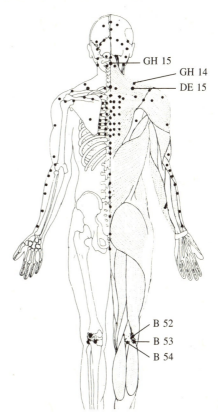

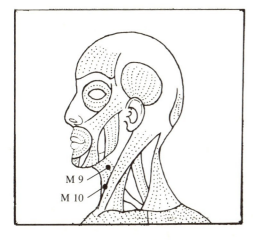

Aku-Punkte	Traditionelle Assoziationen
Blasenmeridian Gliedmaßenpunkte	Rücken, Harnausscheidung, Ischiasnerv, Verbesserung der Blutzirkulation
Blase 52–54	Verstopfung, Knieleiden, Bauchbeschwerden
Dreifacher Erwärmer 15	Hals, Schultern, Rückenweh, Rückenversteifung
Magen 9, 10	Halsschwellung, Halsschmerzen, Schilddrüsenbeschwerden
Gefäß des Herrschers 14, 15	Kopfschmerzen, Nackenversteifung, Verhärtung der Wirbelsäule

Heilwirkung für/bei: kalte Füße, Schulterverspannung, Verkrampftheit, Fieber, Blähungen, Angstzustände

Menstruationsbeschwerden

Menstruationskrämpfe haben körperliche und emotionale Ursachen. Wie alle Symptome sind auch sie ein Zeichen, daß die Körperenergien ihr natürliches Gleichgewicht eingebüßt haben.

Körperliche Verfassung

Mit Menstruationskrämpfen sind noch andere Beschwerden verbunden: Verspannung oder Blutstau im Becken, Gebärmutterentzündungen, Geschwulstbildung im Uterus, Verstopfung, Kontraktion des Gebärmutterhalses, Hormonstörungen (insbesondere Funktionsschwäche oder Ungleichgewicht von Schilddrüse, Nebenschilddrüsen und Eierstöcken – Drüsen also, deren Hormone die Menstruation und den Stoffwechsel regulieren). Der Frauenarzt verschreibt dagegen zumeist Östrogen- oder Progesteronpräparate, die das endokrine System harmonisieren und die Monatsbeschwerden aufheben sollen. Aku-Yoga kann den gleichen Zweck erfüllen, vorausgesetzt man übt es regelmäßig über einen längeren Zeitraum. Man wird zwar etwas länger auf die Erfolge warten müssen als bei der Behandlung mit Medikamenten, dafür bleiben einem die Nebenwirkungen erspart.

Seelische Verfassung

Da die seelische Verfassung das hormonale Gleichgewicht stark beeinflußt, können die Ursachen von Menstruationsbeschwerden natürlich genausogut auf der Ebene der Gefühle liegen. Angst, Kummer, Sorgen, Wut und Gereiztheit erzeugen Spannung und Ungleichgewicht, die Menstruationskrämpfe auslösen können. Wetterumschwung und Ortsveränderung spielen ebenfalls eine Rolle, weil auch sie sich auf die Gefühle und den Hormonhaushalt auswirken. »Solche Ereignisse beeinflussen das Zwischenhirn, das Gefühlsleben und Eisprung reguliert, wie auch die Hormonausscheidung aus dem Hypophysenvorderlappen.«[35]

Vorbeugung

Alle Frauen benötigen vor und während der Monatsblutung Ruhe, Wärme, leichte Übungen und eine Umgebung, in der sie sich geborgen fühlen – um so mehr wenn die Menstruation Beschwerden und Unwohlsein mit sich bringt. Frauen besitzen starke fürsorgliche Qualitäten. Die Zeit der Monatsblutung sollten sie zum Anlaß nehmen, sich um sich selbst zu kümmern. Ziehen Sie sich warme und bequeme Sachen an. Halten Sie sich so weit wie möglich aus allem heraus, was Ihre Nerven und Kräfte überanspruchen könnte. Ruhen Sie sich aus, und nehmen Sie sich Zeit für sich selbst. So schaffen Sie sich eine Atmosphäre und Umwelt, in der Sie sich wohl und sicher fühlen können.

Überlegungen zum Speiseplan

Kalzium kann Monatskrämpfen vorbeugen, weil es Nerven und Muskeln entspannt. In der Woche vor der Menstruation fällt der Kalziumspiegel des Körpers drastisch. Dieser Kalziummangel kann das sogenannte prämenstruelle Syndrom verstärken: Verspannung, Schwellung des Unterleibs und nervöse Kopfschmerzen. Es ist nicht schwer, den Körper mit Kalzium zu versorgen. Eine ganze Reihe von Nahrungsmitteln sind dazu geeignet. Stellen Sie Ihre Diät in der Woche vor der Blutung darauf ein, um den Krämpfen vorzubeugen. Essen Sie viel frisches Blattgrün: Kopfsalat, Spinat, Grün- und Weißkohl. Petersilie (die Sie im übrigen auch aufbrühen und als Tee trinken können) und Steckrübenkraut enthalten viel Kalzium. Magnesium regt den Körper an, Kalzium aufzunehmen. Es ist deshalb ebenfalls wichtig. Meeresgemüse, Samenkörner und Nüsse enthalten neben dem Magnesium auch gleich das Kalzium.

Oder sautieren Sie Tofu (aus Sojabohnen hergestellt, sehr eiweißhaltig) mit etwas fein gehacktem frischen Ingwer und ein wenig Blattgrün. Der Körper bekommt dadurch Kalzium und das Magnesium, es zu assimilieren. Spargel versorgt Sie im Frühjahr mit diesem wichtigen Nährstoff, im Sommer sind es die Erdbeeren, im Herbst Gurken und im Winter Pastinak. Molkereiprodukte enthalten ebenfalls Kalzium

Der Saft von Preiselbeeren ist ein natürliches harntreibendes Mittel, das gegen Schwellungen und Wasserverhaltung hilft. Himbeerblätter vermindern den Monatsfluß, ohne ihn jedoch zum Stillstand zu bringen. Sie mildern infolgedessen menstruationsbedingte Spannungen. Aku-Yoga hilft generell gegen Verspannungen im Bauch und unteren Rücken. Es kräftigt diese Bereiche und lockert sie, kann also auch die Monatsbeschwerden dämpfen.

Selbsthilfen gegen menstruationsbedingte Verspannungen

● Legen Sie sich eine Wärmflasche, ein Heizkissen oder vorgewärmtes Handtuch unter das Kreuz und decken Sie sich zu.

● Machen Sie sich einen Umschlag aus weißem Senf. Dazu mischen Sie einen Teil gemahlene Senfkörner und fünf Teile Vollweizenmehl so lange mit warmem Wasser, bis Sie eine zähe Masse erhalten, die Sie leicht auf ein Tuch oder ein Stück Mull verteilen können. Sie legen den Umschlag auf den Unterleib, bis Sie seine wohlige Wärme in sich aufgesogen haben. Sie entfernen den Umschlag, legen sich hin und decken sich warm zu.

● Üben Sie die »Meditation zur Erforschung von Krankheitsursachen« (siehe S. 43), um die Wurzeln Ihres Unwohlseins aufzudecken. Öffnen Sie Ihr Bewußtsein für die Botschaften, die in den Krämpfen enthalten sind. Wir neigen alle leicht dazu, Schmerz und seine Ursachen einfach zu vermeiden. Stellen Sie diese Haltung in Frage. Gehen Sie über die oberflächliche Symptombehandlung hinaus zu den eigentlichen Wurzeln Ihres Zustandes.

● Heiße und kalte Umschläge können menstruationsbedingte Spannungen lösen. Sauna und heiße Bäder verstärken den Monatsfluß. Kälte bewirkt das Gegenteil. Wenn Sie in den ersten Tagen starke Blutungen haben, sollten Sie große Hitzeeinwirkung vermeiden. Ohnehin gilt, Extreme grundsätzlich zu vermeiden.

Es ist einige Jahre her. Ich hatte mich mit einer Freundin verabredet, die unvorhersehbar heftige Unterleibskrämpfe bekam, wie vor der Monatsblutung. Seit ihrer letzten Periode waren zwar erst einundzwanzig Tage vergangen, doch klagte sie über so starke Unterleibsschmerzen, daß ich ihr schon raten wollte, den Notarzt aufzusuchen. Wir hatten eigentlich zusammen ausgehen wollen. Das mußte natürlich ausfallen. Wir trafen uns statt dessen bei mir. Bevor ich sie abholte, schaute ich in einigen Büchern nach und entdeckte, daß Ingwersud sowohl in China als auch in Indien ein beliebtes Hausmittel gegen Menstruationskrämpfe war. Ich machte uns einen solchen Tee: frischer, feingehackter Ingwer, etwa zwanzig Minuten lang auf schwacher Hitze gekocht. (Benutzen Sie dazu einen Glas-, Emaille- oder Stahltopf, kein Gefäß aus Aluminium.) Wir tranken zwei große Becher davon, während wir uns unterhielten. Danach behandelte ich sie mit Akupressur. Etwa in der Mitte der Behandlung mußte sie plötzlich zur Toilette. Ihre Krämpfe hatten zwar etwas nachgelassen, aber sie klagte immer noch über Schmerzen. Nach zehn Minuten kam sie mit strahlendem Gesicht zurück. »Ich habe gerade meine Periode bekommen«, sagte sie mit sichtlicher Erleichterung, »und fühle mich schon viel besser.«

Die anschließende Übung ist die sogenannte »Beckenstreckung«. Sie stimuliert vor allem Reizpunkte, die man mit Menstruationskrämpfen assoziiert. Auch die »Heuschrecke« eignet sich vorzüglich zur Vorbeugung und Lösung von Menstruationskrämpfen. Wir haben Sie unter anderem in dem Abschnitt über die »Beckenverspannungen« vorgestellt (vgl. S. 137ff).

Beckenstreckung

1. Sie liegen auf dem Rücken.
2. Spreizen Sie die Beine und winkeln Sie die Knie an, daß die Fußsohlen auf dem Boden aufliegen.
3. Packen Sie die Fußknöchel. Die Handflächen liegen außen über dem Knöchel, die Finger innen auf dem Schienbein drei Fingerbreit darüber.
4. Während Sie einatmen, wölben Sie das Becken nach oben.
5. Beim Ausatmen führen Sie das Gesäß entspannt zum Boden zurück.
6. Üben Sie etwa eine Minute in der beschriebenen Weise. Danach entspannen Sie auf dem Rücken.

Entspannungsübung gegen Menstruationskrämpfe

1. Rollen Sie sich auf der Seite liegend zur Fötushaltung zusammen.
2. Klemmen Sie knapp über der Ferse den großen und zweiten Zeh über den anderen Unterschenkel.
3. Schließen Sie die Augen. Sie wiegen Ihren Körper einige Minuten lang sanft hin und her, wobei Sie die Punkte zu beiden Seiten der Ferse stimulieren. Ebenfalls gepreßt werden die Reizpunkte auf den Hüften, die gegen Menstruationsbeschwerden helfen.
4. Rollen Sie sich auf die andere Seite und wiederholen Sie die Schritte 1 bis 3 mit dem anderen Fuß. Sie wiegen sich wiederum einige Minuten sanft hin und her, wobei Sie die Augen geschlossen halten und den nährenden Energien in sich nachspüren.
5. Legen Sie sich auf den Rücken. Sie entspannen vollkommen.

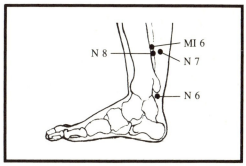

Aku-Punkte	Traditionelle Assoziationen
Milz 6	Druckgefühl und Schmerzen in (männlichen und weiblichen) Geschlechtsorganen, aufgedunsener Unterleib, Schlaflosigkeit, Menstruationskrämpfe, nervöse Depression
Niere 6 »größerer Strom«	unregelmäßige Monatsblutungen, Entzündungen an den Beinen, Schmerzen und Schwellungen an den Fersen, Impotenz
Niere 7 »wiederkehrender Strom«	trommelförmig aufgeblähter Unterleib, Schwellungen an den Gliedmaßen, Ödeme, Verstopfung, Erschöpfung, Rückenschmerzen, Bewegungsunlust
Niere 8 »Briefe austauschen«	Unregelmäßigkeiten bei der Monatsblutung, roter und weißer Ausfluß, Gebärmuttervorfall, Lenden-, Oberschenkel- und Beinschmerzen, Schmerzen auf einer Unterleibsseite

Heilwirkung für/bei: Milz, Leber, Nieren, sexuelle Hemmungen, Beckenverspannungen, Gebärmutter, Impotenz, Durchfall, Schlaflosigkeit, kalte Füße

Nebenhöhlenbeschwerden

Die Nebenhöhlen umgeben Nase und Augen. Sie kommen unter Druck, wenn die Schleimflüssigkeit hinten in der Nase blockiert ist, so daß sie nicht ablaufen kann. Wird dies zum Dauerzustand, müssen die geschwollenen Membranen in den Nebenhöhlen sich schließlich entzünden.
Es hat keinen Zweck, die Symptome einer Nebenhöhlenentzündung auszumerzen. Wir gewinnen nichts, wenn wir die Verstopfung der Nase, die Kopfschmerzen oder den Druck neben Augenhöhlen und Nasenbein bekämpfen, es sei denn, wir bemühen uns auch, die Ursachen dieser Symptome aufzudecken. Obwohl die Akupressur Behandlungsmethoden kennt, die diese Symptome beseitigen, müssen Sie das Problem bei der Wurzel greifen, damit es nicht erneut auftritt.
Trauer, Kummer oder Schmerz, ein Festhalten bestimmter Gefühle also, ist eine häufige Ursache von Nebenhöhlenbeschwerden. Da dieses Festhalten zumeist die Brustmuskeln verspannt, sperrt es im Körper die absteigenden Flüsse. In diesem Fall müssen Sie anhaltend und kräftig auf die Reizpunkte entlang des großen Brustmuskels (pectoralis major) drücken. Sie werden dadurch möglicherweise unterdrückte Gefühle an die Oberfläche spülen, die Sie nun direkt bearbeiten können. Wenn die Emotionen losgelassen wurden, sind auch die Nebenhöhlen wieder frei.
Verstopfung, schlechte Ernährung und Bewegungsmangel sind weitere Faktoren. Verzichten Sie einmal probeweise für einige Wochen auf alle Molkereiprodukte. Vielleicht bessern sich Ihre Nebenhöhlenbeschwerden auffällig. Sie können es auch mit Fußmassage versuchen. Die Reflexzonen für die Nebenhöhlen liegen an den Seiten der Zehen und unter den Zehen.
Die Nebenhöhlen ähneln ihrer Struktur nach Tälern oder Vertiefungen. Die chinesische Medizin empfiehlt, zur Behandlung von Nebenhöhlenbeschwerden den vierten Reizpunkt des Dickdarmmeridians (DI 4) zu stimulieren, der auch unter dem Namen »Zusammentreffen der Täler« bekannt ist (vgl. Abb. S. 239). Er ist der Herrscher über die absteigenden Meridiane und kann deswegen die Nebenhöhlen öffnen und entleeren. Auch der zweite Punkt des Blasenmeridians zwischen Augenhöhle und Nasenbein eignet

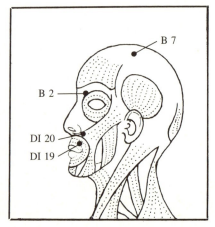

sich zur Behandlung von Kopfschmerzen und Nebenhöhlenbeschwerden. Zusätzlich benutzt man noch GH 20 und B 7 auf dem Kopf gegen verstopfte Nasenwege. DI 20 und M 3 sind die wichtigsten Punkte für die Kiefernhöhlen.

Wir haben eine Reihe von Hinweisen zur Behandlung der Symptome gegeben. Bedenken Sie, daß Sie auch die Ursachen erforschen müssen. Die anschließende Übung heißt »Bambus bohren«. Sie hilft gegen Nebenhöhlenbeschwerden, indem sie die entsprechenden Reizpunkte stimuliert.

Bambus bohren II

1. Sie liegen auf dem Rücken. Winkeln Sie die Knie an und ziehen Sie die Fersen zum Gesäß. Die Füße sind etwa dreißig bis vierzig Zentimeter auseinander.
2. Legen Sie die Zeigefinger auf die Punkte zwischen oberer Augenhöhle und Nasenbein. Die Mittelfinger berühren sanft das dritte Auge. Mit den Daumen halten Sie zuerst die Kiefermuskeln, dann die Einbuchtung in den Schläfen.
3. Beim Einatmen heben Sie das Gesäß. Atmen Sie etwa eine Minute lang und tief durch.
4. Während Sie ausatmen, lassen Sie das Gesäß langsam zum Boden herab.
5. Ballen Sie die Hände zur Faust und schlagen oder reiben Sie die Brustmuskeln damit.
6. Sie liegen auf dem Rücken, die Hände neben sich. Augen und Lippen sind geschlossen. Sie entspannen den ganzen Körper restlos.

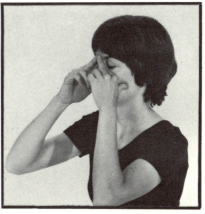

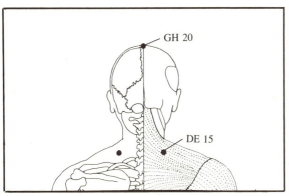

Aku-Punkte	Traditionelle Assoziationen
Blase 2, 7	Heuschnupfen, Nebenhöhlenentzündungen, Allergien, Niesen, Kopfschmerzen
Dreifacher Erwärmer 15, Gefäß des Herrschers 20	Schulterschmerzen, Schulterverspannung, Schweregefühl in der Brust, Melancholie
Dickdarm 19, 20	Nebenhöhlenentzündung, Gesichtslähmung, verstopfte Nase

Heilwirkung für/bei: Schultern, Halsverspannung, Verspannung der Augen, Grippe, Heuschnupfen, Allergien, Nebenhöhlenentzündung, Gesichtslähmung, Kopfschmerzen

Nervenleiden

Zahlreiche Faktoren schwächen die Nerven: Streß und Überforderung am Arbeitsplatz und in der Familie, zuviel Sitzen, gesundheitsschädigender Bewegungsmangel, nährstoffarme Kost mit zuviel Zucker, Salz und weißem Mehl, Verletzungen oder Unfälle, zu häufige Benutzung von Auto und Flugzeug, Haltungsfehler und eine falsche Ausrichtung der Wirbelsäule.
Letzteres ist besonders wichtig, weil die Bandscheiben durch eine falsch ausgerichtete Wirbelsäule verschoben werden und verkümmern können. Sie beschädigen dann zwangsläufig die Nerven, die von der Wirbelsäule zum ganzen Körper abzweigen oder klemmen sie sogar ein (vgl. S. 242ff). Das Gleichgewicht der Energien in Nerven und Wirbelsäule zerfällt, wenn einer oder mehrere der obengenannten Faktoren zutreffen.
Bewegung und Essen sind wichtig, weil der Körper ohne Bewegung und gesunde Ernährung verfällt. Wir erkennen diesen Verschleiß besonders leicht an älteren Leuten, die ihren Körper so lange mißachtet haben, daß er früher und nachhaltiger verschlissen wurde, als eigentlich notwendig gewesen wäre. Es ist deswegen nur logisch, wenn ältere Leute für Nervenleiden anfälliger sind.
Der Neurologe hat hochentwickelte Testverfahren und Diagnosetechniken zur Verfügung; es gibt hingegen kaum Ärzte, die versuchen, die Nerven mit natürlichen Verfahren

zu kräftigen. Stützbänder und Vorrichtungen, die die Muskeln zusammenziehen, stellen die befallenen Körperpartien ruhig; Schmerzmittel betäuben sie obendrein. Diese Art der Behandlung mag in Extremfällen noch vertretbar sein, für leichtere Fälle hingegen scheinen Heilgymnastik, Diät, Akupressur und Massage die bessere Heilwirkung zu versprechen.

»Besonders Großstadtärzte haben häufig mit Patienten zu tun, die offensichtlich nicht gesund sind, auch wenn sich keine klar bestimmbare Krankheit an ihnen feststellen läßt. Diese Patienten bekommen zumeist nicht die Aufmerksamkeit, die sie verdienen, weder von ihren Verwandten und Freunden noch von ihrem Arzt. Man neigt eben allgemein dazu ... die beschriebenen Symptome zu ignorieren oder zu verniedlichen. Überdies hat die Indikation bei nervösen Erschöpfungszuständen eher einen subjektiven denn einen objektiven Charakter: Der Patient kann seine Symptome zwar deutlich fühlen, ein anderer sie jedoch nicht wahrnehmen... Nervöse Erschöpfungszustände sind für die moderne Industriegesellschaft typisch. In den Vereinigten Staaten sind sie am häufigsten verbreitet, und zwar aus dem einfachen Grund, weil in diesem Land die Reizüberflutung am größten ist und damit auch die Belastung von Geist und Nerven.«[36]

Aku-Yoga kann das gesamte Nervensystem beleben, weil die Haltungen und Reizpunkte die Nerven durch Bewegung, Druck, Streckung, Atmung und Entspannung kräftigen. Es entspannt und belebt, indem es die Spannungen löst. Da ein Hauptaugenmerk auf der Wirbelsäule liegt, wirkt Aku-Yoga positiv auf das gesamte Nervensystem.

Reflexzonentherapie

Im Yoga geht man davon aus, daß viele der 72000 Nerven des Körpers in den Füßen enden. In den Fußsohlen spiegelt sich der Körper wider: von Kopf bis Fuß ist er von den Zehen zu den Fersen repräsentiert. Die Nebenhöhlen gehören zum Kopf. Ihre Beschwerden schlagen sich deshalb z. B. als Verspannung in den Zehen nieder. Nur beide Füße zusammen können den Körper repräsentieren. Die Innenfußbögen stehen als Mittelachse für die Wirbelsäule.

Fußmassage hilft gegen viele Beschwerden; Druck auf die Innenfußbögen insbesondere gegen Nervenleiden. Massieren Sie sich zwei bis drei Mal täglich jeweils zehn Minuten die Füße. Oder gehen Sie barfuß über eine Wiese, um die Füße zu öffnen und zu beleben. Wir halten viele Verspannungen in unseren Füßen. Ein bißchen Aufmerksamkeit tut ihnen gut.

Der Turmspringer

1. Sie liegen auf dem Rücken. Die Füße berühren sich.
2. Während Sie einatmen, heben Sie die Beine über den Kopf.
3. Greifen Sie mit Daumen und Fingern von beiden Seiten die Fersen.
4. Winkeln Sie die Beine über dem Kopf so an, daß auf das Gebiet zwischen Ihren Schulterblättern Druck ausgeübt wird.
5. Sie entspannen sich in dieser Haltung und atmen etwa eine Minute lang tief durch.
6. Sie kehren behutsam in die Ausgangsposition zurück und schließen die Augen. Entspannen Sie sich einige Minuten. Sie fühlen das Blut und die Energie zirkulieren.

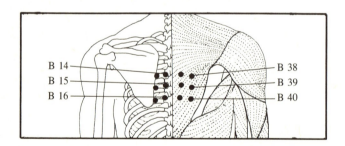

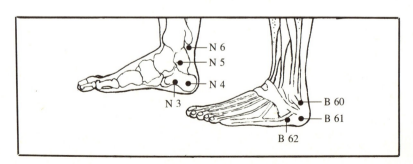

Aku-Punkte	Traditionelle Assoziationen
Blase 60–62	Spannungskopfschmerzen, Hexenschuß, Ischias
Niere 3–6	Schlaflosigkeit, Asthma, Verstopfung, Kopfschmerzen
Gefäß des Herrschers 11, 12	Vergeßlichkeit, Nervosität, Wirbelsäulenversteifung
Blase 14–16 und 38–40	Bluthochdruck, Herzbeschwerden, Schmerzen im oberen Rücken

Heilwirkung für/bei: Leber, Schilddrüse, Nerven, Rücken

Die Rückenschaukel II

Die Rückenschaukel eignet sich gegen Rücken- und Halsversteifungen und gegen steife Beine. Sie hilft ferner bei Ischias, Bluthochdruck und Kreislaufbeschwerden. Sie stimuliert die Reizpunkte auf den Zehen, was eine allgemeine ausgleichende Wirkung hat. Wie der Name andeutet, lockert und öffnet sie den Energiefluß im gesamten Rücken.

1. Sie liegen mit dem Rücken auf einer Matte, die Beine nebeneinander.
2. Beim Einatmen heben Sie Arme und Beine.
3. Sie atmen aus und fassen die Zehen.
4. Schaukeln Sie nun vom Gesäß zu den Schultern auf der Wirbelsäule hin und her: beim Einatmen rollen Sie auf die Schultern zu, beim Ausatmen zurück zum Gesäß.
5. Üben Sie dies etwa eine Minute lang. Die Beine sind dabei etwas angewinkelt.
6. Beim Einatmen senken Sie die Beine schließlich zum Boden. Sie liegen auf dem Rücken und entspannen.

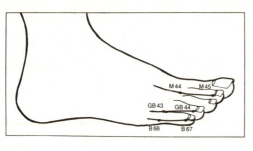
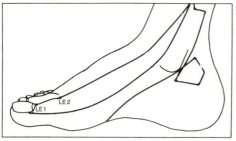
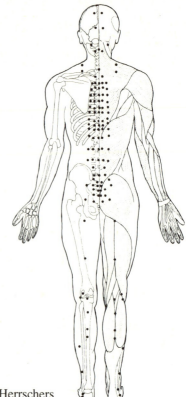

▶ Punkte des Blasenmeridians und des Gefäßes des Herrschers

Aku-Punkte	Traditionelle Assoziationen
Blase 11–25, Gefäß des Herrschers 1–14	die Yü- oder »mit den Organen assoziierte« Punkte; vorbeugend gegen Fieber, Rückenversteifung, Bluthochdruck und Nervosität
Blase 36–49	Rheuma, Rückenschmerzen, Nierenschwäche, Versteifung des ganzen Körpers
Leber 1, 2	Schlaflosigkeit, Magenschmerzen, aufgedunsener Unterleib, epileptische Anfälle
Magen 44, 45	Alpträume, Schmerzen, begleitet von Angstzuständen und Zittern, aufgeblähter Bauch
Gallenblase 43, 44	Alpträume, Spasmen in den Zehen, Schwindelanfälle, Rippenschmerzen
Blase 66, 67	Schwindelanfälle, Angst, Verdauungsstörungen, Gastritis

Heilwirkung für/bei: intercostale Neuralgie (Entzündung der Rippennerven), Ödeme, Grippe, Rückenschmerzen, Rückenverspannung, Erschöpftheit

Potenz

Die geschlechtliche Potenz und Erlebnisfähigkeit ist nach der chinesischen Physiologie vom Allgemeinzustand des Körpers und von der Verfassung der Nieren abhängig. Der Körper des Menschen stellt ein Netz lebendiger Systeme dar, sie werden durch die Lebensenergie zusammengehalten. Alle Körperfunktionen laufen so gut, wie der Zustand des Chi es zuläßt. Aber der Körper wird nicht nur durch das Chi in Gang gehalten, er hat auch die Fähigkeit, es zu erzeugen und zu speichern. Die erzeugte Lebensenergie heißt *Chen Chi,* die gespeicherte *Ching Chi.* Die gespeicherte Energie kann bei Bedarf den unterschiedlichen Funktionen dienstbar gemacht werden, also auch der Sexualität. Sie wird in den Nieren aufbewahrt, deshalb beeinflußt der Zustand der Nieren die Sexualität. Wir müssen allerdings erklärend hinzufügen, daß wir unter den Nieren hier nicht nur das Organ, sondern auch seinen Meridian und die dazugehörigen Reizpunkte meinen.
Eine reiche Reserve an *Ching Chi* garantiert eine kräftige und regelmäßige Funktion der Geschlechtsorgane. Das Geschlechtsleben ist zwangsläufig gestört, sobald die Lebensenergie in den Nieren geschwächt oder erschöpft ist. Man wird impotent oder frigide. Unsere Alltagsgewohnheiten beeinflussen die Sexualität nicht weniger als ungewöhnliche und belastende Ereignisse. Ob wir unsere Energiereserven aufbauen oder ausbeuten, liegt an uns. Wir bestimmen darüber durch unsere Lebensgewohnheiten und Taten.

Arten der Impotenz und ihre Ursachen

Es gibt verschiedene Arten von Impotenz. Der »Ayurveda«, die klassische indische Gesundheitslehre, kennt derer sieben.

1. Seelisch bedingte Impotenz: Seelische Schwankungen und Probleme können die sexuelle Erlebnisfähigkeit beeinträchtigen, ganz gleich ob sie ihre Ursachen in der Partnerschaft oder in anderen Lebensbereichen haben. Wenn die Ursachen der Impotenz in der Partnerschaft liegen, dann sind sie wahrscheinlich auf mangelndes Einfühlungsvermögen zurückzuführen. Fehlen in einer Beziehung Offenheit und Mitteilungsbereitschaft, entstehen Spannungen und Angst, verschlimmert durch den inneren Druck von Erwartungen, Befürchtungen, mangelndem Selbstvertrauen und Unsicherheit.
Sex in seiner reifsten Form ist ein Ausdruck von Liebe, Zärtlichkeit und innigem Verbundensein. Probleme und Unzufriedenheit stellen sich unvermeidlich ein, wenn er nur dem physischen Kitzel und der Lustbefriedigung dient, wenn die Gefühle daran nicht weiter beteiligt sind. Reduziert man den Partner zum Sexualobjekt, verkommt der Liebesakt zur gegenseitigen Masturbation. Man wird davon unerfüllt bleiben. Mechanische Lustbefriedigung erzeugt Angst, Unsicherheit und andere negative Gefühle, die man dann zunehmend mit der Sexualität assoziiert. Auf diesem Boden können die Liebe, das Vertrauen und die Verbundenheit nicht wachsen, die für eine befriedigende und dauerhafte Beziehung unbedingt notwendig sind.
Druck entsteht auch, wenn der Liebesakt nicht Liebe zum Ausdruck bringt, sondern die

eigene Leistungsfähigkeit beweisen soll. Man ist unfrei, weil man Erwartungen erfüllen muß. In diesem Fall haben Männer oft einen vorzeitigen Samenerguß, was einer unbewußten Befreiung aus dem Druck der Beziehung gleichkommt. Exzessive sexuelle Phantasien können zum gleichen Ergebnis führen. Sie machen erregt, der Samen sammelt sich bereits, so daß er beim Verkehr schneller ausgestoßen wird. Frauen reagieren auf seelischen Druck häufig mit vaginalen Infektionen, Menstruationsbeschwerden und anderen Beschwerden der Geschlechtsorgane.

Auch Abhängigkeit und Angst in anderen Lebensbereichen spielen in die Sexualität hinein. Schuld, Selbstzweifel, Angst oder Tollkühnheit können Impotenz mitverursachen. Je ängstlicher man ist, desto anhänglicher und unsicherer ist man auch (Yin-Übergewicht). Egozentriker und »Helden« (Yang-Übergewicht) sind gern tollkühn. Sie treiben sich über ihre Grenzen hinaus, um ihre Furchtlosigkeit zu beweisen. Beide Extreme schwächen die Nierenenergie und die sexuelle Erlebnisfähigkeit. Sie erschweren überdies alle zwischenmenschlichen Beziehungen, weil sie einen Zyklus der Negativität in Gang setzen.

2. *Gallige Impotenz:* Ein schlechter Gesundheitszustand bringt zumeist Sperren in Gallenblase und Leber mit sich, die die Gallenflüssigkeit stauen. Diese Stauung schwächt nachhaltig Nerven, Drüsen und Blut. Die Sperren behindern die Produktion und Verteilung des Samens, so daß die Ejakulationsfähigkeit eingeschränkt wird. Gallige Impotenz kann auch durch Alkohol- und Drogenmißbrauch verursacht werden, weil sie die Ausscheidung von Gallenflüssigkeit verhindern.

Von den Gefühlen ordnet man der Leber die Wut zu. Unterdrückte Wut ist typisch für eine Gesellschaft, die zwar hohe ethische Prinzipien aufstellt, sie in der Praxis aber häufig umgeht und lächerlich macht. Wenn wir unsere Wut unterdrücken und in uns festhalten, schaden wir der Leber und begünstigen gallige Impotenz.

3. *Unangebrachte Enthaltsamkeit:* Sexuelle Enthaltsamkeit hat im Yoga Tradition. Sie kann sehr wertvoll sein. Wenn sie allerdings unangebracht oder sogar erzwungen ist, wirkt sie sich negativ auf die Sexualität und die Sexualfunktion aus.

Sexuelle Enthaltsamkeit ist im Yoga nur ein Punkt unter vielen in einem Übungsprogramm, das den Körper läutern soll. Sie ist ein Werkzeug wie das Fasten. Sie hilft, den Körper zu reinigen, und fördert möglicherweise unsere Selbsterkenntnis. Wie jedes Werkzeug kann man sie aber auch falsch einsetzen. Man sollte sich nur im richtigen Moment und unter den richtigen Lebensumständen von Essen oder Sex enthalten. Äußerer Zwang und alle »Du-sollst« und »Du-mußt« sind schädlich. Einzig und allein die innere Überzeugung macht Enthaltsamkeit zu einer brauchbaren Form der Selbstdisziplin.

4. *Vergeudung:* Jeder Mensch braucht sein eigenes Maß an sexueller Betätigung. Wie alles andere kann man auch die Sexualität übertreiben. Wer sich über sein individuell tolerierbares Maß hinaus geschlechtlich betätigt, verschwendet seine Energiereserven, was zu partieller Impotenz führen kann.

5. *Organische Impotenz:* Allgemein gesundheitsschädigende Lebensgewohnheiten können auch impotent machen, weil sie die Energiereserven der Nieren erschöpfen. Dazu zählen: weißer Zucker und die Angewohnheit, viel zu trinken, ferner Kälte, allgemeine Erschöpfung und chronische Beschwerden im unteren Rücken.

● Weißer Zucker ist ein großer Feind der Nieren. Die Adrenalindrüsen müssen schwer

arbeiten, um weißen Zucker in den Stoffwechsel einzuverleiben. Sie liegen unmittelbar über den Nieren, mit denen sie verbunden sind.
● Flüssigkeiten belasten die Nieren, wenn wir zuviel davon zu uns nehmen. Die Nieren müssen eine unverhältnismäßig große Flüssigkeitsmenge filtern. Dieser Punkt deckt sich mit der Theorie der fünf Elemente. Die Nieren sind dem Element Wasser zugeordnet. Die Lehre von den fünf Elementen besagt, daß jedes Element das ihm zugeordnete Organ schädigt, wenn es dem Körper im Übermaß zugeführt wird. Zuviel Wasser schadet daher den Nieren. Trinken Sie am besten nur mäßig, um das Gleichgewicht der Energien in den Nieren nicht zu stören. Die im Westen verbreitete Ansicht, man müsse den Körper nur ordentlich »spülen«, um ihn zu »reinigen«, ist aus östlicher Sicht eine kulturspezifische Ursache für Impotenz, insbesondere wenn man mit den Flüssigkeiten viel weißen Zucker zu sich nimmt.
● Kälte beeinträchtigt Nierenfunktion und Fortpflanzungsorgane. Dazu bedarf es nicht unbedingt großer Kälte, mehrere kleine Unterkühlungen genügen. Wenn Sie sich bei kaltem Wetter nicht warm genug anziehen oder zudecken, setzen Sie sich der Gefahr dieser Art von organischer Impotenz aus. Kalte Speisen und eisgekühlte Getränke schaden der Energie in den Nieren. Essen Sie im Winter kein Eis und nehmen Sie keine eisgekühlten Drinks zu sich. In Maßen kräftigt Kälte allerdings Körper, Nierenenergie und Geschlechtsorgane. Sie können Ihre Energien in den Nieren aufstocken, indem Sie täglich ein paar Minuten kalt duschen.
● Erschöpfung führt zu organischer Impotenz. Der Winter ist eine Zeit des Rückzugs: »Die Kraft des Schattigen ist im Aufsteigen begriffen. Das Lichte zieht sich vor ihr in Sicherheit zurück, so daß jene ihm nichts anhaben kann. Es handelt sich bei diesem Rückzug ... um ein Gesetz des Naturgeschehens, ... um die Kräfte nicht aufzureiben.«[37]
Passen Sie sich den Jahreszeiten an. Entwickeln Sie Ihre Energie im Frühling; im Sommer kräftigen Sie sie und bauen sie aus; Sie sammeln und speichern sie im Herbst; im Winter bewahren Sie sie. Wenn Sie Ihren Lebensrhythmus nicht dem Wandel der Jahreszeiten anpassen, kommen Sie in eine Erschöpfung, die die natürlichen Energiereserven des Körpers aufzehrt.
● Der untere Rücken hat schon allein deshalb etwas mit den Nieren zu tun, weil er sie beherbergt. Er beherbergt außerdem einen Abschnitt des Nierenmeridians und spezielle Reizpunkte der Nieren. Ist dieser Teil des Rückens steif oder geschwächt, haben die Nieren den Schaden. Wie wichtig es ist, den unteren Rücken zu strecken und durch Übung zu kräftigen, sehen Sie an der Häufigkeit der Beschwerden im unteren Rücken. Die Verbindung zwischen Nieren und Potenz stellt auch zwischen Rückenbeschwerden und Schwierigkeiten mit der Sexualität und den Fortpflanzungsorgangen einen Zusammenhang her.
Grundsätzlich können wir sagen: Wer nicht auf sich achtgibt, wird Ki und damit die Kraft seiner Geschlechtsorgane verlieren. Die Folge ist organische Impotenz. Sie läßt sich jedoch beheben. Wie lange das dauern wird, hängt von der Dauer und dem Ausmaß der schlechten Angewohnheiten ab, aber auch von der jeweiligen Konstitution.
6. *Geschlechtskrankheiten:* Syphilis und Gonorrhöe sind sehr infektiös. Sie zerstören nicht bloß die Fortpflanzungsorgane, sondern den ganzen Körper. Sie müssen sofort von einem Arzt behandelt werden.

7. Vererbte Impotenz: Sie ist häufig ein Dauerzustand, glücklicherweise jedoch sehr selten. Nur wenige Menschen werden mit Defekten an Eierstöcken oder Hoden geboren.

Methoden zur Stärkung der Potenz

Es gibt so viele Methoden, die Nieren mit frischem Ki aufzutanken, wie es Unsitten gibt, ihre Energie zu erschöpfen. Offenheit, Vertrauen, Meinungsaustausch und die Bereitschaft auf Erwartungen und vorgefertigte Urteile zu verzichten, beseitigen eine Menge zwischenmenschliche Probleme, auch sexuelle. Über diese seelischen Faktoren hinaus kräftigt jede Verbesserung des allgemeinen Gesundheitszustandes die sexuelle Erlebnisfähigkeit. Dazu müssen Sie nur regelmäßig üben und sich gesund ernähren.
Die Ernährung spielt eine wichtige Rolle, weil die Nahrung die Sexualhormone beeinflußt. Ein Ungleichgewicht dieser Hormone kann zu Impotenz führen, oder man verliert einfach das Interesse an der Sexualität. Bohnen sind in der japanischen Küche ein beliebtes Hausmittel gegen solche Malaise. Man verwendet Bohnen manchmal sogar innerlich und äußerlich als Medizin. Azuki-Bohnen sind ein gutes Mittel gegen Nierenbeschwerden. Schwarze Bohnen kräftigen die Geschlechtsorgane. Sie helfen gegen unregelmäßige Monatsblutung, Unfruchtbarkeit und mangelnde sexuelle Lust.[38]
Wenn Sie drei Teile Getreidekörner mit einem Teil Bohnen mischen, erhalten Sie nicht nur alle für die Proteinherstellung essentiellen Aminosäuren. Sie stabilisieren auch die männlichen und weiblichen Sexualhormone. Jede ausgewogene, frische und nährstoffreiche Kost erhält Sie gesund. Sie ist auch ein wichtiger Faktor für die sexuelle Erlebnisfähigkeit.
Gewisse Reizpunkte, die mit den Nieren in Verbindung stehen, können ebenfalls die Potenz kräftigen. Die Akupressur wirkt insgesamt aufbauend, sie fördert alle Körperfunktionen, auch die Sexualität. Die Punkte am Kreuzbein sind für Mann und Frau gleichermaßen potenzfördernd. Sie helfen gegen unregelmäßige und schmerzhafte Monatsblutung wie auch gegen Prostata- und Blasenleiden. Die anschließende Übung reizt diese Punkte. Sie regt die Sexualhormone und damit die Potenz an. Geeignet sind auch Übungen, die wir in anderem Zusammenhang vorstellen, zum Beispiel: die »Heuschrecke« (siehe S. 68), die »Rückenschaukel I« (siehe S. 158), »den Himmel auf Händen tragen« (siehe S. 161), die »Hüftwende« (siehe S. 166), die »Hüftbefreiung« (siehe S. 166), »Streckung des Lebensnervs IV (siehe S. 213), der »Bogen« (siehe S. 95), die »Kniepresse« (siehe S. 234), Rückgratsbeugen (siehe S. 56) und die »Kobra« (siehe S. 94). Alle diese Übungen gleichen Störfaktoren aus, die impotent machen.

Wärmung des Geschlechts

1. Sie liegen auf dem Rücken. Legen Sie die Hände übereinander und schieben Sie sie unter das Kreuzbein.
2. Während Sie einatmen, heben Sie die Beine etwa dreißig Zentimeter vom Boden ab. Sie atmen aus, ohne die Beine zu senken.
3. Während Sie erneut einatmen, spreizen Sie die Beine. Sie halten sie auch dabei dreißig Zentimeter über dem Boden gestreckt.
4. Beim Ausatmen führen Sie die Beine (immer noch angehoben) langsam zusammen.
5. Üben Sie etwa zwanzig Sekunden in der beschriebenen Weise. Senken Sie dann

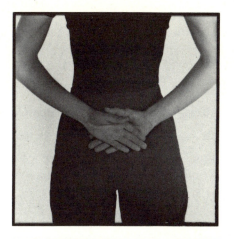

die Beine. Sie liegen auf dem Rücken und atmen tief durch den Bauch ein und aus.
6. Wiederholen Sie nochmals die ganze Übung.
7. Bleiben Sie anschließend einige Minuten lang zur Tiefenentspannung auf dem Rücken liegen.

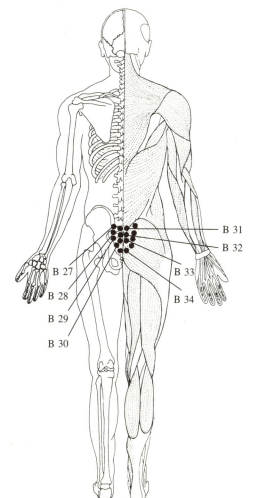
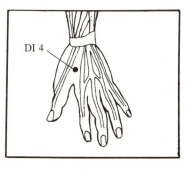

207

Aku-Punkte	Traditionelle Assoziationen
Blase 27	Beschwerden im Kreuzbeingelenk, Dickdarmkatarrh
Blase 28	Wasserverhaltung, Schmerzen in Lenden und Kreuzbein
Blase 29	Nierenschwäche, steifer Rücken, Impotenz
Blase 30	Hexenschuß, Ischias, Kreuzschmerzen
Blase 31–34	Verstopfung, Hexenschuß, Impotenz, Unfruchtbarkeit, vaginaler Ausfluß, Geschlechtskrankheiten
Dickdarm 4	Verstopfung, geistige Verwirrung, fixe Ideen

Heilwirkung für/bei: Verstopfung, Beschwerden im unteren Rücken, Schmerz oder Druckgefühl an der Wirbelsäulenbasis, Bauchschwäche, Ischias, Blasenschwäche, Schwäche von Sexual- und Fortpflanzungsfunktion

Rückenbeschwerden

Rückenbeschwerden sind eine Zeitkrankheit, der Tribut, den wir für unseren Lebensstil entrichten müssen. Wer hat sich nicht schon irgendwo im Rücken steif oder verspannt gefühlt? Wer hat noch nie Rückenschmerzen gehabt? Alle leiden wir dann und wann – und viele schon seit Jahren chronisch – darunter.
Wenn wir im Rücken steif, verspannt und muskelschwach sind oder unter sporadischen bzw. chronischen Rückenschmerzen leiden, hat dies hauptsächlich vier Ursachen: (1) mangelhafte Geschmeidigkeit der Wirbelsäule, (2) Haltungsfehler, (3) Auto-, Sport- oder andere Unfälle und (4) seelische Belastungen wie zum Beispiel berufsbedingter oder emotionaler Streß. Alle diese Zustände beeinträchtigen die Muskeln und Meridiane des Rückens. Die Meridiane werden gestaut und umgeleitet und die Muskeln verspannen sich mehr und mehr. Blut- und Energiekreislauf leiden darunter, wenn die toxischen Abfälle des Stoffwechsels vom Blut nicht richtig weggespült werden können, und die Energien infolgedessen immer ungleicher verteilt sind. Diese Störungen ziehen jedoch

noch weitere Kreise. Der Rücken fängt die Überlastung der betroffenen Muskelpartien auf und verlagert einen Teil der Spannung an eine andere Stelle. Ein anderer Bereich des Rückens wird in Mitleidenschaft gezogen, dem ursprünglichen Problem ein neues hinzugefügt.

Aku-Yoga kann die Rückenverspannung lösen und die Schmerzen allmählich zum Abklingen bringen. Es streckt Nerven, Sehnen, Bänder und gleicht den Energiepegel im Körper aus. Wer es regelmäßig übt, kann dies bestätigen. Die Stellungen und Bewegungsabläufe regen die Muskeln an und stimulieren gleichzeitig verschiedene Reizpunkte.

Aku-Yoga macht Sie überdies in allen Lebenslagen körperbewußter. Sie nehmen wahr, wie Sie den Körper halten. Mit der Zunahme dieser Bewußtheit können Sie Ihre Haltungsgewohnheiten nach und nach korrigieren. Sie setzen einen Prozeß in Gang, der rasch um sich greift und sich selbst verstärkt. Die aufgeweckte Körperbewußtheit macht Sie nun sofort aufmerksam, wenn Sie zusammengesunken oder unnatürlich verdreht sitzen, stehen oder liegen. Mit der Haltungskorrektur verstärken Sie wiederum die Körperbewußtheit, die Sie noch schneller auf Störfaktoren stößt und so weiter. Ihre Wahrnehmungsfähigkeit ist so weit geschärft, daß Sie Störungen schon erkennen, wenn sie sich gerade erst abzuzeichnen beginnen. Tun Sie also etwas gegen Ihre Rückenschmerzen, sobald Sie sie wahrnehmen. Warten Sie nicht, bis der Schmerz so stark geworden ist, daß er sich einfach nicht mehr verdrängen läßt.

Sie müssen Wirbelsäule und Rückenmuskulatur geschmeidig halten. Dies ist ungeheuer wichtig für Ihre allgemeine Gesundheit, weil die Nervensegmente des Rückens wie ein zusammenhängendes Nervengeflecht funktionieren. Im Abschnitt »Wirbelsäulenbeschwerden« werden wir noch näher darauf eingehen (vgl. S. 242ff).

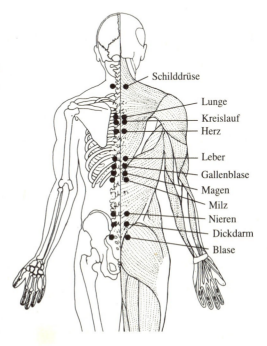

Sie sehen, daß die Punkte meist in der Nähe des assoziierten Organs anzutreffen sind. Der Rückenabschnitt und das Organ, das auf diesem Abschnitt im Körperinnern liegt, sind miteinander verbunden. Dadurch entsteht eine Wechselwirkung: Störungen im natürlichen Energiegleichgewicht des Rückgrats können das nächstliegende Organ beeinträchtigen, und Organstörungen können sich auf den jeweiligen Wirbelsäulenabschnitt auswirken. Wir können daher an den Rückenbeschwerden ablesen, welche Störungen im Innern des Körpers vorliegen oder sich anbahnen.

Außerdem sind die Reizpunkte des Blasenmeridians in mehreren Strängen neben der Wirbelsäule über den Rücken verteilt. Die chinesische Gesundheitslehre kennt sie als die »Yü-Punkte«, das heißt »(mit den Organen) assoziierte Punkte«. Die Yü-Punkte liegen auf beiden Seiten der Wirbelsäule zwischen der Wirbelsäule und dem großen Sakrospinalis-Muskel. Sie können sie mit Hilfe der folgenden Abbildung finden. Die Yü-Punkte veranschaulichen, daß vom Gleichgewicht der Wirbelsäule alle Organe profitieren. Wir können diese Wechselwirkung vielleicht einfach so formulieren: je gesünder die Wirbelsäule, desto gesünder der Mensch. Lesen Sie deswegen zum besseren Verständnis nochmals den Abschnitt »Die Biegsamkeit der Wirbelsäule« im zweiten Kapitel (vgl. S. 31 ff).

Heftige Rückenschmerzen treten insbesondere morgens direkt nach dem Aufstehen auf. Der Schmerz läßt in der Folgezeit nach, sobald die täglichen Handgriffe und Bewegungsabläufe die Muskulatur ein wenig in Gang gebracht haben. Heizkissen oder heiße Bäder sind nur begrenzt wirksam. Zwar lindern sie den Schmerz oder das Steifegefühl, können jedoch, wenn sie nur für sich und nicht etwa zur Unterstützung einer Akupressur- oder Akupunkturbehandlung angewandt werden, keine grundlegenden Veränderungen herbeiführen. In Verbindung mit regelmäßigem Aku-Yoga kann Wärme aber sehr wohl kurz- und langfristig lindern. Wir können die Heilwirkung der Übungen zum Beispiel dadurch erhöhen, daß wir vor dem Üben die Reizpunkte mit einem warmen Handtuch reiben und pressen, um die Muskeln aufzulockern. Die Tiefenentspannung und Meditation nach der Übung harmonisiert und stabilisiert die Körperenergien. Sie beruhigt den Körper, so daß die Rückenverspannungen sich auflösen können.

Verspannungen im *unteren Rücken* haben etwas mit Blase, Nieren und Fortpflanzungsorganen zu tun. Nierenschwäche ist eine häufige Ursache für Kreuzbeschwerden. Sie wird ihrerseits durch zuviel Kochsalz, Alkohol, Sex oder von einem starken Gefühl der Angst hervorgerufen.

Verspannungen im *oberen Rücken,* im Bereich der Brust- und Nackenwirbel sind oft psychisch bedingt. Rückgratverkrümmungen, Schmerzen und Druckgefühle zwischen den Schulterblättern wollen uns sagen, daß wir uns vielleicht selbst zu unbarmherzig vorwärtstreiben, oder aber uns auf die verletzten Gefühle aufmerksam machen, die sich hinter dem Herzen zu einem Knoten von Verlust und Kummer verschlungen haben.

Wer sich ständig dazu treibt, mehr zu leisten als in seinen Kräften liegt, muß sich notwendigerweise überspannen. Was er auch tut oder erreicht, nie ist es »genug«. Weil es nie genug ist, kann er nicht nachgeben und in eine gemächlichere Gangart zurückschalten. Schließlich schlägt sich der seelische Druck körperlich als ein Knoten der Verspannung entweder in den Schultern oder zwischen den Schulterblättern nieder.

Nicht viel anders ergeht es all jenen, die Schmerz oder Verlust nicht fühlen, nicht wirklich an sich herankommen lassen wollen. Sie neigen dazu, sich krampfhaft an etwas zu klammern, auch wenn es eigentlich schon vorbei ist. Weil sie nicht loslassen können, schnüren sie den Atem ein (denn tiefes Atmen würde ihre Gefühle freisetzen). Das Festhalten der Gefühle und des Atems verspannt schließlich Brust- und Rückenmuskeln.

Die Yü-Punkte des oberen Rückens sind mit Herz und Lunge gekoppelt. Es überrascht daher nicht, wenn Klienten mit Herzbeschwerden oder Asthma fast immer in den oberen

Rückenpartien verspannt sind. Wenn diese Verspannungen gelöst werden, profitieren auch Herz und Lunge davon.

Eine Mahnung: Üben Sie ganz sacht und behutsam, wenn Sie Rückenschmerzen oder -beschwerden haben. Sie müssen sich sanft in die Übung hineinfinden, besonders wenn das Rückenleiden chronisch oder die Spätfolge eines Unfalls ist. Vermeiden Sie ruckartige Bewegungen, die ein körperliches Unbehagen erzeugen. Muten Sie sich nicht zuviel zu. Strecken Sie sich zwar, aber verrenken Sie sich nicht. Sie machen es falsch, wenn Sie sich beim Üben überanstrengen. Die Übung sollte genau auf der Schneide zwischen Schmerzgefühl und angenehmem Prickeln stehen. Wenn es ordentlich »zieht«, ohne wehzutun, dann haben Sie genau die richtige Spannungsintensität gefunden.

Die Übungsanleitung fordert Sie zum Beispiel auf, den Rumpf zu beugen, die Waden oder gar Fußgelenke zu umfassen und den Kopf zum Knie zu führen, ohne die Kniekehlen vom Boden abzuheben. Man verlangt von Ihnen damit nicht, die Übungsanleitung buchstabengetreu zu erfüllen. Sie sollen nicht mehr tun, als sich behutsam an die beschriebene Position heranzutasten. Sie sollen sich so weit strecken, wie Sie können, aber keine Gewalt anwenden. Wenn Sie momentan nur den Kopf etwas senken und die Schultern ein wenig runden können, geht das in Ordnung. Mit etwas Übung werden Sie ganz von selbst elastischer. Sie brauchen nichts zu forcieren. *Aku-Yoga ist kein Leistungssport.* Befreien Sie sich von Ihren Erwartungen und nehmen Sie sich so an, wie Sie sind.

Gehen Sie ganz entspannt und allmählich in die Übung hinein. Sie halten die Augen geschlossen, um besser erfühlen zu können, was Sie tun. Dann wissen Sie auch, wann Sie nachgeben, wann zulegen und wann still bleiben müssen, weil Sie die richtige Stellung gefunden haben. Loten Sie Ihre Bedürfnisse und Grenzen aus. Seien Sie mit dem zufrieden, was Sie bereits können. Sobald Sie Ihre Fähigkeiten akzeptieren und weiterüben, werden die Muskeln und Gelenke mit der Zeit ganz natürlich geschmeidiger. Erkennen Sie Ihren eigenen Entwicklungsstand an. Das ist der erste Schritt auf dem Wege zur Heilung.

Das »Rückgratsbeugen« und die »Streckung des Lebensnervs« machen die Wirbelsäule um vieles flexibler. Sie kräftigen die Rückenmuskeln und stimulieren den Blasenmeridian in ganzer Länge und deswegen – über die Yü-Punkte – auch alle inneren Organe.

Die »Streckung des Lebensnervs« wirkt überdies auf den Ischiasnerv, der vom unteren Rücken an den Rückseiten der Beine entlangläuft. Sie belebt Beine, Hüften und Rückenmuskeln, lindert Beschwerden in der Blase und den Harnwegen und hilft bei kalten Füßen und Nackenversteifungen. Die »Streckung des Lebensnervs« gehört zu den Grundübungen des Yoga.

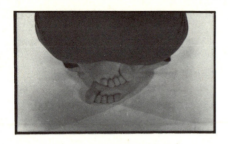

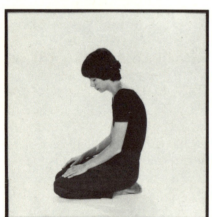

Rückgratsbeugen

1. Hocken Sie auf den Fersen, wobei Sie den Spann des linken Fußes über den Innenbogen des rechten Fußes legen.
2. Sie legen die Handflächen auf die Oberschenkel. Die Wirbelsäule ist gerade aufgerichtet.
3. Beim Einatmen drücken Sie die Brustwirbel nach vorn und die Schultern zurück. Wölben Sie die Wirbelsäule mit sanfter Bestimmtheit in diese Vorwärtsbewegung hinein.
4. Während Sie ausatmen, lassen Sie die Schultern nach vorn und die Wirbelsäule in sich zusammenfallen. Der Kopf ruht auf der Wirbelsäule. Er geht mit ihrer Bewegung mit.
5. Üben Sie dies etwa eine Minute lang. Beginnen Sie langsam und allmählich, so daß Sie die Beugung des Rückens deutlich fühlen. Hat sich der Rücken etwas gelockert, können Sie das Tempo nach und nach steigern. Stimmen Sie Atem und Bewegung aufeinander ab. Beim Einatmen schnellt die Brust sich öffnend nach vorn, beim Ausatmen fällt sie in sich zusammen.
6. Liegen Sie etwa eine Minute lang zur Entspannung auf dem Rücken.

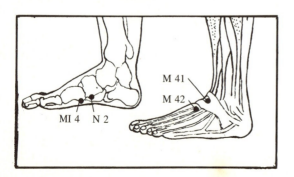

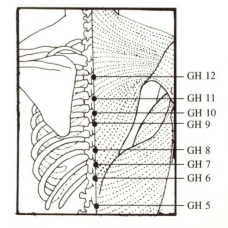

Aku-Punkte	Traditionelle Assoziationen
Milz 4	Ein Reflexpunkt für den Mittelabschnitt des oberen Rückens: Verdauungsbeschwerden, Bauchschmerzen, Muskelkrämpfe
Niere 2	Ein Reflexpunkt für die Rückenmitte: kalte Füße, Schwellungen und Schmerzen in Brust oder Bauch
Magen 41, 42	Kältegefühl, zielloses Umherirren, Schwindelgefühl, Geistesstörungen, Anfälle
Gefäß des Herrschers 5–12	Steifer Rücken, Rückenschmerzen, Verkrampfungen in der Lendengegend und der Wirbelsäule, Nervosität

Heilwirkung für/bei: Versteifungen der Wirbelsäule, Rückenschmerzen, Verdauungsbeschwerden, Nervenleiden, Haltungsschäden

Streckung des Lebensnervs IV

1. Sitzen Sie auf dem Boden, die Beine nebeneinander und vor sich ausgestreckt. Die Kniekehlen liegen auf dem Boden auf.
2. Sie atmen aus und lehnen den Oberkörper über die Beine. Sie legen die Hände auf Knie oder Schienbein, oder, wenn Sie es mühelos können, auf die Fußgelenke oder den großen Zeh.
3. Üben Sie etwa eine Minute diese Bewegung. Beim Einatmen richten Sie sich auf, beim Ausatmen beugen Sie den Oberkörper nach vorn. Sie beginnen ganz langsam, Streckung und Atemfluß synchron erfühlend. Je tiefer Sie atmen, desto leichter werden Sie Rücken und Beine strecken können.
4. Legen Sie sich nach dem Üben zur Entspannung für ein paar Minuten auf den Rücken.
5. Üben Sie anschließend unbedingt die Kobra (siehe S. 94), um die Wirbelsäule auch in die entgegengesetzte Richtung zu biegen.

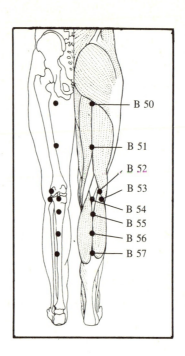

Aku-Punkte	Traditionelle Assoziationen
Blase 50	Hämorrhoiden, Verstopfung, Hexenschuß, Ischias, Rückenschmerzen
Blase 51	Unfähigkeit, sich leicht auf und nieder zu beugen; Rückenschmerzen, Lendenschmerzen
Blase 52, 53	Wadenkrämpfe, Knieschmerzen, Lendenschmerzen
Blase 54, 55	Steife- und Schweregefühl im gesamten Körper, Rücken- und Nackenversteifung, Arthritis im Knie
Blase 56, 57	Schmerzen in der Wade und am Fußspann, Muskelkrämpfe

Heilwirkung für/bei: Ischias, Erkrankungen der Blase und Harnwege, Versteifung oder Schmerzen in den Kniekehlen, Muskelkrämpfe, kalte Füße, Müdigkeit am Spätnachmittag, Steifheit oder Schmerzen in den Beinen

Schlafstörungen

Überlastung und Angst sind die Hauptursachen für Schlafstörungen und Schlaflosigkeit. Die Gefühle sind aufgewühlt, der Geist ist abgespannt. Man kann nicht schlafen, weil man ganz »aufgekratzt« ist, weil man die Gedankenmühle nicht abstellen, die Gefühle nicht loslassen und entspannen kann. Der innere Druck erzeugt Sperren. Die Energien können nicht ebenmäßig fließen. Nicht verwunderlich also, wenn die chinesische Medizin die ungleiche Verteilung von *Ki-Energie* für Schlafstörungen verantwortlich macht. Die Sperren schleusen in einige Meridiane zuviel Ki, während sie anderen die Energiezufuhr abdrehen. Die Energie kann nicht alle Stellen im Körper gleichmäßig erreichen.

Obwohl die Energie ständig durch alle Meridiane fließt, hat das Ki einen Wellenberg, der in vierundzwanzig Stunden einmal durch den Körper läuft. Es gibt zwölf Organmeridiane. Folglich steht die Energie in jedem Meridian für zwei Stunden im Zenith. Der Schlaf wird gestört, wenn jene Organe zuwenig oder zuviel Energie zugeführt bekommen, deren Ki-Fluß nachts am höchsten ist. Hier die fünf Meridiane die während der Nacht dominieren:

Dreifacher Erwärmer	21.00 – 23.00
Gallenblase	23.00 – 1.00
Leber	1.00 – 3.00
Lunge	3.00 – 5.00
Dickdarm	5.00 – 7.00

Einige Beispiele: Wer sich regelmäßig zwischen 23.00 und 1.00 nachts so frisch und energiegeladen fühlt, daß er vor Tatendrang nicht schlafen kann, hat dies wahrscheinlich einer Überfunktion des Gallenblasenmeridians zu verdanken. Wachen Sie jede Nacht um dieselbe Zeit auf, kann es am jeweiligen Meridian liegen. Zwischen 1.00 und 3.00 würde es auf ein Ungleichgewicht des Lebermeridians schließen lassen. Vielleicht haben Sie zu viel öl- und cholesterinhaltige Speisen wie Butter oder Gebratenes gegessen, die die Leber überlastet haben? Wachen Sie hingegen zwischen 3.00 und 5.00 auf, so wird wahrscheinlich der Lungenmeridian gestört sein.

Sie können das Gleichgewicht in den einzelnen Meridianen überprüfen, wenn Sie eine Zeit lang verfolgen, wie Sie sich zu den verschiedenen Tages- und Nachtzeiten fühlen. Entdecken Sie, daß sich das Ungleichgewicht immer zur selben Zeit bemerkbar macht, können Sie es mit den passenden Aku-Yoga-Übungen korrigieren. Darüber hinaus tut Bewegung in der frischen Luft allen Meridianen gut, nicht nur weil sie Spannungen abbaut, sondern weil körperliche Ermüdung immer schlaffördernd wirkt.

Die chinesische Medizin bringt Schlafstörungen überdies mit dem Herzmeridian in Verbindung. Zuviel Energie im Herzmeridian läßt uns keinen Schlaf finden. Man stimuliert gegen herzbedingte Schlaflosigkeit den siebten Reizpunkt des Herzmeridians (H 7) an der Innenseite des Handgelenks in Höhe des kleinen Fingers (vgl. Abb. S. 217). Er heißt »Pforte des Geistes«. Er gleicht die Herzenergie aus, befreit von Angst und trägt somit zu einem gesunden Nachtschlaf bei.

Mit ungesundem Essen können wir viel zur Schlaflosigkeit beitragen. Eine an tierischen Fetten und Cholesterin reiche Kost kann zu arteriosklerotischen Veränderungen führen, also zu Ablagerungen an den Arterienwänden, die das Herz belasten. Wenn das Herz kräftiger pumpen muß, um das Blut durch die verengten Gefäße zu schicken, schlafen wir bestimmt nicht mehr so leicht und so gut. Man kann der Gefäßverengung entgegenwirken. Essen Sie weniger Fleisch und salzen Sie sparsamer, da beides die Gefäße zusammenzieht. Benutzen Sie statt Salz Kräuter und Gewürzmischungen oder Rotalgen und Seetangkörner. Wie die Dickdarmtätigkeit den Schlaf beeinträchtigen kann, erfahren Sie im Abschnitt »Verdauungsstörungen«.

Die Meridiane, die Ernährung – was sonst könnte unseren Schlaf stören? Zum Beispiel zu wenig menschliche Wärme und Nähe, zu wenig Tatendrang. Wer kein Ziel hat, sich zu nichts aufraffen kann, wer nur das wenigste tut, in der Liebe von sich und anderen enttäuscht ist, den anderen ebensowenig nahekommt, wie er sie an sich heranläßt, ein solcher Mensch wird wahrscheinlich einen schlechten Schlaf haben. Hemmungen und Enttäuschungen beschäftigen ihn, daß er nicht einschlafen kann.

Bewegungsmangel haben wir schon für viele Beschwerden zumindest mitverantwortlich gemacht, er ist auch an Schlafstörungen nicht unschuldig. Wenn Sie Ihren Körper während des Tages nicht einmal ein bißchen gefordert haben, macht ihn dieser Mangel rastlos. Sie können nicht schlafen, weil der Körper gar nicht müde ist. Der Körper kann nicht zur Ruhe kommen, weil er den ganzen Tag seine Ruhe gehabt hat.

Die chinesische Medizin behandelt Schlafstörungen häufig über die Reizpunkte an der Ferse. Die Namen dieser Punkte sind dafür bezeichnend: einer (innen) heißt »freudiger Schlaf«, ein anderer (außen) »ruhiger Schlaf«. Sie können den Körper entspannen und schlaflose Nächte verkürzen, wenn Sie die Punkte zu beiden Seiten der Ferse und entlang der Achillessehne massieren und pressen.

Natürliche Hilfen zum Einschlafen

● Strecken Sie sich und gähnen Sie ein paar Mal lange und ausgiebig. Die nervliche Anspannung des Tages verdeckt oft die Müdigkeit. Wenn Sie sie loslassen, fühlen Sie, wie müde Sie eigentlich sind.
● Entspannen Sie insbesondere die Augen, die sich tagsüber auf so vieles konzentrieren mußten. Hinweise und Übungen dazu finden Sie auf S. 129ff.
● Lassen Sie die Phantasie schweifen. Sie liegen gemütlich im Bett und schließen die Augen. Atmen Sie ein paar Mal tief durch. Lassen Sie die Bilder des Tages vor Ihrem inneren Auge vorüberziehen. Versöhnen Sie sich mit dem Tag, was auch passiert sein mag. Machen Sie Frieden und lassen Sie ihn ziehen. Lieben und achten Sie sich für das, was Sie getan und erlebt haben. Nachdem Sie sich endgültig vom alten Tag verabschieden konnten, atmen Sie ein paar Mal tief ein und aus. Stellen Sie sich vor, was morgen sein wird. Überlegen Sie, was Sie machen, und wie Sie es machen möchten. Je vollständiger und klarer Sie es sich bildlich vorstellen können, desto leichter wird es am nächsten Tag Wirklichkeit werden. Ihr Bewußtsein ist weit und offen. Sie entdecken und erforschen neue Möglichkeiten, Dinge, die Ihnen Freude machen. Entspannen Sie sich vollständig.
● Übung zur bewußten Entspannung: Liegen Sie auf Ihrem Rücken und schließen Sie

die Augen. Geben Sie jedem Körperteil den Befehl, sich zu entspannen. Fangen Sie mit Ihren Zehen an und wandern Sie so den ganzen Körper hinauf. Bewegen Sie jeden einzelnen Muskel und jedes Gelenk sanft hin und her. Entspannen Sie so jeden Teil des Körpers, einen nach dem andern.

Als Übung gegen Schlafstörungen haben wir das »Kamel« gewählt, weil sie die Punkte des Yin/Yang-Erregers miteinander verbindet. Sie erinnern sich: der Yin/Yang-Erreger war der Sondermeridian, dessen Hauptaufgabe es ist, die Energie gleichmäßig im Körper zu verteilen. Da das »Kamel« überdies die schlaffördernden Punkte um die Fußknöchel anregt, ist es die geeignete Haltung gegen Schlafstörungen.

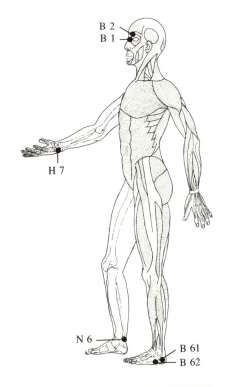

Das Kamel

1. Sie hocken auf den Fersen. Öffnen Sie die Beine, daß das Gesäß nun zwischen den Fersen aufliegt.
2. Fassen Sie Ihre Fußknöchel. Während Sie einatmen, wölben Sie den Oberkörper nach hinten und strecken das Becken möglichst weit nach vorn. Pressen Sie die Fersen kräftig mit Handflächen und -ballen.
3. Verweilen Sie etwa eine halbe Minute in dieser Position, und atmen Sie tief ein und aus.
4. Kehren Sie langsam in die Ausgangsposition zurück. Legen Sie die Daumenkuppen auf B 2 (am Oberrand der Augenhöhle), beugen Sie den Oberkörper nach vorn und verharren Sie etwa zwei Minuten zur Entspannung in dieser Ruhelage.

Aku-Punkte	Traditionelle Assoziationen
Niere 6	Lampenfieber, Schlafstörungen, Psychosen
Blase 62, 63	»ruhiger Schlaf«, Schlafstörungen, Spannungskopfschmerzen
Blase 1, 2	Augenverspannungen, Kopfschmerzen, Ermüdung des Gehirns

Heilwirkung für/bei: Blase, Nieren, Kälteschauer, nervliche Anspannung, Erschöpfungszustände

Schulterverspannungen

Schulterverspannungen zeigen an, inwieweit der Körper allgemein verspannt und von Energiesperren und -staus heimgesucht ist. In den Schultern überkreuzen sich viele Meridiane, die durch die Arme, den Rücken und den Hals verlaufen. Wir ziehen automatisch in Gefahr und in Streßsituationen die Schultern hoch. Das ist ein Überlebensreflex. Er soll Kopf und Hals schützen, da sie über keine eigenen Schutzvorrichtungen verfügen. In unseren Tagen trägt dieser instinktive Mechanismus leider hauptsächlich zu chronischen Schulter- und Halsverspannungen bei. Schulter- und Halsverspannungen sind deswegen die ersten Anzeichen dafür, daß der Körper unter Streß steht.

Kulturbedingte Ursachen

Der moderne Lebensstil fördert Schulterverspannungen. Wir stumpfen den Körper ab, wenn wir am Feierabend vor dem Fernseher und zur Fortbewegung im Auto sitzen. Wir machen ihn unbeweglich, natürlich auch die Schultern.
Viele Arbeiten erzeugen oder verstärken Schulterverspannungen, wie zum Beispiel Schreibtischarbeit, oder die Arbeit an der Schreibmaschine oder am Computer. Sie müssen sich einfach verspannen, wenn Sie zusammengesunken dasitzen und immer flacher atmen. LKW-Fahrer krümmen ihre Schultern über das Lenkrad und verspannen sie dabei. Ähnlich anstrengend für die Schultern sind Arbeiten, bei denen man auf sehr feine Details achten muß: Elektrotechnik, Feinmechanik, Grafik, Nadelarbeit, Gold-

schmiedekunst erfordern alle ein Höchstmaß an Anspannung, auch in den Schultern. Dazu kommt der Leistungsdruck. Ganz gleich ob leitender Angestellter, Student oder Arbeiter: Wettbewerb bedeutet Streß, Streß verursacht Schulterverspannung.
In weniger industrialisierten Kulturen müssen sich die Menschen zwangsläufig mehr bewegen als wir, damit sie überhaupt überleben können. Wer seinen Acker mit eigener Hand bestellen oder auf die Jagd gehen muß und sich zum Feierabend in der Gemeinschaft zu aktivem Spiel oder Tanz trifft, hält seine Muskeln flexibel und kräftig. Wir hingegen müssen nicht mehr so unmittelbar um unser Überleben kämpfen und deswegen selbst dafür sorgen, daß der Körper die Betätigung und Entspannung erhält, die der normale Alltag uns nicht gibt.

Seelische Ursachen

Seelische Belastungen können die Schultern chronisch verspannen. Man hat das Gefühl, »man würde die ganze Welt auf den Schultern tragen«. Zwänge, Schuldgefühle und drückende Pflichten lasten schwer auf unseren Schultern. Eine Folge davon ist, daß der Kapuzenmuskel sich verspannt und verhärtet. Diese Verspannung macht uns verkrampft und gereizt, was wiederum die Schulterverspannung verstärkt.
Wir lagern unsere Gefühle irgendwo im Körper ab, wenn wir sie nicht zum Ausdruck bringen. Wir halten den emotionalen Streß im Körper fest und beschränken damit unsere seelischen und körperlichen Möglichkeiten. Im Körper sammeln sich die Giftstoffe, in der Seele Sorgen, Angst, Wut und Unsicherheit. Wir engen unser natürliches Potential ein, das sich nur entfalten kann, wenn Körper und Geist harmonisch zusammenwirken. Dadurch setzen wir die natürlichen Ausgleichsmechanismen unseres Körpers außer Kraft.
Zumeist vermeiden wir unbewußt bestimmte Teile und Regionen unseres Körpers. Wir sperren einen Teil von uns selbst aus, um nicht an schmerzliche Erfahrungen zu rühren, die wir im Körper gespeichert haben. Sobald wir dann zum Beispiel Schulterverspannungen freisetzen, treten Gefühle an die Oberfläche, die wir gar nicht kennen und mit denen wir nicht umzugehen wissen. Am Anfang mag es uns vorkommen, als hätten wir wie Pandora eine Büchse geöffnet, die wir besser verschlossen gehalten hätten. Ängste, verletzte Gefühle, Wut quellen daraus hervor. Wir befreien uns von einer großen Last, die wir lange Zeit mit uns herumgeschleppt haben, wenn wir diese verschütteten Gefühle endlich aus uns herauslassen. Wir kommen in unserer Entwicklung ein gutes Stück voran, erfahren das Leben frisch, neu und ganz, wenn wir uns von unseren Schulterverspannungen und den Gefühlen lösen, die darin gebunden waren.

Körperliche Faktoren

Der Schultergürtel ist an sich äußerst beweglich. Er ist so gebaut, daß er den Bewegungen der Arme und des Rückens folgen kann. Er erinnert an eine Balkenwaage oder ein Tragholz, mit dem man früher die Wassereimer vom Brunnen holte. Wenn eine Schulter höher ist als die andere, wird das Gewicht ungleich verlagert, das Gleichgewicht ist gestört.
Drei Teile des Trapezmuskels beherrschen die Schulterregion. Dieser kräftige Muskel verbindet die Schultern mit dem Schädel, den Halswirbeln und den oberen Brustwirbeln,

und verstärkt so den gesamten Schulterbereich. Strukturelle Unterstützung bekommen die Schultern auch vom Brustbein. Wie die Speichen eines Rades erstrecken sich die Muskeln des Schultergürtels in alle Richtungen. Sie koordinieren die Bewegungen von Armen, Hals, Kopf und Oberkörper.[39]

Verspannte Schultern müssen demnach den ganzen Körper beeinträchtigen. Sie hemmen die Zirkulation in den Gliedmaßen. Für die Arme ist der Zusammenhang offensichtlich, für die Beine ergibt er sich aus der Beziehung zwischen oberer und unterer Wirbelsäule. Da Blut und Ki nicht ungehindert fließen können, leidet man unter kalten Händen und Füßen. Lösen sich die Verspannungen in den Schultern, spürt man sofort eine plötzliche Wärme in den Gliedmaßen.

Schulterverspannungen machen erschöpft. Da sie den Fluß von Blut und Ki blockieren, fühlt man sich schlapp und träge. Gegen solche Erschöpftheit sind die entsprechenden Übungen im Abschnitt »Erschöpfungszustände« ebenso hilfreich wie die anschließenden Übungen gegen Schulterverspannungen.

Schnelle Abhilfe bei verspannten Schultern

Die Stoffpuppe

1. Sie stehen aufrecht. Die Beine sind leicht gespreizt.
2. Atmen Sie aus und lassen Sie den Kopf langsam nach vorn sinken. Führen Sie diese Bewegung immer weiter, so daß auch der Oberkörper dem Kopf folgt. Sie lassen den Kopf ganz entspannt hängen, der Nakken ist nicht angespannt. Die Arme hängen lose herab.
3. In dieser Haltung beginnen Sie, lang und tief zu atmen.
4. Verweilen Sie etwa eine Minute tief atmend in dieser Position. Lassen Sie alles los!
5. Heben Sie den Oberkörper langsam in die Ausgangsposition zurück. Sie schließen die Augen. Entspannen Sie etwa eine Minute lang, um zu spüren, wie gut Ihnen diese Übung tut.

Reflexzonenmassage

Nehmen Sie eine bequeme Sitzhaltung ein und massieren Sie beide Füße, insbesondere an den Außenseiten. Pressen Sie in die Zwischenräume zwischen den Knochen auf der Fußoberseite. Drücken Sie in den Reflexpunkt für die Schultern auf der Fußsohle etwa einen Fingerbreit hinter dem kleinen Zeh.

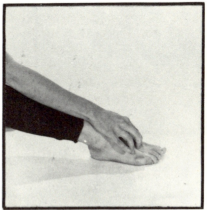
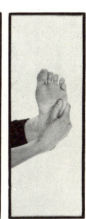

Die Armpyramide

1. Sie sitzen bequem auf einem Stuhl oder auf dem Boden. Beim Einatmen heben Sie die Arme über den Kopf. Verhaken Sie die Finger ineinander.
2. Beim Ausatmen ziehen Sie die Arme gegen die Finger nach außen.
3. Sie atmen ein, lösen die Hände voneinander und strecken die Arme nach oben.
4. Beim Ausatmen führen Sie die Arme entspannt zum Schoß.
5. Wiederholen Sie die Schritte 1 bis 4 etwa eine Minute lang.
6. Sitzen Sie einige Minuten lang aufrecht und entspannt. Die Hände liegen im Schoß, die Augen sind geschlossen.

Die folgende Übung stimuliert einen der Reizpunkte, in denen Schulterverspannungen mit Vorliebe die Energie stauen (GB 21). Sie hat eine starke Wirkung, so daß Sie sich danach vielleicht ein bißchen schwindelig fühlen oder ein Kribbeln im ganzen Körper spüren. Dies ist ein gutes Zeichen. Es bedeutet, daß die Spannung gelöst wurde. Entspannen Sie sich danach, um die Wirkung dieser Übung voll auszukosten.

Die Schulterpresse

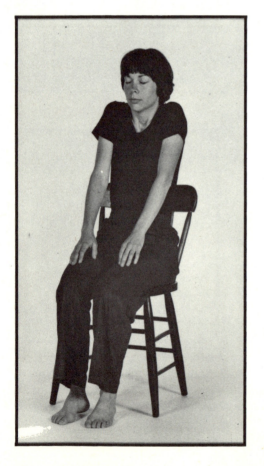
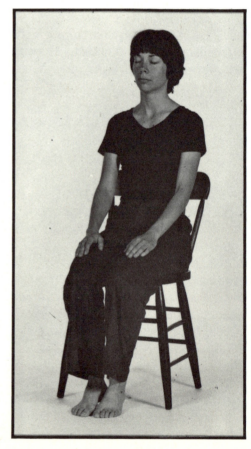

1. Sie sitzen aufrecht und bequem. Die Hände liegen auf den Knien.
2. Beim Einatmen heben Sie die Schultern und pressen sie in Richtung der Ohren.
3. Beim Ausatmen lassen Sie sie fallen.
4. Heben und senken Sie etwa eine Minute lang die Schultern synchron mit dem Ein- und Ausatmen. Werden Sie allmählich schneller und achten Sie darauf, daß der Rhythmus trotz der Schnelligkeit stetig bleibt.
5. Beim Einatmen pressen Sie die Schultern wiederum nach oben und halten etwa zehn Sekunden lang den Atem an.
6. Legen Sie sich entspannt auf den Rücken, um die Wirkung in sich aufzunehmen.

Die stimulierten Punkte und die traditionellen Assoziationen finden Sie in der nächsten Tabelle. Die »Schulterpresse« hilft bei verspannten Schultern, Rheuma, Verspanntheit, Frustration, Depression, Antriebslosigkeit, unterdrückter Wut und Halsversteifung.

Die Brücke

1. Sie liegen auf dem Rücken.
2. Winkeln Sie die Knie an und führen Sie die Fersen zum Gesäß.
3. Legen Sie die Arme entspannt hinter dem Kopf auf den Boden.
4. Während Sie einatmen, wölben Sie das Becken nach oben. Verweilen Sie ein paar Sekunden lang in dieser Position.
5. Beim Ausatmen lassen Sie es langsam herab.
6. Üben Sie dies etwa eine Minute lang.
7. Sie liegen mit geschlossenen Augen auf dem Rücken und entspannen.

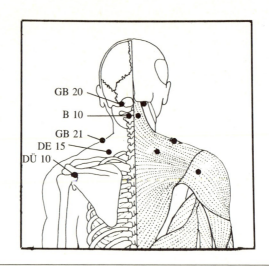

Aku-Punkte	**Traditionelle Assoziationen**
Dreifacher Erwärmer 15	Schmerzen in den Schultern und am Hals, Arme und Ellenbogen schmerzen und lassen sich schwer heben, steifer Hals
Gallenblase 20	abwechselnd heiß und kalt; Augen unklar und verschleiert, Nervosität, Schulterschmerzen, Rheuma, steifer Hals, Oberkörper fühlt sich schwer oder heiß an
Gallenblase 21	der Reizpunkt, in dem die Schulterverspannungen sich hauptsächlich sammeln, steifer Hals, Schilddrüsenüberfunktion, Rheuma
Blase 10	Schweregefühl im Kopf, Spasmen in den Halsmuskeln, Gliedmaßen und Oberkörper nicht koordiniert, Halsentzündungen oder -schwellungen
Dünndarm 10	Muskelschmerzen, Erstarrungsgefühl, Schwellungen und Arthritis in Schultern und Schulterblatt

Heilwirkung für/bei: Ermüdung, kalte Hände und Füße, nervöse Erschöpfung, Gereiztheit, Schulterschmerzen, Wut, Bluthochdruck, Abwehr von Erkältungskrankheiten und Grippe

Die letzte Übung, die »Kerze«, kehrt die gewöhnliche Einwirkung der Schwerkraft auf den Körper um, so daß das Blut leichter zum Herzen fließen kann. Frisches Blut durchströmt auch Hals und Kopf. Es führt der Schilddrüse, den Mandeln, dem Thalamus, dem Hypothalamus und den Halsmuskeln nährende Energien zu. Die indischen Yogis sagen, daß fünfzehn Minuten in der »Kerze« so erquickend sind wie zwei volle Stunden Schlaf. Sie sollten die »Kerze« zu Anfang jedoch nur eine Minute üben und die Zeit allmählich steigern. Die »Kerze« stimuliert dieselben Reizpunkte wie die »Brücke«.

Sie können ihre traditionellen Assoziationen der obigen Tabelle entnehmen. Sie hilft bei unklarem Denken, Schilddrüsenüberfunktion, Nervenleiden, Armbeschwerden, Lernbehinderungen und Halsentzündungen. Ferner kräftigt sie ganz allgemein das Gehirn und stärkt die Abwehrkräfte gegen Grippe und Erkältungskrankheiten.

a

b

c

Die Kerze

1. Sie liegen auf dem Rücken, die Hände liegen neben Ihnen.
2. Beim Ausatmen heben Sie die Beine. Wenn die Beine gerade aufgerichtet sind, drücken Sie den Oberkörper mit den Armen nach oben und stützen ihn schließlich mit den Händen im Rücken ab.
3. Atmen Sie eine Minute lang in dieser Position tief ein und aus. Entspannen Sie den Körper, so daß sein Gewicht ganz natürlich auf die Schultern preßt.
4. Lassen Sie die Arme zum Boden gleiten und senken Sie langsam den Oberkörper.
5. Sie liegen mit geschlossenen Augen auf dem Rücken und entspannen.

Verdauungsstörungen

Verdauungsstörungen sind eine Massenplage, bei der viele Faktoren zusammenkommen. Um zu sehen, wie häufig sie sind, brauchen Sie nur einmal auf die verschiedenen Werbeslogans achtzugeben, die auf dem Bildschirm, den Plakatwänden oder in Zeitschriften eine rasche Abhilfe bei schlechter Verdauung versprechen. Auch wenn Sie sich bei Ihren Bekannten umhören, werden Sie feststellen, daß die meisten die eine oder andere Kost nicht vertragen.

Wir wollen hier die Ursachen von Verdauungsstörungen und Blähungen untersuchen, Hinweise geben, wie Sie bekömmlicher essen und schließlich sogar die Kost finden können, die Ihren individuellen Bedürfnissen angemessen ist.

Ursachen

1. Chemisch behandelte, devitalisierte Speisen: Fleisch, Molkereiprodukte, Obst und Gemüse, die industriell hergestellt und mit Farbstoffen und Konservierungsmitteln versetzt wurden; Nahrungsmittel, in denen weißes Mehl, weißer Zucker oder beides enthalten ist.
2. Schwere Speisen oder sogenannte »Delikatessen«; Feinschmeckersalate mit Mayonnaise, Remoulade oder ähnlichem angemacht; Gebratenes; fette Saucen und Nachspeisen.
3. Überessen.
4. Verschiedene Speisen, die nicht zusammenpassen.
5. Verspannungen im Bauch.
6. Bewegungsmangel.
7. Seelische Belastung oder Gereiztheit.

Da die gesundheitsschädlichen Folgen von konservierter und schwerer Nahrung hinlänglich bekannt sind, werden wir uns in unseren Ausführungen auf die übrigen Faktoren beschränken, die die Verdauung stören.

Überessen

Zu vieles Essen überlastet die Organe und Drüsen, die zusammen das Verdauungssystem bilden. Magen und Darm können nicht verarbeiten, was wir ihnen zumuten. Noch schlimmer wird es, wenn die genossenen Speisen selbst in gewöhnlichen Mengen Verdauungsbeschwerden verursachen, wenn wir nicht nur zuviel, sondern dazu noch zu schwer und zu fett essen. Gerade schwerverdauliche süße und salzige Sachen werden zuviel gegessen, weil sie süchtig machen. Außerdem bekommt man Blähungen, wenn man zuviel ißt. Der Darm kann die Massen nicht bewältigen und infolgedessen nur unvollständig verdauen, besonders wenn es sich um ölige und fette Nahrung wie Gebratenes oder Nüsse handelt.

Man überißt sich aus vielen Gründen, seelische Belastung ist nur ein Beispiel. Hinzu kommt gesellschaftlicher Zwang, wie zum Beispiel die großen Portionen bei Festessen und geselligen kalten Buffets. Ein weiterer Grund ist die Hast. Es muß schnell gegessen werden, weil anderes wichtiger ist. Oder man stopft sich alles mögliche in den Mund, ohne eigentlich zu schmecken, was. Sie können sich dazu erziehen, mit weniger satt zu sein. Sie müssen dazu nur gründlich kauen und dürfen sich nicht von anderen Reizen (zum Beispiel der Zeitung oder dem Fernsehen) vom Essen ablenken lassen. Mit dem Essen sind so viele schlechte Gewohnheiten verbunden. Es wird schwer sein, sie alle abzulegen, auch wenn eine solche Veränderung Not tut. Greifen Sie trotzdem einige Anregungen auf, die wir hier geben. Die Ergebnisse werden Ihre Mühe belohnen.

Speisekombinationen

Bei der Kombination von Nahrungsmitteln müssen wir uns an bestimmte Prinzipien halten, weil verschiedene Speisen das Verdauungssystem unterschiedlich beanspruchen. Gemeinsam können sie oft nicht richtig verdaut werden. Sie benötigen andere Enzyme und eine unterschiedliche Zeitspanne, wenn sie vollkommen verdaut werden sollen. Wenn man sie zusammen ißt, fermentieren sie. Im Verdauungssystem bildet sich Fäulnis.

Vermeiden Sie es, folgende Arten von Nahrungsmitteln miteinander zu kombinieren:
- Früchte mit anderen Arten von Nahrung (Proteine, Kohlehydrate, Gemüse und so weiter)
- Melonen mit anderen Nahrungsmitteln (einschließlich anderen Früchten)
- Verschiedene Proteinarten zusammen (Nüsse, Gemüse, Molkereiprodukte, Fleisch)
- Proteine und Kohlehydrate

Gute Kombinationen sind:
- Früchte mit anderen Früchten (Melonen ausgenommen)
- Proteine und Gemüse
- Kohlehydrate und Gemüse

Achten Sie einige Zeit darauf, die Speisen richtig zu kombinieren. Sie werden von den Ergebnissen überrascht sein.

Verspannungen im Bauch

Die Verdauungsorgane liegen in der Bauchhöhle. Sie werden an der Arbeit behindert, wenn Bauchmuskeln und Zwerchfell, das zwischen Brustkorb und Bauchhöhle liegt, verspannt sind. Wenn den Verdauungsorganen zuviel Belastungen zugemutet werden, reagieren sie mit Aufstoßen, Blähungen und anderen Störungen.

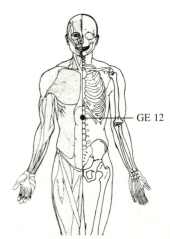
GE 12

Verspannungen im Bauch überreizen die Magenhöhle. Um diese Reizung abzutöten, essen wir zuviel. Es gibt eine gesündere Methode, die denselben Zweck erreicht. Wir müssen dazu auf GE 12 zwischen Nabel und Brustbein drücken. Wenn Sie im Magen eine Überreizung oder einen Sog spüren, der Sie zum Essen treibt, obwohl Sie sonst keinen Hunger haben, pressen Sie behutsam auf GE 12 in der Magenhöhle in einem 45°-Winkel auf das Zwerchfell zu. Sie können die Energiesperren lösen, die sich im Bauch aufgebaut haben, wenn Sie auf den Knoten in diesem Reizpunkt drücken.

Entspannte und ausgeglichene Bauchmuskeln garantieren, daß Magen und Darm (ebenfalls Muskeln) reibungslos funktionieren können. Die rhythmische Bewegung des Zwerchfells massiert den Magen von innen, vorausgesetzt wir atmen voll und regelmäßig. Der Bauch muß fest, aber nicht verhärtet, flexibel, aber nicht schwabbelig sein, wenn die Verdauungsorgane harmonisch arbeiten sollen.

Bewegungsmangel

Nahrung ist Brennstoff. Sie erzeugt Körperenergie. Bewegung und Übung verbrennen sie. Wieviel Sie sich bewegen, beeinflußt, wieviel Sie essen, und umgekehrt sollte die Essensmenge Sie anregen, sich entsprechend zu bewegen. Bewegung und Übung kräftigen den Kreislauf. Sie lockern körperliche, seelische und geistige Verspannung und kräftigen alle Muskeln des Körpers. Mit diesen Übungen fördern Sie natürlich auch die Verdauung.

Ohne Übung und körperliche Anstrengung muß der Stoffwechsel stagnieren. Regelmäßiges Üben beugt einer solchen Hemmung vor. Es sorgt für einen »gesunden Appetit«. Wir überessen uns nicht, und wir essen auch nicht aus Gewohnheit, oder weil die Uhr uns sagt, wann wir hungrig sein müssen. Die Speisen werden verdaut, die Nährstoffe assimiliert, die Abfälle ausgeschieden.

Seelische Faktoren

Yoga verlegt das Zentrum unserer persönlichen Macht und Ausstrahlungskraft in den Bauch. Das Nervengeflecht des Oberbauchs (Solarplexus) steht mit dem dritten Chakra in Beziehung, das unsere persönliche Ausstrahlung steuert.

Selbstzweifel, mangelndes Selbstbewußtsein und Angst hindern uns daran, unsere Persönlichkeit wahrzunehmen und einzusetzen. Manche Leute kompensieren dies mit übermäßigem Essen, um dem Gefühl der Verspannung im Bauch etwas entgegenzusetzen und es oberflächlich auszugleichen, damit sie sich nicht mit den eigentlichen Gefühlen auseinandersetzen müssen, die sie im Bauch gestaut haben. Dadurch verwirren sie die Energie des Verdauungssystems noch mehr, ohne daß sie die Ursachen des Ungleichgewichts auch nur antasten.

Auch der Alltag kann schwer auf der Verdauung lasten. Wir können nicht verdauen, wenn wir das Essen verärgert oder gereizt hinunterschlingen. Streit und hitzige Auseinandersetzungen, Wut, Kummer, Angst, Traurigkeit und Sorgen sind schlechte Tischgenossen und noch schlechtere Verdauungshilfen. Genau das wollen wir zum Ausdruck bringen, wenn wir sagen, daß »uns etwas auf den Magen geschlagen ist« oder wir ein

»flaues Gefühl im Bauch haben«. Die Umgangssprache ist reich an Bildern für die Gefühle und Spannungen im Bauch.
Vermeiden Sie deswegen unbedingt beim Essen jeden Streit. Lassen Sie sich nicht auf unerfreuliche Diskussionen ein und essen Sie nicht, wenn Sie sich gerade sehr intensiv mit einem seelischen Problem auseinandersetzen.

Blähungen

Jeder einzelne der eingangs erwähnten sieben Faktoren der Verdauungsstörungen kann Blähungen verursachen. Blähungen zeigen an, daß die Nahrung nicht restlos verdaut wurde. Anspannung und Angst erzeugen Blähungen, weil wir gleichzeitig mit dem Essen zuviel Luft schnappen, die nicht in die Lungen, sondern in den Magen kommt. Wir bekommen Blähungen, wenn wir bei den Mahlzeiten lesen oder etwas anderes tun und vor allem, wenn wir nicht richtig kauen.
Bohnen und andere Hülsenfrüchte erzeugen besonders viel Blähungen. Wenn wir sie jedoch richtig zubereiten und in Maßen genießen, können wir ihre blähende Wirkung mildern. Legen Sie Bohnen vor dem Kochen sechs bis zwölf Stunden in *klares Wasser*. Kochen Sie sie anschließend *ohne* Salz. Fügen Sie das Salz erst kurz vor dem Servieren hinzu, denn in Salzwasser gekochte Bohnen verursachen Blähungen. Achten Sie beim Kochen ferner darauf, nach etwa einer halben Stunde den dunklen Schaum abzuschöpfen, der auf der Oberfläche schwimmt. Auch er enthält Stoffe, die Blähungen verursachen.

Die richtige Kost

Für die richtige Kost gibt es so viele Vorschläge, wie Nahrungsmittel im Handel sind. Und natürlich gehen die Meinungen darüber weit auseinander, was gesunde Kost ist und was nicht. Wir wollen uns nicht auf eine alleinseeligmachende Kost festlegen. Als Individuen haben wir individuelle Bedürfnisse, auch was die Ernährung anbelangt.
Unsere Ernährungsbedürfnisse sind von vielen Faktoren geprägt, die sich aus unserer Lebenserfahrung ergeben haben: die Eßgewohnheiten der Eltern, der eigene Geschmack, Lebensstil, körperliche Konstitution und Tätigkeit, Stoffwechsel, Klima und so weiter. Dieser großen Verschiedenartigkeit entspricht die Verschiedenartigkeit von Nahrungswünschen und -bedürfnissen, mit denen jeder einzelne seine Gesundheit wahren will.
Wir finden am besten die für uns geeignete Kost heraus, wenn wir uns informieren und verschiedenes ausprobieren. Versuchen Sie verschiedene Ernährungsweisen und beobachten Sie, wie Sie sich dabei fühlen. Experimentieren Sie mit verschiedenen Mengen, Zusammensetzungen und Mischverhältnissen. Wenn Sie dann schließlich die richtige Ernährung gefunden haben, bedenken Sie, daß sie sich trotzdem immer wieder verändert. Sie werden sich auch beim Essen an den Wechsel der Jahreszeiten anpassen, oder Ihre Kost umstellen, wenn in Ihrem Leben eine größere Veränderung stattgefunden hat. Aber stellen Sie Ihre Ernährung nur allmählich um. Abrupte Umstellungen bringen die Energien vollends durcheinander; auch bei Veränderungen gilt, sich zu mäßigen. Sie werden den Nutzen der neuen Ernährung erst nach einer Weile spüren. Tiefere Veränderungen geschehen nicht über Nacht, auch wenn Sie schnell die ersten Teilergebnisse an sich feststellen. Seien Sie geduldig: Der Körper braucht Zeit, wenn er sich umstellt.

Wie man richtig ißt

Entspannung: Entspannen Sie sich vor und während dem Essen. Die Gebetshaltung (vgl. S. 29) hat eine ausgleichende und beruhigende Wirkung. Oder atmen Sie vor dem Essen ein paar Mal tief ein und aus. Dies entspannt und macht Sie aufnahmebereit, so daß Sie Ihre Mahlzeit wirklich genießen können.
Danksagung: Danken Sie Erde, Natur und Menschen. Sie haben die Nahrung, die Sie essen, transformieren und wieder werden, erschaffen, gepflegt und verarbeitet.
Tempo: Essen Sie langsam und kauen Sie alles gut durch! Man kann dies nicht oft genug wiederholen. Hastiges Hinunterschlingen und unvollständiges Kauen schädigen die Verdauung, weil sie (1) anzeigen, daß die Gefühle unausgeglichen sind. Man ist verspannt, gehetzt, hat Angst. Dieses Ungleichgewicht stört die Verdauung. Essen Sie nur wenig, wenn Sie nicht viel Zeit zum Essen haben, so daß Sie das Wenige genießen und gut kauen können. Wenn Sie nämlich nicht richtig kauen, können (2) die Enzyme im Speichel die Nahrung nicht durchdringen und folglich auch nicht den Verdauungsprozeß einleiten. Der Magen hat dann zusätzliche Arbeit. Durch schnelles Essen geben Sie (3) dem Körper nicht die Gelegenheit zu sagen, wann er genug hat. Sie merken es erst, wenn Sie so voll sind, daß Sie nicht mehr weiteressen können. Schließlich bringen Sie sich (4) um den Genuß, wenn Sie alles hastig aufessen. Sie schmecken nicht, was Sie essen. Probieren Sie es einmal anders. Atmen Sie tief und regelmäßig, kauen Sie gut. Sie werden erstaunt sein, was Sie alles schmecken können. Obwohl Sie weniger essen, haben Sie mehr davon, auch mehr Genuß.
Trinken: Flüssigkeiten können die Enzyme wegspülen, die zur Verdauung (besonders von rohen Speisen) notwendig sind. Am besten, Sie trinken eine halbe Stunde vor oder nach dem Essen. Eisgekühlte Getränke können den Magen zeitweise lähmen. Ein Glas Kräutertee oder eine Tasse Fleischbrühe werden der Verdauung hingegen kaum schaden.

Aku-Yoga als Verdauungshilfe

Seiza ist eine der klassischen Meditationshaltungen des Zen. Man hockt dabei auf Knien und Fersen. Wir erwähnen sie hier wegen ihrer verdauungsfördernden Wirkung. Sie regt viele Reizpunkte auf der Fußoberseite an, vor allem jene der für die Verdauung wichtigen Meridiane: Magen-, Milz-, Leber- und Gallenblasenmeridian. M 42 ist der »Quellpunkt« des Magenmeridians. Da er die Magenenergien ausgleicht, ist er für die Verdauung besonders wichtig. »Seiza« stimuliert ihn. Sitzen Sie nach einem reichhaltigen Mahl ein paar Minuten auf Knien und Fersen (vgl. S. 232 oben), um die Verdauung anzuregen.
Die Bauchmassage (siehe S. 240) ist eine weitere Verdauungshilfe. Sie lockert Energieblockaden, Spannungen und Blähungen. Wenn Sie sich den Bauch massieren (oder massieren lassen) lernen Sie außerdem, wie sehr Sie dort anspannen und festhalten. Die Bauchmassage hilft, die Wirkung der verschiedenen Ernährungsweisen zu überprüfen. Bei bekömmlicher Kost und guter Verdauung sind Sie an der Bauchdecke weniger schmerzempfindlich und fühlen beim Massieren nicht so viele Energiestaus.
Die buddhistischen und taoistischen Einsiedler lebten am liebsten in den Bergen. Die Schönheit der Gipfel, die glasklare Luft, die Abgeschiedenheit vom emsigen Betrieb der

Städte waren sicher die Hauptgründe für ihre Wahl. In Einsamkeit ließ es sich leichter gesund leben. Ihre sprichwörtliche Gesundheit wurde aber auch noch durch einen kleinen Umstand begünstigt, den man bei der Erhabenheit der anderen Faktoren leicht übersieht: bergauf und bergab zu laufen ist für den Körper ein Segen. Die Füße müssen sich nach allen Seiten drehen und wenden, wodurch Punkte und Meridiane kräftig angeregt werden. Wenn Sie das nächste Mal eine kurze Steigung hinauflaufen, denken Sie daran, daß Sie die Meridiane auf dem Fuß und damit die Verdauung und den ganzen Körper kräftigen.

Die Übungen

Geeignet sind die Übungen im Abschnitt »Körperverspannungen« und die beiden, die wir hier vorstellen: »Bogen« und »Kniepresse«. Natürlich wirken sie verdauungsfördernd, die »Kniepresse« insbesondere gegen Blähungen. Der »Bogen« stimuliert eine Reihe von Punkten auf dem »Gefäß des Herrschers/der Empfängnis« und dem Magenmeridian. Da er sehr viele verschiedene Wirkungen hat, möchten wir sie kurz aufzählen: er stärkt die Körperenergie insgesamt und eignet sich auch, Spannungen abzubauen. Er kräftigt die Bauchmuskeln, beseitigt also die Fettpölsterchen. Weil er den Körper tonisiert, begünstigt er Nervensystem und Gehirntätigkeit. Wer zu gedanklicher Klarheit kommen und seine Verständnisfähigkeit vertiefen möchte, sollte es einmal mit dem »Bogen« versuchen. Er beeinflußt ferner alle endokrinen Drüsen: die Schild- und Thymusdrüse, Leber, Nieren, Milz, Pankreas und die Sexualdrüsen. So hilft er also auch gegen ein schwach ausgeprägtes Geschlechtsleben. Er beseitigt Verstopfungen, weil er wichtige Reizpunkte in der Magengegend anregt, die die Verspannungen im Bauch lockern. Wenn Sie wollen, können Sie in dieser Haltung auch noch hin- und herschaukeln: beim Einatmen nach hinten, beim Ausatmen nach vorn. Sie müssen sich danach unbedingt drei Mal so lange entspannen wie Sie die Haltung eingenommen haben. Nur dann können Sie die kreisende Energie wirklich in sich aufnehmen.

Der Bogen

1. Sie liegen auf dem Bauch und winkeln die Knie an, daß die Fersen zum Gesäß kommen.
2. Halten Sie die Füße am Spann fest.
3. Während Sie einatmen, wölben Sie den Rücken. Der Kopf hebt sich weit, weil Sie mit den Händen den Oberkörper an den Füßen kräftig nach oben ziehen.
4. Atmen Sie etwa eine halbe Minute lang tief durch. Achten Sie darauf, vollständig auszuatmen, um die Organe der Bauchhöhle von innen zu massieren.
5. Entspannen Sie sich einige Minuten. Die Handflächen zeigen nach oben, der Kopf liegt auf der Seite.

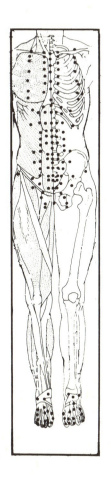

Aku-Punkte	Traditionelle Assoziationen
Milz 4	Darmschwellungen, Darmschmerzen
Magen 42	allgemeine Ausgleichung des Magenmeridians
Gefäß des Herrschers 4	»Tor des Lebens«; in den taoistischen Meditationen macht man von diesem Punkt Gebrauch, um das Ki zum Kreisen zu bringen
Gallenblase 40	Brustschmerzen, Rippenschmerzen, Atembeschwerden
Gefäß der Empfängnis 10	Magenschmerzen
Gefäß der Empfängnis 11 und Leber 14	Verdauungsschwächen
Magen 21–28	Bauchbeschwerden

Heilwirkung für/bei: Verspannungen im Bauch, alle Verdauungsorgane, zentrales Nervensystem, sexuelle Lust, kalte Hände und Füße, Verstopfung

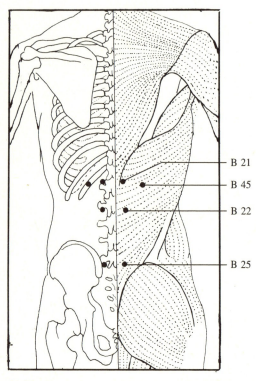

Kniepresse

Die Kniepresse öffnet das Rektum und lockert Blähungen. Sie verbessert darüber hinaus ganz allgemein die Verdauung, weil sie unter anderem verdauungsfördernde Reizpunkte stimuliert: M 36 und DI 11.

1. Sie liegen auf dem Rücken, den Kopf ein wenig nach hinten geneigt.
2. Führen Sie die Knie zur Brust, indem Sie mit den Fingerspitzen auf MI 9 auf der Innenseite und M 36 auf der Außenseite der Unterschenkel gleich unter dem Knie pressen.
3. Während Sie ausatmen, ziehen Sie die Knie mit den Armen an die Brust heran.
4. Beim Einatmen bewegen Sie Oberschenkel und Knie vom Oberkörper weg.
5. Üben Sie dies ganz locker zwei Minuten lang und freuen Sie sich an der Bewegung.
6. Atmen Sie in den Unterleib ein und aus dem Rektum aus. Fühlen Sie bei jedem Ausatmen, wie sich der Unterleib noch mehr entspannt und der Mastdarm sich öffnet.

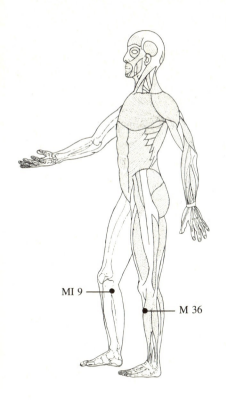

Aku-Punkte	Traditionelle Assoziationen
Milz 9	Knieschmerzen, Schweregefühl im Bauch
Magen 36	Verdauungsstörungen, Bauchschmerzen, aufgedunsener Bauch
Blase 45	aufgeblähter Bauch
Blase 21	Magenschmerzen, Verdauungsstörungen
Blase 22	Hartleibigkeit, Bauchschmerzen
Blase 25	Verstopfung, Blähungen

Heilwirkung für/bei: Kreuzschmerzen, steifes Kreuz, Ischias, chronische Müdigkeit, Verstopfung, Verdauungsschwäche, Harnausscheidung, Stöhnen, Rülpsen, Schnarchen, Klagen, zu viel Essen

Verstopfung

Eine Verstopfung hält den Kot im Dick- oder Mastdarm fest. Die Folgeerscheinungen sind Hartleibigkeit, unregelmäßiger Stuhlgang, Blähungen, Bauchweh, Bauchschwellungen und Kopfschmerzen.

Hauptursachen

Mehrere Faktoren können eine Verstopfung verursachen: (1) eine Ernährung, die hauptsächlich auf weißem Mehl aufbaut und daher nicht genügend verdauungsfördernde Zellulose enthält, (2) zu fettreiches oder schweres Essen, (3) zu viele verschiedene Speisen, die nicht zusammenpassen, (4) Verspannungen in der Bauchmuskulatur und (5) zu wenig Bewegung. Alle diese Faktoren können für sich oder in den verschiedensten Kombinationen dafür sorgen, daß die Abfallstoffe den Dickdarm blockieren.
Gesunde Kost und Bewegung sind an sich schon Schutz genug gegen Verstopfungen. Der Körper reguliert sich am liebsten selbst. Er kann alle Abfälle leicht und mühelos ausscheiden und ist für Verstopfungen nicht geschaffen.
Sprossen, Keimlinge, frisches Obst, Gemüse, ganze Körner sind nahrhaft und verdauungsfördernd. Sie enthalten genügend Zellulose, die den Stuhlgang begünstigt. Ein Salat aus frischem Spinat, Petersilie, Kopfsalat, Gurken, Sojasprossen, Paprikaschoten und grünen Bohnen ist reich an Faserstoffen und den Vitaminen A, B, C, E, G und K, die gegen Verstopfung helfen.[40] Ölhaltige Körner wie Leinsamen und Kleie regen ebenfalls die Darmtätigkeit an.
Ein Spaziergang in flottem Tempo, ein paar Kilometer Joggen, Schwimmen und Aku-Yoga massieren und lockern die Muskeln der Verdauungswege. Tägliches Üben führt dem Körper also nicht nur frische Energie zu und hält ihn in Schuß, es fördert darüber hinaus den regelmäßigen Stuhlgang.

> »Bewegung ist das A und O der Gesundheit. Das Ideal ist die Harmonie von Bewegungsfluß, Pulsschlag und Blutkreislauf. Bewegungsmangel ist die erste Ursache für Tod und Verfall. Krankheiten und alles, was dazu gehört, kommen durch Stauungen zustande. Bewegungsmangel führt zu Stauungen, Stauungen zu Verfall.«[41]

Die verschiedenen Verstopfungsarten

Nach chinesischer Anschauung gibt es vier Arten der Verstopfung: heiße, kalte, gasige und blutige.[42]
Heiße Verstopfung ist ein Yang-Zustand, der durch zuviel Kochsalz, Fleisch oder allgemein einen Lebensstil hervorgerufen werden kann, bei dem man sich permanent überfordert. Backpflaumen, knackige und saftige Äpfel und viel Bewegung sind dagegen die beste Medizin.
Kalte Verstopfung ist ein Yin-Zustand, der auftritt, sobald man zuviel Zucker, Honig, Fruchtsäfte oder andere Flüssigkeiten zu sich nimmt. Die Darmwände sind infolgedessen

geschwächt oder aufgedunsen. Sie haben den für die peristaltischen Bewegungen notwendigen Muskeltonus verloren. Zur Therapie empfiehlt sich deswegen körperliche Übung und yang-haltige Kost – Nahrungsmittel also, die viel Zellulose enthalten wie etwa ganze Körner.

Gasige Verstopfung wird durch die Verwesung unvollkommen verdauter Speisen hervorgerufen, die sich im Dickdarm abgelagert haben. Die chinesischen Ärzte empfehlen dagegen, grundsätzlich weniger zu essen und sich mehr zu bewegen. Salate aus rohen Gemüsen und Keimlingen sind die beste Diät.

Blutige Verstopfung ist ein eindeutiges Warnsignal. Gehen Sie sofort zum Arzt. Die chinesische Medizin versucht in diesem Fall, das Blut zu stützen und die Därme wieder gleitfähig zu machen. Dazu verschreibt man unter anderem Sesamkerne, Pfirsichkerne und Kräuteraufgüsse der verschiedensten Zusammensetzung.

Körperteil	**heiße Verstopfung**	**kalte Verstopfung**	**gasige Verstopfung**	**blutige Verstopfung**
Bauch	aufgebläht, schmerzend	gelegentliche Schmerzen	sehr gashaltig	aufgebläht
Därme	hart	reglos, untätig	reglos, untätig	schmieriger, schleimiger Stuhl
Lippen	schwarz	bleich		
Mund	trocken	nicht trocken	heftiges Aufstoßen	trocken
Zunge	gelb	weiß	weiß	purpur
Körper	heiß	kalte Hände und Füße	aufgedunsen	rastlos
Urin	bräunlich	klar		

Zwei Aku-Yoga-Übungen sind besonders wirksam gegen Verstopfung: die »Hocke«, die wir gleich vorstellen wollen und die »Kniepresse« (siehe S. 234). Sie regen die Ausscheidung kräftig an. Die »Hocke« öffnet den »absteigenden Energien« alle Schleusen und ist deswegen in der Schwangerschaft zu vermeiden. Schwangere müssen sich durch Diät, Massage und weniger radikale Übungen von Verstopfungen kurieren.

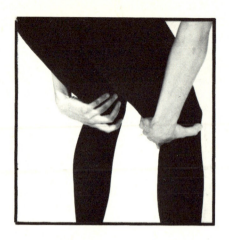

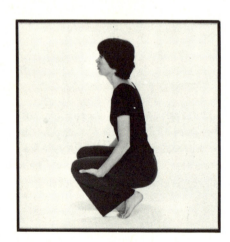

Die Hocke

1. Sie stehen vornübergebeugt, die Beine leicht gespreizt. Fassen Sie in die Kniekehlen. Die Daumen liegen außen, die übrigen Finger innen. Sie pressen die Handflächen gegen die Oberschenkelrücken. Die Spreizung zieht das Muskelgewebe zwischen Daumen und Zeigefinger kräftig auseinander.

2. Nun gehen Sie in die Hocke, ohne die Hände aus der oben beschriebenen Position zu verrücken. Sie spüren den kräftigen Druck auf den »Hoku« (DI 4) und eine Öffnung des Mastdarmes.

3. Bleiben Sie etwa eine Minute in der Hocke und atmen Sie tief in den Bauch.

4. Sie richten sich auf und entspannen.

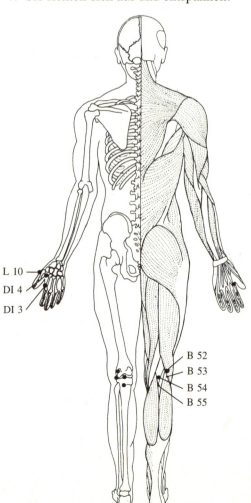

Aku-Punkte	Traditionelle Assoziationen
Dickdarm 3, 4	Entschleimung, Stirnkopfschmerzen, Migräne
Lunge 10	Magenbeschwerden, Kopfschmerzen, Schwindelgefühl, Schlafstörungen
Blase 52, 53	Verstopfung, Erhitzung und Verhärtung des Unterleibs, Blähbauch, Blasenkatarrh, allgemeine Anfälligkeit für Muskelkrämpfe
Blase 54, 55	Hexenschuß mit Nackenversteifung, Arthritis im Knie, allgemeines körperliches Schweregefühl, Blutungen, Hämorrhoiden, Bauchschmerzen, Scheidenkrämpfe

Heilwirkung für/bei: Ausscheidung, Stirnkopfschmerzen, Muskelkrämpfe, Hämorrhoiden, Verstopfung, Bauchschmerzen

Fingerdrucktherapie gegen Verstopfung

Man stimuliert gewöhnlich die folgenden Reizpunkte, wenn man eine Akupressurbehandlung gegen Verstopfung durchführen will:
Dickdarm 4 (DI 4, der große Ausscheider). Er liegt im Muskelgewebe zwischen Daumen und Zeigefinger eingebettet. Wie der Name bereits sagt, ist er der gebräuchlichste Punkt gegen Verstopfung.
Blase 25 (B 25), der Yü-Punkt des Dickdarms. Er liegt im Rücken auf der hervorstechendsten Erhebung des Hüftknochens neben dem fünften, dem untersten Lendenwirbel.
Blase 28 (B 28), ein Reizpunkt, den man bei den verschiedensten Beschwerden im Bauch anregt, also auch bei Verstopfungen. Er liegt drei Fingerbreit neben dem Kreuzbeingelenk auf dem Gesäß.

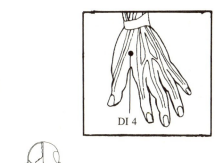

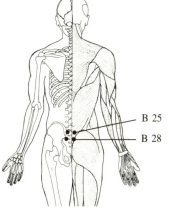

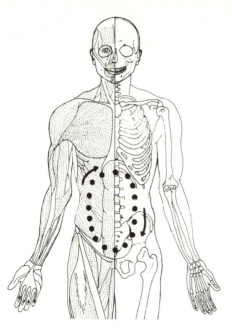

Massage

Diese Massage ist zur Selbstbehandlung ebenso geeignet wie zur Behandlung einer anderen Person. Die Anweisungen beziehen sich hier auf die Behandlung einer anderen Person, lassen sich jedoch leicht für eine Selbstbehandlung umdeuten.

1. Achten Sie darauf, daß Ihr Partner während der gesamten Massage tief und ebenmäßig atmet. Sie lassen ihn zuerst mit angewinkelten Beinen auf dem Rücken liegen, so daß die Fußsohlen mit ganzer Fläche den Boden berühren.
2. Sie beginnen in der Magengrube. Pressen Sie im Uhrzeigersinn alle Reizpunkte,

die die Bauchdecke wie ein Kreis einschließen.

3. Kneten Sie die Bauchdecke mit den Handballen. Streichen Sie langsam im Uhrzeigersinn über die Bauchpunkte. Üben Sie dabei beim zweiten und dritten Mal etwas mehr Druck aus.

4. Nun dreht sich Ihr Partner behutsam um, bis er entspannt auf dem Bauch liegt.

5. Pressen Sie alle Punkte neben der Wirbelsäule im unteren Rücken. Massieren Sie die untere Rückengegend und das Gesäß.

6. Ihr Partner dreht sich nochmals auf den Rücken. Sie fassen seine Knie und pressen sie gleichzeitig gegeneinander und gegen seine Brust, wobei Sie mit Ihren Handballen fest auf M 36 drücken, der unter dem Knie an der Außenseite der Unterschenkel liegt. Lassen Sie Ihren Partner lang und tief atmen.

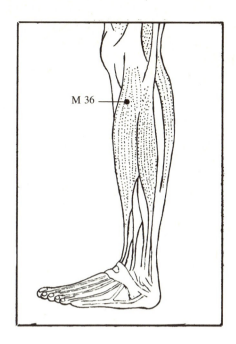

7. Ziehen Sie die Beine des Partners sanft in die Länge, so daß sie gerade auf dem Boden liegen. Geben Sie ihm reichlich Zeit für die Tiefenentspannung.

8. Ermutigen Sie Ihren Partner zu täglichem Üben und gesundem Essen mit viel Frischgemüse und Körnern, um künftig Verstopfung zu verhindern.

Wirbelsäulenbeschwerden

Die Wirbelsäule ist der eigentliche Halt des Körpers. Sie ist aus 33 Wirbeln zusammengesetzt: 7 Halswirbel (vertebrae cervicalis), 12 Brustwirbel (vertebrae thoracicae), 5 Lendenwirbel (vertebrae lumbalis), 5 verschmolzene Knochen an der Wirbelsäulenbasis (os sacrum), und 4 verschmolzene Knochen im Steißbein (os coccygis). Die Wirbelsäule trägt den Körper, schützt den zentralen Nervenstrang und offenbart den Krankheits- oder Gesundheitszustand eines Menschen.

Rückgratsnerven

Von der Wirbelsäule zweigen die Nerven ab, die zu allen Körperteilen reichen und alle Organe, Funktionen und Sinneswahrnehmungen steuern. Da die Knochenhülle der Wirbelsäule den Hauptnerv beherbergt, müssen wir sie unter allen Umständen natürlich ausgerichtet, biegsam, kräftig und ausgeglichen halten. Je gesünder die Wirbelsäule, desto gesünder ist auch der übrige Körper.
Sie können Wirbelsäulenbeschwerden mit Aku-Yoga wirksam selbst behandeln. Die Übungen beugen und strecken die Wirbelsäule in alle Richtungen, wodurch sie gekräftigt und geschmeidig gehalten wird. Die Wirbelsäule findet von allein zu ihrer natürlichen Ausrichtung zurück, weil Aku-Yoga jeden einzelnen Wirbel systematisch bewegt. Das Körpergewicht wird gleichmäßig auf die Bandscheiben verteilt. Haltungsfehler und Bewegungsmangel schaden der Wirbelsäule. Sie drücken die Wirbel aus der natürlichen Ausrichtung, zerrütten die Bandscheiben und klemmen Nerven ab.

Haltungsfehler

Genauso wie ihre asiatischen Kollegen erkannten die Ärzte im alten Rom und Griechenland die Bedeutung der Wirbelsäule für die Gesundheit. Aus ihren Beobachtungen verschiedener Haltungen, Positionen und abnormer Zustände entwickelten sie Übungen und Manipulationstherapien zur Korrektur der strukturellen Probleme, die häufig auch dem übrigen Körper schaden.
Die Chiropraktiker setzen in unserer Zeit diese Tradition fort. Sie befassen sich mit der Diagnose und Behandlung von mechanischen Störungen der Gelenkfunktionen, vor allem im Bereich der Wirbelsäule, und ihren Auswirkungen auf das Nervensystem. Chiropraktische Behandlung und Aku-Yoga können einander ergänzen. Man hat von der chiropraktischen Behandlung einen größeren und dauerhafteren Nutzen, wenn man die Haltungsregulierungen durch Aku-Yoga unterstützt. Umgekehrt erleichtert Aku-Yoga die Korrekturen, weil die Muskeln einen besseren Tonus haben. Sie drücken oder ziehen die Wirbelsäule nicht aus ihrer normalen Position und stemmen sich der Regulierung auch nicht entgegen. Im allgemeinen sind Personen, die Aku-Yoga betreiben, auch weniger von Haltungsschäden betroffen.

Das Gefäß des Herrschers

Das »Gefäß des Herrschers« (GH) ist einer der wichtigsten Meridiane und verläuft unmittelbar über der Wirbelsäule. Er beeinflußt das Gleichgewicht und die Stärke der Wirbelsäule in dem gleichen Maße, wie die Wirbelsäule auf ihn zurückwirkt. Wenn wir die Wirbelsäule kräftigen und biegsam halten, fördern wir das »Gefäß des Herrschers«. Wenn wir den Energiefluß im Gefäß des Herrschers stimulieren, nützen wir der Wirbelsäule und dem zentralen Nervenstrang. Dieselbe Wechselwirkung gilt natürlich auch im negativen Sinn. Hyperaktivität im Gefäß des Herrschers macht die Wirbelsäule steif, weil dann das Ki dieses Meridians blockiert ist.[43]

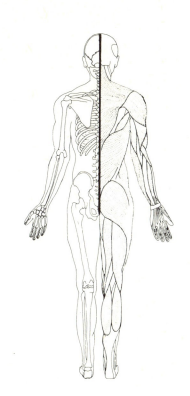

Wirbelsäulenschmerzen

Wir haben mehrfach hervorgehoben, daß die Nerven der Wirbelsäule zu allen Teilen des Körpers gehen. Deswegen kann es passieren, daß Sie an den Seiten oder einer anderen Körperstelle Schmerzen haben, ohne daß ein unmittelbarer Zusammenhang zur Wirbelsäule erkennbar ist. Eine Bewegung oder tiefes Atmen (das die Rippen bewegt, die ja von der Wirbelsäule ausgehen) kann diese Schmerzen hervorbringen. Häufig ist es so, daß ein von der Wirbelsäule ausgehender Schmerz an der Vorderseite des Körpers verspürt wird, dem eigentlichen Problem unmittelbar gegenüber.

Die untersten beiden Rippen können besonders leicht aus ihrer Lage gebracht werden, weil sie nicht mit dem Brustbein verbunden sind. Ein Stoß oder eine unglückliche Bewegung genügen, den Rippenbogen zu verlagern, so daß die Nerven und Bandscheiben, mit denen sie verbunden sind, einen Schock bekommen.

Aku-Yoga kann Wirbelsäule, Muskeln und Organe kräftigen. Tägliches Üben wirkt verjüngend. Sie können die Wirkung an Ihrem Gesicht und an Ihrer Haltung ablesen.

Die anschließenden Übungen stimulieren vor allem das »Gefäß des Herrschers«. Das »Rückgratsbeugen« stimuliert den zentralen Nervenstrang, der vom Gehirn absteigt. Dieser Nervenstrang ist in den Wirbeln von drei Membranschichten geschützt, zwischen denen jeweils die Gehirnflüssigkeit fließt. Wie der Name sagt, wird beim »Rückgratsbeugen« die Wirbelsäule vor und zurück gebeugt. Die Wirbelsäulenmuskeln erfahren eine sanfte Stärkung, so daß sie die Wirbel besser in der richtigen Lage halten können. Dann kann auch die Gehirn- und Rückenmarksflüssigkeit besser zirkulieren, die Wirbelsäule stabilisiert sich, der Rücken wird gekräftigt und Rückgratverkrümmungen werden verhindert.

Die »Kobra« streckt die Wirbelsäule, macht sie geschmeidiger, löst Verspannungen und beugt Rückgratverkrümmungen vor. Sie stimuliert die Yü-Punkte, die die Energien in den inneren Organen ausgleichen. Sie hilft bei Nervosität, Kopfschmerzen, Bluthochdruck, Ungeduld und Störungen der Sexualenergie.

»Kräftig und voll schießt das Blut in der ›Kobra‹ durch Rückgrat und Sympathikus. Dasselbe gilt für die Nieren. Auch sie bekommen viel Blut zugeführt. Man gebrauchte dieses Asana in Indien vornehmlich zur Vorbeugung gegen Nierensteine. Während der Übung wird das Blut aus den Nieren herausgepreßt. Sobald der Körper jedoch in seine normale Lage zurückkehrt, schießt ein kräftiger Blutstrom in die Nieren, der alle Ablagerungen wegspült. Die ›Kobra‹ stimuliert ferner die Schilddrüse und beseitigt Störungen ihrer Funktion. Sie fördert Selbstvertrauen und hilft, Minderwertigkeitskomplexe zu überwinden.«[44]

Bevor Sie sich nun an den Übungen versuchen, sollten Sie nochmals die Abschnitte über die »Biegsamkeit der Wirbelsäule« (siehe S. 31) und die »Rückenbeschwerden« lesen. Sie enthalten wichtige Information über die Wirbelsäule und den Rücken, die Sie zum besseren Verständnis Ihrer Beschwerden gut brauchen können. Außerdem sind dort zusätzlich Übungen vorgestellt, die das »Rückgratsbeugen« und die »Kobra« ergänzen.

Rückgratsbeugen

1. Sie hocken auf den Fersen. Legen Sie den Spann des rechten auf den Innenfußbogen des linken Fußes.
2. Die Hände ruhen auf den Oberschenkeln. Die Wirbelsäule ist aufgerichtet.
3. Beim Einatmen wölben Sie die Brustwirbel nach vorn, so daß die Schultern sich nach hinten schieben.
4. Beim Ausatmen lassen Sie die Wirbelsäule in sich zusammensinken. Dadurch krümmt sie sich in die entgegengesetzte Richtung. Der Kopf ruht auf dem Hals und bewegt sich selbst nicht; er geht einfach mit jeder Bewegung mit.
5. Üben Sie dies etwa eine Minute lang. Sie fangen ganz langsam an und fühlen jede Einzelheit der Bewegung. Je lockerer der Rücken wird, desto schneller biegen Sie ihn vor und zurück. Beim Einatmen schnellen die Brustwirbel nach vorn, beim Ausatmen sinken sie in sich zusammen, die Schultern runden sich nach vorn.
6. Sie legen sich zur Entspannung einige Minuten auf den Rücken.

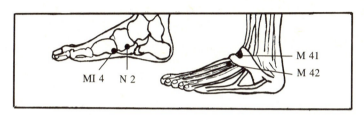

Aku-Punkte	Traditionelle Assoziationen
Milz 4	ein Reflexpunkt für die Mitte des oberen Rückens, Verdauungsbeschwerden, Bauchschmerzen
Niere 2	ein Reflexpunkt für die Rückenmitte, kalte Füße, Brustschmerzen, Bauchschmerzen, Schwellungen
Magen 41, 42	Körper fühlt sich stets kalt an, zielloses Umherirren, Schwindelgefühl, Wahnsinn, Anfälle
Gefäß des Herrschers 1–16	Rücken steif und schmerzend, Lenden und Wirbelsäule zu fest, Nervosität

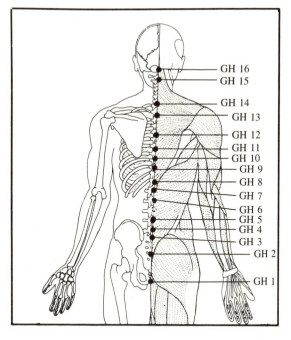

Die Kobra

1. Sie liegen auf dem Bauch, die Füße nebeneinander und das Kinn auf dem Boden. Legen Sie dann die Handflächen unter den Schultern auf dem Boden auf.
2. Während Sie langsam einatmen, heben Sie den Kopf und strecken die Halswirbel. Sie atmen weiter ein, heben die Brust und stützen sich dabei mit den Händen ab.
3. Beenden Sie den Vorgang des Einatmens, richten Sie den Oberkörper so weit wie möglich auf und wölben Sie ihn nach hinten. Die Hüften bleiben auf dem Boden. Die Arme sind entweder gestreckt oder leicht angewinkelt, je nach der Biegsamkeit Ihrer Wirbelsäule.

4. Nun atmen Sie aus und beginnen, etwa eine halbe Minute lang tief durchzuatmen, wobei Sie den Nabel gegen den Boden pressen.

5. Sie bleiben auf die Arme gestützt und senken den Oberkörper, bis jener Wirbelsäulenabschnitt unter Druck kommt, der eine Sonderbehandlung nötig hat. Halten Sie den Oberkörper dort an und atmen Sie wiederum eine halbe Minute lang tief in die Energiestauung in der Wirbelsäule.

6. Sie senken den Oberkörper vollständig, legen den Kopf auf die Seite und die Arme neben sich. Schließen Sie die Augen und entspannen Sie sich ein paar Minuten.

Üben Sie unmittelbar danach die »Streckung des Lebensnervs« oder den »Pflug«, um die Wirbelsäule auch in die entgegengesetzte Richtung zu biegen. Gehen Sie vorsichtig an die Übung heran. Die »Kobra« und der »Pflug« sind anstrengend. Überstürzen Sie nichts und entspannen Sie sich danach.

Aku-Punkte	Traditionelle Assoziationen	Wirbelsäulenabschnitt	Entfernung vom Boden und Haltung
Gefäß des Herrschers 15, 16	Hals steif und verhärtet, Kopfschmerzen, Erkältungen, Sprechschwierigkeiten, Angst, Neigung zum Selbstmord	Halswirbel	7–12 cm Kopf hebt sich
Gefäß des Herrschers 11, 12, 13, 14	Nervosität, Wirbelsäule unbeweglich und schmerzend, Augen sind schwer, Schmerzen am Hals und in den Schultern, Rückenschmerzen	obere Brustwirbel	15–22 cm Brust wölbt sich
Gefäß des Herrschers 6, 7, 8, 9, 10	Rückenschmerzen, unterer Rücken ist besonders steif, Gliedmaßen sind geschwächt, Bluthochdruck, Herzschmerzen	untere Brustwirbel	25–30 cm halb oben
Gefäß des Herrschers 4, 5	Lendenschmerzen, Impotenz, vaginaler Ausfluß, Lenden und Rücken steif und schmerzend	Lendenwirbel	30–38 cm fast ganz oben
Gefäß des Herrschers 1, 2, 3	Schmerzen im unteren Rücken, große Nervosität, unregelmäßige Monatsblutungen, Hexenschuß, Dickdarmkatarrh, Unterleib aufgebläht	Kreuzbein	38–45 cm ganz oben, Gesäß kontrahiert

Heilwirkung für/bei: Blase, Nieren, allgemeine Rückenbeschwerden, Nervenschwäche, Kopfschmerzen

Anhang

Anmerkungen

1. Swami Vishnudevananda: Das Große Illustrierte Yoga-Buch. Freiburg i. Br., 1982, S. 28
2. Stephan Palos: Chinesische Heilkunst. München, 1984, S. 195
3. Stephan Th. Chang: The Complete Book of Acupuncture. Millbrae, 1976, S. 14
4. Stephan Palos: a.a.O., S. 67
5. Heinrich Wallnofer und Anna von Rottauscher: Chinese Folk Medicine. New York, 1971, S. 161
6. Wallnofer u. Rottauscher: a.a.O., S. 139
7. Yogi Shanti Desai: The Complete Practice Manual of Yoga. Ocean City, N.J., 1976, S. 13
8. Swami Vishnudevananda: a.a.O., S. 16
9. Richard Wilhelm (Hrsg. und Übers.): I Ging – Das Buch der Wandlungen. Köln, 1956, S. 193
10. Sufi Inayat Khan: The Book of Health. London, 1974, S. 52
11. Felix Mann: The Treatment of Disease through Acupuncture. London, 1967, S. 33, 37, 118, 172
12. Stephan Palos: a.a.O., S. 98
13. Richard Wilhelm: a.a.O., S. 119
14. Richard Wilhelm: a.a.O., S. 230
15. Stephan Palos: a.a.O., S. 99; siehe auch Iona Teeguarden: The Acupressure Way of Health
16. Felix Mann: The Meridians of Acupuncture. London, 1964, S. 117f.
17. John F. Thie: Gesund durch Berühren. Basel, 1983, S. 38
18. Felix Mann: Treatment, a.a.O., S. 20
19. Felix Mann: Treatment, a.a.O., S. 42, 44, 45
20. Ilza Veith: The Yellow Emperor's Classic of Internal Medicine. Berkeley, 1949, S. 117f.
21. Felix Mann: The Meridians, a.a.O., S. 54
22. Felix Mann: Acupuncture – The Ancient Chinese Art of Healing. New York, 1962, S. 83
23. Felix Mann: Acupuncture, a.a.O., S. 95
24. Felix Mann: Treatment, a.a.O., S. 32, 37
25. Walter Cannon: The Wisdom of the Body. New York, 1963, S. 166
26. Ilza Veith: a.a.O., S. 138
27. Vgl. auch Naburo Muramoto: Heile Dich selbst durch bewußte Ernährung. München, 1981
28. Ilza Veith: a.a.O., S. 241
29. Sufi Inayat Khan: a.a.O., S. 56f.
30. Sufi Inayat Khan: a.a.O., S. 9
31. Sufi Inayat Khan: a.a.O., S. 6
32. Walter Cannon: a.a.O., S. 145
33. Mildred Jackson: The Handbook of Alternatives to Chemical Medicine. Berkeley, 1975, S. 68
34. Ilza Veith: a.a.O., S. 21ff.
35. Katsusuke Serizawa: Massage: The Oriental Method, Tsubo: Vital Points for Oriental Therapy. Tokyo, 1976, S. 68
36. Lyman, Fenger und Belfield: The New Century Family Physician's Cyclopedia of Medical Reference. S. 355f.
37. Richard Wilhelm: a.a.O., S. 131
38. Naburo Muramoto: a.a.O.
39. Mabel Todd: The Thinking Body. New York, 1959, S. 143–157
40. Mildred Jackson: a.a.O., S. 52
41. Sufi Inayat Khan: a.a.O., S. 9
42. A Barefoot Doctor's Manual. Prepared by the Revolutionary Health Committee of Hunan Province. Seattle, 1977, S. 87f.
43. Felix Mann: The Meridians, a.a.O., S. 112
44. Selvarajan Yesudian: Yoga and Health. New York, 1965, S. 137f.

Worterklärungen

abgeleiteter Schmerz: Ein Schmerz, der an einer anderen Körperstelle als der eigentlichen Ursache zu fühlen ist.

Affirmation: Feststellungen in Gedanken und Worten, die eine positive Lebenseinstellung bekräftigen. Sie erinnern uns an unsere großen Möglichkeiten und verstärken die Wirkung unseres Übens.

Aikido: Eine japanische Kunst der Selbstverteidigung, bei der man den Gegner durch die Stoßkraft seines eigenen Angriffs zu Fall kommen läßt, während man selbst vollkommen zentriert bleibt.

Akupressur: Eine Körperarbeit, die das chinesische System der Akupunkturpunkte und -meridiane mit japanischen Fingerdrucktechniken verbindet, um Muskelverspannungen zu lösen.

Akupunktur: Eine traditionelle Methode der chinesischen Medizin, bei der man an ganz bestimmten Punkten Nadeln in die Haut steckt, um innere Stauungen aufzulösen und die Lebensenergie auszugleichen.

Aku-Yoga: Die Synthese aus Akupressur und Yoga zur Selbstheilung und Vorbeugung von Krankheiten.

Apana: Der Prana im Unterleib, reguliert die Ausscheidung.

Asana: Traditionelle Yoga-Haltung.

Atembewußtheit: Die Fähigkeit, den Atem durch Sammlung und Entspannung zu vertiefen und bewußt durch den Körper zu lenken.

Ayur-Veda: Die klassische indische Naturheilkunde.

Bewegungstherapie: Der Gebrauch von Tanz und schöpferischer Bewegung als Mittel zur Selbstheilung.

Blockierung: Energiestaus in oder um einen Reizpunkt, die zumeist leicht schmerzen oder sich taub anfühlen, bevor sich daraus ein physisches Symptom entwickelt. Auch Gedanken und Emotionen können Energiestaus verursachen.

Chakra: Im Yoga ein Zentrum der Lebensenergie; mit den Nervengeflechten identisch.

Chi: Das chinesische Wort für Lebensenergie, die in den Meridianen den Körper durchkreist.

Ching Chi: Die in den Nieren gespeicherte Lebensenergie.

Chronische Muskelverspannung: Ein Zustand, in dem die Muskelfasern ständig kontrahiert bleiben.

Do-In: Eine Art der Akupressur, die man an sich selbst ausführt.

Energie: Die Grundlage aller Lebensformen und materiellen Manifestationen des Universums; eine dynamische Kraft, die in bestimmten Bahnen, den Meridianen, den Körper durchkreist.

Energiestaus: Siehe unter Blockierung.

Die fünf Elemente: Holz, Feuer, Erde, Wasser und Metall.

Ganzheitsdenken: Eine Lebenssicht, die davon ausgeht, daß alle Daseinsformen miteinander verknüpft sind, daß das Ganze mehr als die Summe seiner Teile ist und jeder innere und äußere Faktor das Ganze beeinflußt. Die ganzheitliche Gesundheitspflege oder Ganzheitsmedizin etwa behandelt Körper, Gefühle, Geist und spirituelles Potential eines Menschen nicht als separate Teilbereiche des Daseins, sondern eben als Ganzes.

Guru: Geistiger Lehrer.

Hatha-Yoga: Streckung und Tonisierung des Körpers durch Asanas und Entspannungsübungen. »Hatha« bedeutet wörtlich »Sonne und Mond«, Hatha-Yoga befaßt sich also mit der Vereinigung von solaren und lunaren Kräften.

Homöostasie: Zustand inneren Gleichgewichts, Konstanz des inneren Milieus.

Hyperventilation: Kräftige Mundatmung, wobei sehr viel Sauerstoff aufgenommen und sehr viel Kohlendioxid abgegeben wird; kann Schwindelgefühl und Brechreiz auslösen.

Ida: Im Yoga die Hauptbahn der lunaren psychischen Energien. Sie verläuft neben der Wirbelsäule. Die *Ida-Nadi* regiert die Yin-Energie.

Impotenz: Die Unfähigkeit, befriedigende Sexualbeziehungen zu haben. Ungewöhnlicher vaginaler Ausfluß und vorzeitige Ejakulation können die ersten Anzeichen von Impotenz sein.

Innere Festigkeit: Die Erfahrung einer besonderen Erdverbundenheit.

Die Innere Heilkunde des Gelben Kaisers (Huang Ti Nei Ching): Der Legende nach 2697 v. Chr. vom Gelben Kaiser verfaßt; das erste bekannte medizinische Spezialwerk der chinesischen Geschichte. Nach neuen wissenschaftlichen Erkenntnissen wurde es jedoch wahrscheinlich im Jahre 26 n. Chr. von Li Chi Kuo aus wesentlich älteren Quellen kompiliert. Die »Innere Heilkunde« enthält ein langes Zwiegespräch zwischen Huang Ti, dem Gelben Kaiser, und seinem Hofarzt Ch'i Po, in dem sie über das Verhältnis von Mensch und Natur, über die Elemente, die Krankheiten, ihre Entstehung und ihre Heilung diskutieren.

Intuition: Die innere Leitung durch sinnvolle Gedanken und Eindrücke.

Jin Shin: Eine Form der Akupressur, bei der man mit dem Finger anhaltend auf gewisse Schlüsselpunkte preßt; fördert das emotionale Gleichgewicht und erweckt tiefe Lebensfreude.

Karma: Das Gesetz von Ursache und Wirkung, das für alle Lebensbereiche gilt.

Karma-Yoga: Die Läuterung der eigenen Taten durch selbstloses Dienen.

Ki: Das japanische Wort für Lebensenergie.

Kundalini: Die latenten schöpferischen Kräfte; die Kundalini-Energie schlummert an der Wirbelsäulenbasis. Sie kann nach oben zum Kopfchakra geleitet werden, wo sie eine spirituelle Wiedererweckung auslöst.

Lebenskraft: Die Energie, die in allem enthalten ist. Ihre drei Hauptformen sind: (1) die Energie, die in den Meridianen den Körper durchkreist; (2) die Kraft menschlicher Eigenschaften wie Liebe, Hingabe, Beharrlichkeit, Wille, schöpferisches Denken und so weiter; (3) die Naturkräfte wie Wind, Regen, Sonne, Hitze, Magnetismus, Schwerkraft, Elektrizität und so weiter.

Mantra: Klänge, Silben, Worte, die in der Meditation ständig wiederholt werden, um Zustände höheren Bewußtseins zu erschließen.

Meditation: Innere Sammlung, die unsere spirituellen Möglichkeiten erweckt.

Meridiane: Die Bahnen, durch die die Lebensenergie hindurchfließt. Sie verbinden Reizpunkte und Organe miteinander.

Die Meridiane und ihre Abkürzungen

YIN-MERIDIANE		YANG-MERIDIANE	
Lungenmeridian	L	Dickdarmmeridian	DI
Milzmeridian	MI	Magenmeridian	M
Herzmeridian	H	Dünndarmmeridian	DÜ
Nierenmeridian	N	Blasenmeridian	B
Dreifacher Erwärmer	DE	Meister des Herzens	MH
Lebermeridian	LE	Gallenblasenmeridian	GB
Gefäß der Empfängnis	GE	Gefäß des Herrschers	GH

Mudras: Rituelle Gesten (vor allem Handgesten), die eine Lenkung und »Besiegelung« der Energien ermöglichen, wie auch die innere Haltung betonen, welche durch die Geste zum Ausdruck gebracht wird. Im Aku-Yoga gebrauchen wir Mudras, um Energieströme durch die Meridiane zu senden.

Nervensystem: Das Netz der Nerven, das die Muskelfunktionen reguliert. Das Nervensystem koordiniert Körper und Umwelt auf der Ebene der Zellen, der Organe wie auch des gesamten psychophysischen Systems.

Pingala: Im Yoga die Hauptbahn der solaren psychischen Energie. Die *Pingala-Nadi* regiert die Yang-Kraft im Körper.

Prana: Im Yoga die »vitale Energie«; siehe auch unter Lebenskraft.

Pranayama: Rhythmische Atemkontrolle; im Aku-Yoga steigern wir mit dem Pranayama die Wirksamkeit der Übungen.

Reizpunkte: Die Stellen, an denen man auf die Lebenskraft unmittelbar Einfluß nehmen kann. Akupunktur und Akupressur benutzen sie gleichermaßen. Sie befinden sich zumeist an neuromuskulären Verbindungspunkten, den Gelenken oder den Stellen, wo Knochen, Hautoberfläche und Meridiane dicht beieinander liegen.

Shiatsu: Eine japanische und die wahrscheinlich bekannteste Form der Akupressur. Man drückt dabei jeweils drei bis fünf Sekunden lang eine Reihe von Reizpunkten.

Sondermeridiane: Die acht Bahnen, die die Organmeridiane verbinden; die wichtigsten homöostatischen Mechanismen des Körpers, weil sie eine ungleiche Energieverteilung verhindern können. Aku-Yoga erweckt sie zu neuem Leben. Die Tiefenentspannung nach den einzelnen Übungen stärkt ihre Funktion.

Sonderpunkte: Es gibt etwa 800 Punkte, die keinem Meridian angehören. Der Sonderpunkt Taiyang z. B. liegt in der Schläfengegend. Je nach Art seiner Stimulierung begünstigt er die Ausschüttung von Endorphinen oder eine Belebung des Stoffwechsels.

Sushumna: Im Yoga der zentrale Energiekanal entlang der Wirbelsäule; die direkte Verbindung zwischen den Chakras; die Synthese von solaren und lunaren Energien.

T'ai Chi Chuan: Eine traditionelle chinesische Bewegungsform, die von den Kampfkünsten abgeleitet ist. Sie wird jetzt zumeist als eine Art therapeutischer Tanz verstanden, der die Körperenergien ausgleicht und die Gesundheit fördert.

Tao: Der Sinn; der Weg der Natur; ein Symbol des Unendlichen, Ungreifbaren.

Taoismus: Eine chinesische Lebens- und Religionsform; sie betont die Einheit von Mensch und Natur und die Relativität aller Phänomene.

Tiefenentspannung: Ein Zustand, in dem man alle begrifflichen Vorstellungen von Körper und Geist losläßt und sich ganz in das natürliche Fließen der Lebensenergie hineingibt; der notwendige Abschluß jeder Aku-Yoga-Übung.

Tofu: Sojabohnenkäse.

Tonikum: Eine Technik oder Substanz, die den Körper belebt.

Tsubo: Das japanische Wort für Reizpunkt.

Visualisierung: Der schöpferische Prozeß, in sich Gedanken und Bilder entstehen zu lassen, die dem Leben eine positive Richtung geben.

Wei Chi: Schützende Körperenergie.

Yin und Yang: Die beiden komplementären Aspekte des Einen, deren unaufhörliches Wechselspiel die Wandlungen hervorbringt.
   Yang – die aktive oder zusammenziehende Kraft
   Yin – die passive oder expandierende Kraft.

Yoga: »Vereinigung«. Yoga stellt mit Hilfe der verschiedensten alten Techniken das natürliche Gleichgewicht von Körper und Geist wieder her.

Yoga-Haltung: Körperhaltungen, die Wirbelsäule, Glieder, Gelenke und Muskeln strecken und stärken und außerdem Drüsen und Nerven tonisieren.

Yogi-Schlaf: Ein »Schlaf«, in dem der Körper vollkommen ruhig ist, während der Geist vollbewußt bleibt. Man ist sich seiner physischen und psychischen Gegenwart bewußt und erfährt doch Zustände, die man allgemein als »außersinnlich« oder »außerkörperlich« bezeichnet. Deswegen besitzt der »Yogi-Schlaf« auch eine außerordentliche Heilwirkung.

Yü-Punkte: sind mit den Organen assoziierte Punkte. Sie befinden sich auf beiden Seiten der Wirbelsäule, jeweils zwischen der Wirbelsäule und dem großen Sakrospinalis-Muskel.

Zentrieren: Die Gewinnung von Geistesgegenwart und Körperbewußtheit; die Fähigkeit, bewußter im gegenwärtigen Augenblick zu leben.

Zur weiterführenden Lektüre

Bendix, Gerard S.: Handbuch für die Füße. Illustrierte Anleitung zur Selbstbehandlung der Fußreflexzonen für die Entspannung und Normalisierung des ganzen Körpers. Berlin, 1983

Berkeley Holistic Health Center, Hrsg.: Das Buch der ganzheitlichen Gesundheit. München, 1982

Bernau, Lutz und Meyer, Adolf: Das Große Akupressur-Buch. München, ²1983

Blate, Michael: Akupressurhandbuch. Berlin, 1982

Carrington, Patricia: Das große Buch der Meditation, München, 1982

Chung-yuan, Chang: Tao, Zen und schöpferische Kraft. Köln, ²1981

Cooper, J. C.: Der Weg des Tao, München, 1981

Eliade, Mircea: Yoga. Frankfurt, 1985

Feldenkrais, Moshe: Bewußtheit durch Bewegung. Frankfurt a. M., 1978

Geba, Bruno: Das Atembuch. Frankfurt a. M., 1983

Heyn, Birgit: Die sanfte Kraft der indischen Naturheilkunde. München, 1983

Inglis, Brian u. West, Ruth: Der alternative Gesundheitsführer. München, 1984

Iyengar, B. K. S.: Licht auf Yoga. München, 1969

Iyengar, B. K. S.: Licht auf Pranayama. München, 1983

Kirschner, M. J.: Die Kunst, sich selbst zu verjüngen. Yoga für tätige Menschen. Baden-Baden, 1979

Kushi, Michio: Die Kushi-Diät. Makrobiotik als Vorsorge. München, 1984

Kushi, Michio: Michio Kushis Do-In-Buch. Salzhausen, 1980

Langre, Jacques de: Do-In 2. Die Kunst der Verjüngung durch Selbstmassage und Atemübungen. Berlin, 1981

Lao-Tse: Tao Te King. Hrsg. und übers. von Richard Wilhelm. Köln, 1957

Lappe, Frances M.: Die Öko-Diät. Frankfurt a. M., 1978

Lawson Wood, Denis/Lawson Wood, Joice: Akupunktur und chinesische Massage. Theorie und Praxis. Freiburg im Breisgau, 1977

Leadbeater, Charles W.: Die Chakras. Freiburg i. Br., ⁵1984

Leboyer, Frédérick: Die Kunst zu atmen. München, 1983

Leboyer, Frédérick: Weg des Lichts. München, 1980

Mann, Felix: Akupunktur. Ein Weg zur Heilung von vielen Krankheiten. Heidelberg, 1976

Muramoto, Naburo: Heile Dich selbst durch bewußte Ernährung. München, 1981

Nakamura, Takashi: Das große Buch vom richtigen Atmen. München, 1984

Namikoshi, Tokujiro: Shiatsu. Heilung durch die Fingerspitzen. Zürich, ⁶1982
Ohashi, Wataru: Shiatsu, die japanische Fingerdrucktherapie. Freiburg i. Br., ⁵1983
Palos, Stephan: Chinesische Heilkunst. München, 1984
Palos, Stephan: Atem und Meditation. Moderne chinesische Atemtherapie. München, 1985
Patanjali: Die Wurzeln des Yoga. München, ⁴1982
Porkert, Manfred: Die theoretischen Grundlagen der chinesischen Medizin. Wiesbaden, 1973
Protin, André: Aikido. München, 1984
Rofidal, Jean: Do-in – Asiatische Selbstmassage. Freiburg i. Br., ²1982
Samuels, Mike und Bennett, Hal: Das Körperbuch. Frankfurt a. M. 1983
Serizawa, Katsusuke: Fernöstliche Heilmassage. München, 1979
Serizawa, Katsusuke: Tsubo – Gesundheitspunkte fernöstlicher Therapie. Handbuch der Akupressur. 1979
Shurtleff, William und Aoyagi, Akiko: Das Misobuch. Soyen, 1980
Shurtleff, William und Aoyagi, Akiko: Das Tofubuch. Soyen, 1981
Thie, John: Gesund durch Berühren. Basel, 1983
Tulku, Tarthang: Selbstheilung durch Entspannung. München, 1980
Vishnudevananda: Das Große Illustrierte Yoga-Buch. Freiburg i. Br. 1982
Wilhelm, Richard (Hrsg. und Übers.): I Ging – Das Buch der Wandlungen. Köln, 1956
Yesudian, Selvarajan u. Haich, Elisabeth: Sport und Yoga. Engelberg, 1984
Yogananda, Paramahansa: Wissenschaftliche Heilmeditationen. Theorie und praktische Anwendungen der Konzentration. München, 1981
Zöller, Josephine: Das Tao der Selbstheilung. München, 1984

Register

Abwehrkräfte 17, 84, 127ff., 144, 151, 153, 224
Adrenalindrüsen 63, 176
Akupunktur 11f., 15, 17, 210
Allergien 188, 198
Anrufung des Herzens (Übung) 72
Armbeschwerden 136, 163, 225
Armpyramide (Übung) 221
Arthritis 64, 136, 214, 239
Assoziierte Punkte *siehe* Yü-Punkte
Atem/Atmung 11f., 14, 16f., 20, 25f., 30, 32ff., 38–43, 51ff., 57f., 63, 75f., 134, 148f., 156, 165f.
Atembeschwerden 30, 64, 70, 144, 147, 150
Atemanhalten (Übung) 34
Atem des Feuers (Übung) 34, 135
Atemmeditation (Übung) 51, 77
Atemvisualisierung (Übung) 34
Atmungsapparat 14, 18, 32, 38f., 165
Aufgabe des Ich 18
Augenbeschwerden 129–133, 155, 183f., 188, 198, 218
Augenkreisen (Übung) 131

Bambus bohren (Übung) 183, 197
Bauch 15, 33f., 36, 38, 42, 45, 67, 88, 134, 140, 175, 183, 191, 202, 226f., 229, 231, 233f., 237, 243
Bauchspeicheldrüse 63, 147, 232
siehe auch Milz
Beckenfedern (Übung) 65
Beckenstreckung (Übung) 194

Beckenverspannung 53, 134, 137–140, 166f., 195, 208
Beinbeschwerden 195, 214
Bewußtheit 14, 16, 21, 23, 26–30, 35f., 125, 144ff., 174, 209
Bewußtsein 20, 22f., 35, 44, 64, 77
Bhakti-Yoga 18f.
Biegsamkeit 31f., 51, 208f., 211, 242f.
Blase 64, 67, 70, 101ff., 112ff., 127, 129, 133, 136f., 144, 167, 172, 178, 183ff., 188, 191, 196, 198, 200ff., 207f., 211, 218, 224, 234f., 239, 246
Blähungen 188, 227ff., 230, 234f.
Blockierung 13f., 21f., 27–32, 34, 43, 45, 51, 76, 82, 174f., 208f., 218f.
Blutdruck 25, 34, 44, 70, 141f., 175, 190
Bluthochdruck 64, 84, 136, 141–144, 150, 163, 166, 201, 224, 246
Blutkreislauf 17f., 25, 30, 34, 36, 129, 138, 155f., 163, 188–191, 208
Bogen (Übung) 95, 191, 233f.
Bogenspannen (Übung) 105
Boot (Übung) 175
Bruch 183
Brücke (Übung) 74, 223

Chakras 36, 49, 63–77, 81
– erstes Chakra 36, 63ff.
– zweites Chakra 36, 63f., 67
– drittes Chakra 36, 63f., 69f., 229
– viertes Chakra 36, 63f., 70ff.
– fünftes Chakra 36, 63f., 73ff.
– sechstes Chakra 36, 63f., 76, 160
– siebentes Chakra 36, 63f., 77
Chang mo 83
Chen Chi 203
Chi-Energie 11, 23, 35ff., 42, 81ff., 101ff., 125ff., 190, 215
  siehe auch Ki-Energie
Chiao mo 83
China 15f., 20, 22f.
Ching Chi 33, 86, 203
Ch'i Po 15, 249
Chiropraktik 242

Darmbeschwerden 136
  siehe auch Dickdarm; Dünndarm
Depression 21, 144–150, 195, 223f.
Dickdarm 101f., 104ff., 154f., 162f., 178, 183, 196, 198, 215, 234f., 238f.

Dickdarmkatarrh 136
Disziplin 25f., 35
Do-In 19, 248
Dreifacher Erwärmer 37, 76, 93, 101f., 117, 133, 150, 163, 178, 191, 198, 215
Drehstreckung (Übung) 52
drittes Auge 76, 160, 183, 197
Dünndarm 101f., 110f., 136, 143f., 163
Durchfall 135
Dschuang Dsi 17

Einbringen und Loslassen (Übung) 149
Einladung an die heilenden Energien (Übung) 40
Einstellung 26ff., 44f., 144f.
elektromagnetisches Feld 34
Emotionen 12f., 24f., 27, 30f., 63f., 69f., 84, 102, 130, 136, 138f., 141f., 144ff., 150f., 159f., 168ff., 192, 196, 203ff., 210, 215f., 219, 229f.
Endokrines System 14, 18, 28, 33, 35f., 73, 76, 83, 192, 232
Energiekreislauf 11f., 28f., 33f., 36f., 81ff., 127, 137, 155f., 174, 208
Einssein 21ff., 44f.
Entspannung 24, 28f., 34, 44f., 51, 61, 81ff., 99, 122, 126, 174f., 189, 195, 209, 216, 231
Erbrechen 155
Erkältungen 84, 150–155
Erleben der Wahrheit 20
Ernährung 12f., 49, 69, 126f., 141, 147, 151f., 155, 159, 186, 189f., 193, 198, 206, 215f., 227–235
Erste Hilfe-Akupressur 19
Erschöpfung 86, 102f., 127, 155–163, 174, 176, 205, 214, 218, 224, 235

Festhalten 30, 150f.
Fieber 129, 153, 155, 191
Flügelheben (Übung) 143
Flügelschlagen (Übung) 70f.
Flügelschultern (Übung) 61
Fortpflanzungssystem 36, 63f., 136, 139f., 208, 210
Freisetzung von Spannungen 12f., 28, 34, 43, 49, 61, 126f., 193, 195
»freudiger Schlaf« (Aku-Punkt) 216
Frustration 13, 138ff., 155, 164–167, 208, 223

Gallenblase 38, 40, 56, 63f., 69, 92, 101f., 118f., 133, 137, 154f., 162f., 166f., 169f., 172f., 178, 182f., 185, 202, 204, 209, 224, 234
ganzheitlich 11, 19f., 35, 125f., 174
Ganzheitsmedizin 11, 19f., 125f., 141
Gebetshaltung (Übung) 29, 89
Gefäß der Empfängnis 65, 83, 85f., 94, 136, 173, 176, 228, 234
Gefäß des Enthemmers 83, 87f., 92
Gefäß des Herrschers 36f., 67, 76f., 83, 85f., 94, 136, 155, 172f., 176, 178, 191, 198, 201, 213, 234, 243, 245f.
Gefäß des Yin/Yang-Bewahrers 83f., 90, 93, 97
Gefäß des Yin/Yang-Erregers 83, 86f., 90f., 98, 217
Gehirn 36, 38, 51, 61, 77, 232
Gehirn- und Rückenmarksflüssigkeit 37, 243
Giftstoffe 12f., 156, 185, 189, 208
Gleichgewicht 11ff., 16f., 19, 21–24, 26, 29, 31f., 36f., 44f., 51, 81ff., 144f., 152, 185
Großer Ausscheider (Übung) 105
Gürtelgefäß 83, 88, 92

halbes Rad (Übung) 154
Hals 36f., 53f., 58f., 73ff., 133, 155, 163, 165, 168–173, 177–184, 189ff., 218–224, 246
Halsentzündung 129, 155, 172f., 191, 224f.
Halsverschließung 36, 37
Hämorrhoiden 64f., 214, 239
Handauflegen (Übung) 131f.
Hände in der Grube (Übung) 69
Hara 33, 38, 44
Hara-Atmung (Übung) 33
Harmonie 12, 16, 21ff., 32, 37, 51, 81, 83, 150f., 155f., 165, 170, 174, 205, 209
Hatha-Yoga 18f.
Hauptverschließung (Übung) 36f.
Heilen 34, 36f., 40, 58
Herz 29, 37, 64, 70f., 101f., 109f., 149f., 157, 209, 215
Herzbrücke (Übung) 71, 93
Herz-Chakra siehe viertes Chakra
Herzgefäße 37, 70
Heuschnupfen 188, 198
 siehe auch Allergien

Heuschrecke (Übung) 68, 96, 109, 140
Den Himmel auf Händen tragen (Übung) 161ff.
Himmelsfenster (Übung) 171f.
Himmelsfenster 42, 168, 173
Himmelspfeiler (Übung) 171
Hirnanhangdrüse 63f., 76f., 83, 192
Hocke (Übung) 238
Hoku 105f., 154f., 178, 182f.
Huang-ti 15, 249
Hüften 137, 165ff.
Hüftbefreiung (Übung) 166f.
Hüftwende (Übung) 166
Hürdenläufer (Übung) 90f.
Hypothalamus 83

Ich 18, 35, 37
Ida 249
I Ging 37, 82, 205
Imagination 21, 34, 76, 160
 siehe auch Visualisierung
Impotenz 64, 67, 138f., 183, 205–207
Indien 16–23, 30
»Innere Heilkunde des Gelben Kaisers« 15, 23, 101, 127, 151, 153, 188, 249
innere Organe 12f., 15, 30, 32ff., 63f., 69, 73, 81, 101f., 127, 190, 209f.
Innere Sättigung (Übung) 38f.
innere Stimme 13, 21, 26f., 31
innerer Friede 14, 22, 25, 28f., 35, 37
Innerer Hausputz (Übung) 90
innerer Lehrer 26ff., 31, 144ff.
Instinkt 14, 16, 218
Intuition 16, 20f., 26f.
Ischias 138, 201, 214, 235
Ischias-Nerv 32, 43, 65, 191, 209f.

Jen mo 83
Jin Shin 19, 180f., 249
Jnana-Yoga 18
Joggen 31

Kamel (Übung) 217
Kamelritt (Übung) 54f.
Katzenbuckel (Übung) 54, 67f.
kalte Füße 129, 140, 189, 191, 195, 213f., 224, 234, 245
Kampf- oder Fluchtreflex 168
Karma 24
Karma-Yoga 18f.

Kehle 36, 63, 171f.
Kerze 75, 128, 224ff.
Ki-Energie 11, 23, 34, 44, 81f., 155f.
 siehe auch Chi-Energie
Klang 18, 35, 40ff., 64, 73
Klarer Geist (Übung) 76
Kniebeschwerden 191, 214, 239
Kniepresse (Übung) 234
Kobra (Übung) 32, 94, 191, 213, 244f.
Kopfdrehung (Übung) 73
Kopfschmerzen 21, 76, 150, 153, 155, 172f., 177–184, 191, 198, 201, 218, 239, 246
Krämpfe 31, 90, 176, 185–188, 213
Kräuter 12, 16f.
Kreuz 31f., 43, 53, 67, 74, 86, 134, 165, 193, 201, 205, 207, 209, 239, 246
Kreuzbeschwerden 134, 136, 166f., 183, 193, 202, 208, 213f., 235, 246
Kundalini-Yoga 18, 36f.

langes tiefes Atmen (Übung) 33
Laya-Yoga 18
Lebensenergie *siehe* Chi-Energie; Ki-Energie
Lebensnerv 32
 siehe auch Streckung des Lebensnervs
Lebensstil 12, 14, 16, 30f., 199
Leber 38, 40, 56, 63f., 69, 101f., 120f., 130, 133, 137, 150, 157, 178, 185–188, 195, 201f., 204, 215, 231
Liebe 18f., 24, 31, 39, 58, 70
Lila 22
Loslassen 35, 44, 51
Lotussitz (Übung) 34, 38
Lunge 39, 101–104, 121, 129, 144, 149f., 157, 187f., 209, 215, 239
Lymphgefäße 14

Magen 15, 21, 56, 69, 101f., 106f., 133, 136f., 140, 149f., 158f., 172f., 176, 182ff., 187f., 191, 202, 212f., 234f., 239, 245
Mantra 35, 249
Meditation 18f., 26, 28f., 35–43, 52, 76, 81f., 86, 174, 210
Meditation zur Erforschung von Krankheitsursachen (Übung) 43
Meister des Herzens 63f., 93, 101f., 115f., 150

Menstruationsbeschwerden 36, 40, 68, 155, 192–195
Milz 38, 40, 56, 63f., 69, 90, 92, 101f., 108f., 128f., 137, 140, 147f., 150, 157, 187f., 195, 231f., 234f., 245
Mudras (Handgesten) 19, 43, 250

Nebenhöhlen 155, 183f., 196ff.
 siehe auch Erkältung
Nebenschilddrüsen 35, 192
Nerven 11, 13, 16, 28, 30, 32, 34, 37f., 44, 51, 133, 155, 158, 198–202, 209, 224f., 243f.
Nervensystem 14, 18, 25, 34f., 37, 63, 86, 130, 134ff., 209, 234
Nervosität 136, 143, 213, 224, 246

oberer Rücken 32, 129, 144, 201f., 210f., 213, 246
Ödem 202
Organmeridiane *siehe* jeweiliges Organ
Organuhr 101ff.
Ozean der Energie *siehe* Hara

Pflug (Übung) 32, 97, 128, 190
Pingala 250
Plexus Cardiacus 64
Plexus Hypogastriticus 64
Plexus Pelvis 64
Potenz 53, 140, 203–208
Prana 11, 23, 250
Pranayama 18f.
Präventivmedizin 12, 49, 177
Propeller (Übung) 60
Prostata 64
Pyramide (Übung) 42

Raja-Yoga 18
Rampe (Übung) 117
Reinigung 34, 117, 151f.
Reflexzonenmassage 199, 221
Rektum 36, 38, 63
Rheuma 163, 172, 188, 202, 223
Rhythmus 52f., 58
Rückenbeschwerden 31f., 191, 201f., 205, 208–214, 245f.
Rückenmark 37, 51
Rückenschaukel (Übung) 158, 201
Rückgratsbeugen (Übung) 56, 69f., 212, 244
Rückgratsdrehung (Übung) 57

rote Blutkörperchen 34
»ruhiger Schlaf« (Aku-Punkt) 216, 218

Sahaja-Yoga 18
Sakrum 32, 43, 166f.
Sanri 158f.
Schilddrüse 35, 63, 73, 83, 97, 135f., 150, 172, 191, 201, 224f., 232
Schlafstörungen 172, 195, 201, 215–218, 239
Schulterbeugen (Übung) 59
Schultern 42, 53, 57, 61
Schulterpresse (Übung) 222f.
Schulterverspannungen 26, 142ff., 161ff., 177, 189, 191, 197f., 210, 218–226, 246
Schwellungen 90, 213
Schwingungen 18, 22f., 35, 58, 73
Shiatsu 19, 179f., 250
Selbstbehandlung 11, 19f., 34, 125f., 145, 168
Senfumschlag 193
Schließmuskel 36
Schmetterling (Übung) 92
Selbstverantwortung 146
Solarplexus 63f., 134ff., 165, 175
Solarplexus-Haltung (Übung) 135
Sondermeridiane 22, 44, 49, 81–99, 250
Sonderpunkte 180, 250
Sprechschwierigkeiten 172, 246
Spirituell 12, 18, 20ff., 35, 45, 63
Stoffpuppe (Übung) 220f.
Stoffwechsel 35, 63, 141, 192
strahlende Gesundheit 14, 32, 49, 82, 141
Streckung 18, 25, 27, 33, 49, 52, 113
Streckung des Lebensnervs (Übung) 55, 58, 65f., 113, 213
Streß 12f., 34, 44f., 49, 82, 157, 168f., 192, 208
Sushumna 37, 250
Symptome 12, 15, 19, 30f., 125, 177

Tai mo 83
Tao 22, 250
Taoismus 250
taoistischer Yoga 22, 82, 86, 234
Tausendblättriger Lotus 77

Thymusdrüse 63, 232
Tiefenentspannung (Übung) 44f., 61, 122
Tore des Lebens 67, 94, 176
Tu mo 83
Turmspringer (Übung) 200

Überessen 49, 144, 159, 178, 227f., 235
Unter Wasser schauen (Übung) 182
Urogenitalsystem 14, 36, 64, 67

Vagus 63
Verdauungsstörungen 140, 159, 178, 183, 188, 202, 206, 213, 227–237
Verdauungssystem 14, 76, 134
 siehe auch Verdauungsstörung
Verkühlung 188, 218
Verspannung 11ff., 28f., 30f., 34, 39, 49, 51, 61, 69, 82, 156, 174ff., 186, 192, 208f.
Verstopfung 64f., 140, 167, 178, 188, 191f., 196, 201, 214, 234–241
Vertrauen 24, 26f.
Visualisierung 19, 21, 34, 76f., 81f., 160
Volksmedizin 15ff.

Wasserfall (Übung) 41f.
Wei mo 83
Wiederbelebung 32f., 44f., 157ff.
Wärmung des Geschlechts (Übung) 207
Wirbelsäule 18, 25, 31f., 37, 49, 51, 53f., 63, 67, 86, 97, 127, 191, 198, 201, 208ff., 213, 242–246
Wohlbefinden 14, 33, 49, 63, 165
Wurzelverschließung 36, 38

Yin und Yang 23, 36, 70, 73, 83–86, 147, 151ff., 185, 204, 236f.
Yoga-Mudra (Übung) 58, 128, 132, 187
Yoga-Therapie 126
Yogi-Schlaf 44f., 251
Yü-Punkte 209f., 251

Zentralnervensystem 37
 siehe auch Nervensystem
Zentrieren 26, 29, 58, 69
Zirbeldrüse 63f., 77
Zwerchfell 33, 38, 134
Zwerchfellverschließung 36f., 38